TESS GERRITSEN

GRAWITACJA

Z angielskiego przełożył

ANDRZEJ SZULC

ALBATROS

Wydawnictwo
A. Kuryłowicz

WARSZAWA 2007

Tytuł oryginału:
GRAVITY

Redakcja: Teresa Kowalewska

Redakcja medyczna: dr nauk med. Marcin Szulc

Ilustracja na okładce: Jacek Kopalski

Projekt graficzny okładki i serii: Andrzej Kuryłowicz

ISBN 978-83-7359-377-0

Wyłączny dystrybutor
Firma Księgarska Jacek Olesiejuk
Kolejowa 15/17, 01-217 Warszawa
tel./fax (22)-631-4832, (22)-632-9155, (22)-535-0557
www.olesiejuk.pl/www.oramus.pl

WYDAWNICTWO ALBATROS
ANDRZEJ KURYŁOWICZ
Wiktorii Wiedeńskiej 7/24, 02-954 Warszawa

Wydanie III (kieszonkowe – I)
Druk: B.M. Abedik S.A., Poznań

Mężczyznom i kobietom,
dzięki którym loty kosmiczne stały się faktem.
Największe osiągnięcia ludzkości wzięły początek z marzeń.

Podziękowania

Książka ta nie powstałaby bez pomocy udzielonej mi przez pracowników NASA.

Składam gorące podziękowania:
Edowi Campionowi z działu Public Affairs NASA za to, że osobiście oprowadził mnie po fascynującym Centrum Kosmicznym Johnsona.
Dyrektorom lotu Markowi Kirasichowi (stacja kosmiczna) oraz Wayne'owi Hale'owi (wahadłowiec) za pokazanie mi, na czym polega ich odpowiedzialna praca.
Nedowi Penleyowi za wyjaśnienie, jak wygląda proces selekcji ładunków, które polecą w kosmos.
Johnowi Hooperowi za pokazanie nowego załogowego statku ratowniczego (Crew Return Vehicle).
Jimowi Reuterowi z Centrum Kosmicznego Marshalla za zapoznanie mnie z funkcjonującymi na stacji kosmicznej systemami podtrzymania życia.
Lekarzom lotu Tomowi Marshburnowi oraz Smithowi Johnstonowi za szczegóły dotyczące medycyny nagłych przypadków w stanie nieważkości.
Jimowi Ruhnke za to, iż udzielił odpowiedzi na moje czasami dziwaczne pytania natury technicznej. Tedowi Sasseenowi za podzielenie się wspomnieniami ze swej długiej kariery inżyniera lotniczego.

Jestem również wdzięczna wielu ekspertom z innych dziedzin:

Bobowi Truaxowi oraz Budowi Meyerowi, prawdziwym „rakieciarzom" z Truax Engineering za informacje z pierwszej ręki na temat rakiet wielokrotnego użytku.

Steve'owi Watermanowi za informacje na temat komór dekompresyjnych.

Charlesowi D. Sullivanowi oraz Jimowi Burkhartowi za konsultacje na temat wirusów atakujących płazy.

Doktorowi medycyny Rossowi Davisowi za konsultację neurochirurgiczną.

Bo Barber, nieocenionemu źródłu wiedzy o samolotach oraz pasach startowych. (Bo, polecę z tobą w każdej chwili!)

Na koniec muszę jeszcze raz podziękować:

Emily Bester, która pozwoliła mi rozwinąć skrzydła.

Donowi Cleary i Jane Berkey z Agencji Jane Rortrosen za to, że wiedzą, co składa się na wspaniałą opowieść.

Meg Ruley, dzięki której marzenia stają się rzeczywistością.

oraz

Mojemu mężowi Jacobowi. Kochanie, tkwimy w tym razem.

MORZE

Rozdział pierwszy

Rów Galapagos
30 stopni szerokości południowej,
90 stopni 30 minut długości zachodniej

Szybował nad skrajem otchłani.

Pod nim otwierała się czarna pustka zimnego podwodnego świata, do którego nigdy nie dociera słońce, gdzie jedynym światłem jest przelotne lśnienie bioluminescentnego organizmu. Leżąc płasko w dopasowanym do ciała kokonie *Deep Flight IV*, z głową tkwiącą w jego stożkowatym akrylowym dziobie, doktor Stephen D. Ahearn miał wrażenie, że unosi się niczym nieskrępowany w międzygwiezdnej przestrzeni. W świetle lamp zamocowanych na skrzydłach widział deszcz szczątków organicznych, które opadały z przesyconych światłem wód daleko na górze. Martwe pierwotniaki dryfowały tysiące stóp w dół, by osiąść na cmentarzysku na dnie oceanu.

Sunąc przez nieustannie osypujące się szczątki, Ahearn prowadził *Deep Flight* wzdłuż skraju podwodnego kanionu, po lewej stronie mając otchłań, pod sobą podwodne plateau. Chociaż osady sprawiały wrażenie jałowych, wszędzie widać było oznaki życia. Na dnie pozostały ślady stąpających po nim i pełzających stworzeń, teraz bezpiecznie ukrytych pośród osadów. Widział również ślady ludzkie — zardzewiały łańcuch oplatający urwaną kotwicę, a trochę dalej zanurzoną do połowy w szlamie butelkę po oranżadzie — upiorne pozostałości istniejącego tam, na górze, obcego świata.

11

W polu jego widzenia ukazało się nagle coś dziwnego. Miał wrażenie, jakby znalazł się w podwodnym lesie, pośród zwęglonych pni. Były to mające dwadzieścia stóp średnicy czarne kominy, utworzone przez roztopione minerały wydzielające się ze szczelin w płaszczu ziemi. Kręcąc manetkami, łagodnie skierował *Deep Flight* w prawo, żeby je ominąć.

— Dotarłem do źródła hydrotermicznego — powiedział. — Poruszam się z prędkością dwóch węzłów. Po lewej stronie widać kominy.

— Jak ci się ją prowadzi? — zatrzeszczał w słuchawkach głos Helen.

— Wspaniale. Chcę dostać na własność jedno z tych cacek.

Helen roześmiała się.

— Musiałbyś nam wystawić czek na bardzo dużą sumę, Steve. Zauważyłeś już nodule? Powinny być wprost przed tobą.

Ahearn milczał przez chwilę, wpatrując się w mrok.

— Widzę je — stwierdził w końcu.

Nodule manganu wyglądały jak rozrzucone na dnie oceanu bryły węgla. Dziwnie, prawie nienaturalnie gładkie, uformowane przez minerały krzepnące wokół kamyków oraz ziaren piasku, były wysoko cenionym źródłem tytanu i innych szlachetnych metali. Ahearn zignorował je jednak. Szukał czegoś o wiele cenniejszego.

— Schodzę w dół, do kanionu — oświadczył.

Sterując manetkami, minął skraj plateau. Kiedy prędkość pojazdu zwiększyła się do dwóch i pół węzła, skrzydła, zaprojektowane, by wywołać efekt odwrotny niż w przypadku skrzydeł samolotu, zaczęły ściągać batyskaf w dół.

— Tysiąc dwieście metrów — poinformował. — Tysiąc dwieście pięćdziesiąt...

— Uważaj przy schodzeniu. To wąski rów. Kontrolujesz temperaturę wody?

— Zaczyna się podnosić. Wynosi teraz pięćdziesiąt pięć stopni.

— Do źródła jeszcze daleko. Znajdziesz się w gorącej wodzie dwa tysiące metrów niżej.

Jakiś cień przemknął nagle tuż obok jego twarzy. Ahearn

12

cofnął się mimowolnie i szarpnął manetką, przechylając *Deep Flight* w prawo. Batyskaf walnął o ścianę kanionu i przez kadłub przeszła potężna fala uderzeniowa.

— Jezu!

— Co się stało? — zapytała Helen. — Co się stało, Steve?

Ahearn łapał kurczowo powietrze, przerażone serce tłukło mu się w piersi. Kadłub. Czy zniszczyłem kadłub? Poprzez pulsującą w uszach krew nasłuchiwał skrzypienia pękającej stali i szumu wody. Znajdował się trzy tysiące sześćset stóp pod powierzchnią wody; wynoszące sto atmosfer ciśnienie ściskało go ze wszystkich stron niczym żelazna pięść. Jedna szczelina w kadłubie i zmiażdży go woda.

— Odezwij się, Steve!

Całe ciało miał zlane zimnym potem.

— Przestraszyłem się — wykrztusił w końcu. — Zderzyłem się ze ścianą kanionu.

— Są jakieś uszkodzenia?

Wyjrzał przez kopułę.

— Nie potrafię powiedzieć. Uderzyłem chyba o skałę przednim sonarem.

— Czy jesteś w stanie nadal manewrować?

Poruszył manetkami i łódź skręciła w lewo.

— Tak. Tak. — Odetchnął głęboko. — Chyba nic mi się nie stało. Coś przepłynęło tuż obok kopuły. Wystraszyłem się.

— Coś?

— Minęło mnie tak szybko! Zupełnie jakby skoczył na mnie wąż.

— Czy to coś miało rybią głowę i ogon węgorza?

— Tak. To chyba to.

— W takim razie zobaczyłeś węgorzycę. *Thermarces cerberus*.

Cerber, pomyślał, wzdrygając się. Trójgłowy pies pilnujący bram piekła.

— Lubi wysokie temperatury i siarkę — powiedziała Helen. — Zobaczysz ich więcej, kiedy zbliżysz się do źródła.

Niech ci będzie. Ahearn miał bardzo blade pojęcie o morskiej biologii. Mijające akrylową kopułę stworzenia były dlań przedmiotami zaledwie przelotnego zainteresowania, żywymi znakami, wskazującymi drogę do celu. Trzymając pewnie obie manetki, kierował *Deep Flight* w głąb otchłani.

Dwa tysiące metrów. Trzy tysiące.

Co będzie, jeśli uszkodził kadłub?

Cztery tysiące metrów. Miażdżące ciśnienie wody rosło linearnie w miarę, jak się zanurzał. Woda była teraz czarniejsza, zabarwiona tryskającymi niżej pióropuszami siarki. Boczne światła prawie nie przenikały tej gęstej mineralnej zawiesiny. Oślepiony wirami osadów popłynął dalej i widoczność się poprawiła. Opadał w dół po prawej stronie hydrotermicznego źródła, obok pióropusza ogrzanej magmą wody, lecz mimo to temperatura na zewnątrz wzrastała.

Pięćdziesiąt stopni Celsjusza.

W polu jego widzenia ponownie coś się poruszyło. Tym razem mocno trzymał w dłoniach przyrządy. Zobaczył kolejne, podobne do tłustych węży węgorzyce, zwisające głowami w dół, jakby unosiły się w międzyplanetarnej przestrzeni. Tryskająca ze źródła woda była bogata w ogrzany tlenek siarki, toksyczny związek niszczący wszelkie żywe organizmy. Lecz nawet w tych czarnych, zatrutych wodach życie kwitło, przybierając fantastyczne, piękne kształty. Do ścian kanionu przywarły kołysząc się długie na sześć stóp robaki Riftia, ze szkarłatnymi piórami na głowach.

Widział kiście wielkich małży w białych skorupach, z których wystawały czerwone aksamitne języki. I kraby, upiornie blade, uwijające się między szczelinami.

Mimo włączonej klimatyzacji zrobiło mu się gorąco.

Sześć tysięcy metrów. Temperatura wody wynosiła osiemdziesiąt cztery stopnie. W samym ogrzanym przez gotującą się magmę pióropuszu sięgała na pewno trzystu. To, że życie mogło istnieć nawet tutaj, w skrajnym mroku, w tych zatrutych i gorących wodach, graniczyło z cudem.

— Sześć tysięcy sześćdziesiąt metrów — powiedział. — Nadal tego nie widzę.

Głos Helen z trudem przebijał się przez trzaski:

— Ze ściany kanionu wystaje półka. Powinieneś ją zobaczyć na głębokości sześciu tysięcy osiemdziesięciu metrów.

14

— Rozglądam się.

— Zwolnij tempo zanurzania. Zaraz się pojawi.

— Sześć tysięcy siedemdziesiąt, nadal się rozglądam. Tu na dole wszystko wygląda jak zupa fasolowa. Może jestem w złym miejscu.

— ...odczyty sonaru... runęła nad tobą!

Jej słowa zagłuszyły trzaski.

— Nie słyszę cię dobrze. Powtórz.

— Ściana kanionu wali się w dół! Skały sypią się na ciebie. Uciekaj!

Uderzające w kadłub kamienie sprawiły, że ogarnięty paniką Ahearn przesunął manetki do przodu. Potężny głaz przeciął mrok tuż przed nim i odbił się od półki kanionu, strącając w otchłań świeży grad skalnych okruchów. Coraz częściej trafiały go kamienie. A potem rozległ się ogłuszający huk. Ahearn miał wrażenie, jakby oberwał pięścią w głowę.

Wyrżnął szczęką w kokon. Czuł, że łódź przechyla się na bok, i usłyszał przyprawiający o mdłości zgrzyt metalu, gdy prawe skrzydło otarło się o wystające skały. Batyskaf płynął dalej, wlokąc za sobą wir osadów.

Ahearn pociągnął za dźwignię awaryjnego wynurzania i szarpnął obie manetki, kierując łódź w górę. *Deep Flight* skoczył naprzód, szorując metalem o skałę, a potem niespodziewanie stanął, przechylony na prawą burtę. Ahearn gorączkowo manipulował manetkami, włączając pełen ciąg.

Batyskaf nie reagował.

Ahearn przerwał na chwilę, czując, jak wali mu serce, i próbując opanować rosnącą panikę. Dlaczego nie płynął w górę? Dlaczego łódź nie reagowała? Ze strachem spojrzał na dwa cyfrowe wyświetlacze. Baterie były nieuszkodzone, klimatyzacja nadal działała. Głębokościomierz pokazywał sześć tysięcy osiemdziesiąt dwa metry.

Osady powoli opadły i lampa na lewym skrzydle wyłuskała z mroku jakieś kształty. Patrząc prosto przed siebie, Ahearn zobaczył poszarpane czarne skały i krwistoczerwone robaki Riftia. Wykręcił kark, żeby zerknąć na prawe skrzydło. To, co zobaczył, sprawiło, że żołądek podszedł mu do gardła.

Skrzydło zaklinowało się między dwiema skałami. Nie mógł popłynąć do przodu. Nie mógł się cofnąć. Leżę w grobie, dziewiętnaście tysięcy stóp pod powierzchnią morza, pomyślał.

— ...słyszysz? Steve, czy mnie słyszysz?

— Nie mogę się ruszyć — usłyszał swój własny głos, osłabły z przerażenia. — Prawe skrzydło zaklinowało się...

— ...lotki prawego skrzydła. Mały skręt może cię uwolnić.

— Próbowałem już. Próbowałem wszystkiego. Jestem unieruchomiony.

W słuchawkach zapadła martwa cisza. Czy urwała się łączność? Czy wyłączyli nadajnik? Pomyślał o statku wysoko na górze, kołyszącym się łagodnie na falach. Pomyślał o blasku słońca. Na powierzchni był przepiękny słoneczny dzień, nad głowami szybowały ptaki. Morze miało kolor głębokiego bezdennego błękitu...

Nagle usłyszał głos Palmera Gabriela, faceta, który sfinansował ekspedycję. Był jak zwykle spokojny i opanowany.

— Zaczynamy akcję ratowniczą, Steve. Drugi batyskaf został już spuszczony na wodę. Wyciągniemy cię na powierzchnię tak szybko, jak to będzie możliwe. Czy coś widzisz? — zapytał po krótkiej przerwie. — Możesz opisać, co cię otacza?

— Łódź leży na skalnej półce tuż nad źródłem.

— Możesz podać więcej szczegółów?

— Co?

— Jesteś dziewiętnaście tysięcy stóp pod powierzchnią. Dokładnie na głębokości, która nas interesuje. Jak wygląda dokładnie ta półka? Jak wyglądają skały?

Ja tu, kurwa, umieram, a on pyta o jakieś skały.

— Zapal stroboskop, Steve. Powiedz nam, co widzisz.

Ahearn zmusił się, żeby spojrzeć na panel przyrządów, i zapalił lampę stroboskopową.

W mroku zabłysło ostre światło. Patrzył na świeżo odkryty pejzaż, który migotał przed siatkówkami jego oczu. Wcześniej przyglądał się robakom Riftia. Teraz skupił uwagę na olbrzymim rumowisku zaścielającym półkę. Głazy były czarne podobnie jak nodule magnezu, różniły się jednak od nich poszarpanymi brzegami. Zerkając na prawo, na świeżo odłupaną skałę, która

16

przygniotła skrzydło pojazdu, nagle zdał sobie sprawę, na co patrzy.

— Helen miała rację — szepnął.

— Nie słyszę cię dobrze.

— Miała rację! Źródło irydium... teraz je dobrze widzę.

— Tracimy łączność. Powinieneś...

Głos Gabriela zagłuszyły trzaski, a potem w słuchawkach zapadła cisza.

— Nie słyszę cię! Powtarzam, nie słyszę cię! — zawołał Ahearn.

Słyszał tylko własne walące głośno serce i chrapliwy oddech. Uspokój się, uspokój. Zużywasz za dużo tlenu...

Za akrylową kopułą widać było tańczące łagodnie w zatrutej wodzie żywe organizmy. Mijały minuty, a on obserwował kołyszące się robaki Riftia, ich szkarłatne pióropusze, które przeczesywały wodę w poszukiwaniu pokarmu. Obserwował pozbawionego oczu kraba, pełznącego powoli przez kamienne rumowisko.

Światła przygasły. A potem nagle stanęły wiatraki klimatyzatora.

Wyczerpywały się baterie.

Ahearn wyłączył stroboskop. Teraz ćmiła się tylko słabo lampa na lewym skrzydle. Wiedział, że za parę minut poczuje ciepło wody, którą magma ogrzała do osiemdziesięciu kilku stopni. Kiedy żar przeniknie przez kadłub, powoli ugotuje się żywcem we własnym pocie. Czuł, jak z czoła spływa mu na policzek pierwsza kropla. Nie spuszczał z oczu pojedynczego kraba, który kroczył nieśpiesznie po skalnej półce.

Lampa na skrzydle zamigotała i zgasła.

START

Rozdział drugi

Wstrzymać misję

Poprzez ryk rakiet stałopaliwowych i łoskot kadłuba, od którego Emmie Watson, specjalistce misji, szczękały zęby, komenda „wstrzymać" zabrzmiała w jej umyśle tak wyraźnie, jakby usłyszała ją wykrzyczaną w słuchawkach. Żaden z członków załogi nie powiedział tego na głos, ale wiedziała, że trzeba podjąć decyzję i trzeba zrobić to szybko. Nie usłyszała jeszcze werdyktu siedzących przed nią w kokpicie kapitana Boba Kittredge'a oraz pilot Jill Hewitt, ale nie musiała. Pracowali razem tak długo, że potrafili wzajemnie czytać w swoich myślach. Bursztynowe lampki na konsoli lotu dyktowały wyraźnie, co powinni teraz zrobić.

Przed kilkoma sekundami *Endeavour* osiągnął Max Q, punkt największego naprężenia aerodynamicznego podczas startu, kiedy pokonujący opór atmosfery wahadłowiec zaczyna gwałtownie dygotać. Kittredge zredukował na krótko ciąg do siedemdziesięciu procent, żeby osłabić wibracje. Ostrzegawcze lampki na konsoli informowały teraz, że stracili dwa z trzech głównych silników. Z jednym silnikiem i dwiema rakietami na paliwo stałe nigdy nie wejdą na orbitę.

Musieli wstrzymać misję.

— Centrum kontroli, tu *Endeavour* — powiedział Kittredge.

21

Miał spokojny i stanowczy głos. Ani śladu paniki. — Nie mogę zwiększyć ciągu. Lewy i środkowy silnik wysiadły w Max Q. Wdepnęliśmy w gówno. Będziemy musieli przystąpić do procedury RTLS.

— Przyjąłem, *Endeavour*. Potwierdzamy awarię dwóch silników. Po odłączeniu rakiet na paliwo stałe zacznij procedurę RTLS.

Emma kartkowała już pliki procedur i po chwili wyjęła kartę RTLS, zawierającą listę czynności, które należało wykonać podczas awaryjnego lądowania w miejscu startu. Załoga znała na pamięć wszystkie punkty, lecz w gorączce awaryjnego lądowania mogli o czymś ważnym zapomnieć. Ta karta była ich polisą na życie.

Z bijącym szybko sercem Emma prześledziła zaznaczony niebieskim kolorem właściwy tryb postępowania. Lądowanie w miejscu startu bez dwóch silników było możliwe — ale tylko teoretycznie. Teraz musiał wydarzyć się cały szereg cudów. Najpierw musieli zrzucić paliwo i wyłączyć ostatni główny silnik przed odłączeniem wielkiego zewnętrznego zbiornika. Następnie Kittredge powinien ustawić wahadłowiec dziobem w kierunku miejsca startu. Będzie miał jedną, tylko jedną szansę, żeby bezpiecznie przyziemić w Centrum Kennedy'ego. Jedna pomyłka mogła spowodować, że *Endeavour* runie do morza.

Ich życie znajdowało się teraz w rękach kapitana Kittredge'a.

Jego głos, gdy rozmawiał z centrum kontroli, nadal wydawał się spokojny, nawet znudzony. Mijała druga minuta lotu. Następny punkt kryzysowy. Na katodowym wyświetlaczu ukazał się komunikat „Pc<50". Paliwo stałe w rakietach wypaliło się zgodnie z planem.

Emma wyczuła natychmiast, że lecą z mniejszą szybkością. Potem zmrużyła oczy, gdy za oknem błysnęły ładunki wybuchowe i rakiety odpadły od zbiornika.

Ryk silników raptownie umilkł, gwałtowny dygot ustąpił gładkiej, prawie spokojnej jeździe. W nagłej ciszy Emma poczuła, jak jej własny puls przyspiesza, jak serce uderza niczym pięść o pasy na piersiach.

— Centrum kontroli, tu *Endeavour* — powiedział Kittredge,

wciąż nienaturalnie spokojny. — Rakiety na paliwo stałe odłączone.

— Przyjąłem, widzimy to.

— Zaczynamy procedurę lądowania awaryjnego.

Kittredge wcisnął przycisk awaryjnego lądowania. Otaczające przycisk pokrętło nastawione już było na opcję RTLS.

— Przeczytaj nam ściągawkę! — zawołała Jill Hewitt, zwracając się do Emmy.

— Już się robi.

Emma zaczęła głośno czytać punkty procedury. Głos miała spokojny, tak samo jak Kittredge i Hewitt. Nikt, kto przysłuchiwałby się ich rozmowie, nie domyśliłby się, że grozi im katastrofa. Zachowywali się jak automaty: nie dopuszczali do siebie paniki, wykonując każdą kolejną czynność zgodnie z wykutymi na pamięć instrukcjami. Ich komputery pokładowe powinny samodzielnie ustalić powrotny kurs. Nadal lecieli wyznaczoną trajektorią, wspinając się na pułap czterystu tysięcy stóp i zrzucając po drodze paliwo.

Poczuła, jak kręci się jej w głowie, kiedy wahadłowiec zaczął okręcać się wokół własnej osi. Horyzont, który widzieli do góry nogami, nagle wyprostował się, gdy zawrócili w stronę odległego o prawie 400 mil Centrum Kennedy'ego.

— *Endeavour*, tu centrum kontroli. Wyłącz główny silnik.

— Przyjąłem — odparł Kittredge. — Wyłączam główny silnik.

Na tablicy przyrządów zapaliły się na czerwono trzy lampki kontrolne. Kittredge odciął zasilanie głównego silnika. Za dwadzieścia sekund zewnętrzny zbiornik paliwa powinien spaść do morza.

Tracimy szybko wysokość, pomyślała Emma. Ale lecimy do domu.

Nagle wzdrygnęła się. Zabrzęczał sygnał alarmowy i na konsoli zapaliły się kolejne światła awaryjne.

— Centrum kontroli, straciliśmy komputer numer trzy! — zawołała Hewitt. — Straciliśmy wektor nawigacyjny! Powtarzam, nie mamy wektora nawigacyjnego.

— To pewnie awaria bezwładnościowego systemu pomiarowego — stwierdził Andy Mercer, siedzący obok Emmy drugi specjalista misji. — Wyłącz go.

— Nie. To może być uszkodzenie magistrali danych — wtrąciła Emma. — Moim zdaniem powinniśmy włączyć zapasowy komputer.

— Zgoda — mruknął Kittredge.

— Przechodzę na zapas — powiedziała Hewitt, włączając komputer numer pięć.

Wektor ponownie się pojawił. Wszyscy odetchnęli z ulgą.

Eksplozje ładunków wybuchowych zasygnalizowały odłączenie się pustego zbiornika. Nie mogli zobaczyć, jak spada do morza, ale wiedzieli, że pokonali kolejny krytyczny punkt. Prom leciał teraz swobodnie: grube, niezgrabne ptaszysko, szybujące do domu.

— Cholera! — krzyknęła Hewitt. — Straciliśmy APU!

Emma poderwała głowę, słysząc nowy sygnał alarmowy. Wysiadł generator zasilający. Potem zaterkotał następny brzęczyk i jej spanikowany wzrok pobiegł ku konsoli. Mrugało na niej mnóstwo bursztynowych światełek. Z ekranów zniknęły wszystkie dane; zamiast nich pojawiły się złowieszcze czarno-białe pasy. Awaria systemów komputerowych. Lecieli bez danych nawigacyjnych, nie mogąc manewrować lotkami.

— Andy i ja spróbujemy włączyć APU! — wrzasnęła Emma.

— Uruchomcie ponownie komputer numer pięć!

Hewitt wcisnęła przełącznik i zaklęła.

— Nic z tego.

— Spróbuj jeszcze raz!

— Nadal bez skutku.

— Przechylamy się w prawo! — zawołała Emma, czując, jak przewraca się w niej żołądek.

Kittredge zmagał się ze sterami, ale przechył był zbyt głęboki. Horyzont stanął w pionie, a potem obrócił się do góry nogami. Po chwili wrócili do pierwotnej pozycji i żołądek Emmy ponownie podszedł jej do gardła. Następny obrót był szybszy i w końcu horyzont zaczął wirować w przyprawiającej o mdłości spirali nieba i morza, nieba i morza.

W spirali śmierci.

Usłyszała jęk Hewitt, a chwilę później zrezygnowany głos Kittredge'a:

— Nie panuję nad sterami.

Zaczęli obracać się coraz prędzej, a potem wszystko zakończyło się nagłym wstrząsem.

Zapadła cisza.

— Przepraszam, kochani — odezwał się wesoły głos w ich słuchawkach. — Tym razem wam się nie udało.

Emma ściągnęła z głowy hełmofon.

— To nie było uczciwe, Hazel.

— Uwzięliście się, żeby nas zabić — zawtórowała jej Hewitt.

— Nie mieliśmy żadnych szans.

Emma jako pierwsza wygramoliła się z kabiny symulatora lotu i na czele innych weszła do pozbawionego okien centrum kontroli, gdzie za konsolami siedziało troje instruktorów.

Szefowa zespołu, Hazel Barra, odwróciła się ze złośliwym uśmieszkiem do rozwścieczonej załogi kapitana Kittredge'a. Chociaż ze swymi kręconymi brązowymi włosami wyglądała jak poczciwa mateczka, w rzeczywistości była bezwzględnym graczem, fundującym załogom najbardziej trudne symulacje. Każdą ich porażkę traktowała jak własne zwycięstwo. Zdawała sobie świetnie sprawę, że każdy start może się zakończyć katastrofą; chciała, żeby jej astronauci umieli sobie radzić w każdej sytuacji. Utrata jednej z załóg była koszmarem, który, miała nadzieję, nigdy się nie spełni.

— Te numery były naprawdę poniżej pasa, Hazel — stwierdził Kittredge.

— Zawsze wam się udawało, kochani. Musieliśmy wam przytrzeć trochę nosa.

— Dajcie spokój — mruknął Andy. — Awaria dwóch silników podczas startu? Uszkodzona magistrala danych? Awaria APU? A potem dorzucacie niesprawny komputer numer pięć? Policzcie, ile to razem usterek. To nierealne.

Jeden z trzech instruktorów, Patrick, obrócił się do nich, szczerząc zęby.

— Nie zauważyliście nawet, że było coś jeszcze.

— Coś jeszcze...?

— Dorzuciłem wam uszkodzony czujnik przy zbiorniku z tlenem. Żadne z was nie zauważyło zmiany na ciśnieniomierzu?

Kittredge zaczął się śmiać.

— Kiedy niby mieliśmy to zauważyć? Walczyliśmy z tuzinem innych awarii.

Hazel uniosła pulchne ramię, wzywając do zawieszenia broni.

— W porządku, moi drodzy. Może trochę przesadziliśmy. Szczerze mówiąc, nie spodziewaliśmy się, że uda wam się doprowadzić tak daleko procedurę RTLS. Chcieliśmy wam dorzucić jeszcze jedną awarię, żeby było ciekawiej.

— Dorzuciliście nam całą furę awarii — parsknęła Hewitt.

— Rzecz w tym, że jesteście za bardzo zarozumiali — stwierdził Patrick.

— Właściwym słowem jest „pewni siebie" — zaprotestowała Emma.

— To dobrze — przyznała Hazel. — To dobrze, kiedy człowiek jest pewny siebie. Podczas zintegrowanej symulacji w zeszłym tygodniu świetnie pracowaliście w zespole. Nawet Gordon Obie powiedział, że jest pod wrażeniem.

— Sfinks powiedział coś takiego?

Kittredge uniósł brwi, zdziwiony. Gordon Obie, dyrektor Operacji Lotów Załogowych, był człowiekiem tak onieśmielająco małomównym i powściągliwym, że nikt w Centrum Johnsona nie znał go zbyt dobrze. Siedział na zebraniach kierownictwa misji, nie mówiąc ani słowa, lecz nikt nie wątpił, że jego umysł rejestruje każdy szczegół. Wśród astronautów budził podziw i wcale niemały lęk. Mając ostatnie słowo w kwestii składu misji, mógł im bardzo pomóc albo zaszkodzić w karierze. Fakt, że pochwalił zespół Kittredge'a, stanowił naprawdę dobrą wiadomość.

Hazel nie pozwoliła im jednak popaść w samouwielbienie.

— Ale z drugiej strony — dodała zaraz — Obiego martwi, że tak lekko to wszystko traktujecie. Że to dla was wciąż tylko zabawa.

26

— A czego się po nas spodziewa? — zdziwiła się Hewitt. — Że będziemy obsesyjnie analizować tysiące sytuacji, w których możemy się rozbić i spalić?

— Katastrofa to nie kwestia teorii.

Ta uwaga, tak spokojnie wypowiedziana, sprawiła, że na chwilę umilkli. Od czasów *Challengera* każdy astronauta miał świadomość, że kolejna wielka katastrofa jest tylko kwestią czasu. Ludzie siedzący w dziobie rakiety, pod którą eksploduje pięć milionów funtów paliwa, nie mogą sobie pozwolić na lekki ton, gdy mówi się o ryzyku ich zawodu. Mimo to rzadko napomykali o śmierci w kosmosie; mówienie o tym oznaczałoby przyznanie, że jest możliwa, przyjęcie do wiadomości, że ich nazwiska mogą się znaleźć na liście załogi następnego *Challengera*.

Hazel zorientowała się, że jej słowa podziałały na nich jak zimny prysznic. Nie był to najlepszy sposób zakończenia ćwiczeń, więc postanowiła złagodzić nieco swój wcześniejszy krytycyzm.

— Mówię to tylko dlatego, moi drodzy, że jesteście tak dobrze zintegrowani. Muszę nieźle główkować, żebyście się potknęli. Do startu zostało jeszcze trzy miesiące, a wy już teraz jesteście w świetnej formie. Ale ja chcę, żebyście byli w jeszcze lepszej.

— Innymi słowy — odezwał się zza swojej konsoli Patrick — nie zadzierajcie tak bardzo nosa.

Bob Kittredge opuścił głowę w udawanej pokorze.

— Pójdziemy teraz do domu i założymy włosiennice — mruknął.

— Przesadna pewność siebie może okazać się groźna — oświadczyła Hazel, podnosząc się z krzesła i patrząc mu prosto w oczy.

Kittredge był od niej o pół głowy wyższy, miał za sobą trzy loty w kosmosie i jak każdy były pilot marynarki wojennej nie dawał sobie w kaszę dmuchać, lecz Hazel nie onieśmielał ani on, ani żaden z jej astronautów. Bez względu na to, czy byli ekspertami rakietowymi, czy wojennymi bohaterami, budzili w niej taką samą matczyną troskę: chciała, żeby wszyscy wrócili żywi na ziemię.

— Ponieważ jesteś takim dobrym dowódcą, Bob, twoja załoga doszła do przekonania, że to wszystko jest bardzo łatwe.

— Nie, oni tylko robią wrażenie, że to takie łatwe. Bo są dobrzy.

— Zobaczymy. Zintegrowana symulacja wyznaczona jest na wtorek. Będziecie mieli na pokładzie Hawleya i Higuchiego. Wymyślimy jakieś nowe sztuczki.

Kittredge uśmiechnął się.

— W porządku, postarajcie się nas zabić. Ale bądźcie w tym uczciwi.

— Los rzadko kiedy jest uczciwy — odparła poważnym tonem Hazel. — Nie spodziewajcie się tego po mnie.

Emma i Bob Kittredge siedzieli w barze Fly By Night, popijając piwo i analizując krok po kroku ćwiczenie na symulatorze. Był to rytuał, który zapoczątkowali przed jedenastoma miesiącami, kiedy dopiero tworzył się ich zespół i kiedy po raz pierwszy spotkali się jako załoga lotu numer 162. W każdy piątkowy wieczór spotykali się w barze Fly By Night, przy biegnącej do Centrum Johnsona drodze NASA nr 1, i omawiali postępy szkolenia. Co robili dobrze, a co wymagało jeszcze dalszej pracy? Inicjatywa wyszła od Kittredge'a, który osobiście wybierał każdego członka swojej załogi. Chociaż pracowali ostatnio wspólnie po sześćdziesiąt godzin tygodniowo, najwyraźniej nigdy nie miał ochoty iść do domu. Może dlatego, myślała z początku Emma, że niedawno się rozwiódł i bał się wracać do pustego mieszkania. Kiedy jednak poznała go lepiej, uświadomiła sobie, że te spotkania stanowiły po prostu sposób na podtrzymanie wysokiego poziomu adrenaliny. Kittredge żył po to, żeby latać. Dla czystej rozrywki czytał nudne jak flaki z olejem podręczniki pilotażu promu i każdą wolną chwilę spędzał za sterami jednego z należących do NASA odrzutowców T-38. Prawie tak, jakby żałował, że siła grawitacji przykuła jego stopy do ziemi.

Nie potrafił zrozumieć, dlaczego pozostali członkowie załogi chcą pod koniec dnia iść do domu. Tego wieczoru wydawał się nieco rozżalony, że tylko dwie osoby siedziały przy tym samym co zwykle stoliku we Fly By Night. Jill Hewitt poszła na recital fortepianowy swojego siostrzeńca, Andy Mercer świętował dziesiątą rocznicę ślubu. O umówionej godzinie pojawili się tylko Emma i Kittredge i gdy przestali wreszcie wałkować ostatnią symulację, zapadło między nimi długie milczenie. Tylko sprawy zawodowe nadawały ton rozmowie.

— Zabieram jutro jeden z naszych T-38 do White Sands — oznajmił w końcu Kittredge. — Chcesz lecieć ze mną?

— Nie mogę. Jestem umówiona z moim adwokatem.

— Więc ty i Jack nie zmieniliście zdania?

Emma westchnęła.

— Sprawa nabrała rozpędu. Jack ma swojego adwokata, ja swojego. Ten rozwód zmienił się w uciekający pociąg.

— Brzmi to tak, jakbyś miała jakieś opory.

Emma zdecydowanym gestem odstawiła piwo.

— Nie mam żadnych oporów.

— W takim razie dlaczego wciąż nosisz jego obrączkę?

Spojrzała na złotą ślubną obrączkę. Poirytowana próbowała ją ściągnąć, ale bez skutku. Przez siedem lat obrączka jakby zrosła się z palcem, nie dawała się w ogóle ruszyć. Emma zaklęła i spróbowała ponownie, tym razem ciągnąc tak silnie, że zdarła sobie skórę z kłykcia.

— Proszę bardzo — powiedziała, kładąc obrączkę na stole. — Jestem teraz wolną kobietą.

Kittredge roześmiał się.

— Wy dwoje ciągniecie ten rozwód dłużej, niż ja byłem żonaty. Swoją drogą, o co się tak długo handryczycie?

Odsunęła się do tyłu na krześle, nagle znużona.

— O wszystko. Przyznaję, że ja też nie jestem rozsądna. W zeszłym tygodniu próbowaliśmy usiąść i sporządzić listę naszych ruchomości. Co chcę ja, co chce on. Przyrzekliśmy sobie, że będziemy zachowywać się w sposób cywilizowany. Jak dwoje spokojnych, dojrzałych ludzi. Zanim doszliśmy do połowy, wybuchła między nami totalna wojna. Bez brania jeńców.

Westchnęła. Prawdę mówiąc, tacy zawsze oboje byli. Tak samo uparci, tak samo pełni pasji. W miłości i w walce zawsze sypały się między nimi iskry.

— Potrafiliśmy uzgodnić tylko jedną rzecz — powiedziała po chwili. — Że mogę zatrzymać kota.

— Macie szczęście.

Spojrzała mu w oczy.

— Wciąż żałujesz tego, co się stało? — zapytała.

— Masz na myśli mój rozwód? Nigdy w życiu.

Powiedział to stanowczym tonem, jednocześnie jednak uciekł oczyma w bok, jakby chciał ukryć prawdę, którą oboje znali: że wciąż boleje z powodu swojego rozbitego małżeństwa. Że nawet człowiekowi, który nie boi się przypiąć pasami na pięciu milionach funtów łatwopalnego paliwa, może doskwierać zwyczajna samotność.

— Wiem już, na czym polega cały problem — stwierdził. — W końcu to rozgryzłem. Cywile nie rozumieją nas, ponieważ nie rozumieją naszego marzenia. Małżeństwo z astronautą potrafi wytrzymać tylko męczennica lub święta. Albo ktoś, kogo gówno obchodzi, czy przeżyjesz, czy zginiesz. — Roześmiał się gorzko. — Bonnie nie była męczennicą. I na pewno nie rozumiała naszego marzenia.

Emma spojrzała na połyskującą na stole ślubną obrączkę.

— Jack rozumie je — powiedziała cicho. — To było także jego marzenie. I to właśnie stało się kością niezgody. Że ja tam polecę, a on nie może. Że jest tym, który został z tyłu.

— W takim razie powinien dorosnąć i stawić czoło rzeczywistości. Nie każdy jest ulepiony z odpowiedniej gliny.

— Wolałabym, żebyś nie mówił o nim jak o jakimś wybrakowanym towarze.

— Daj spokój, w końcu to on sam zrezygnował.

— A co innego mógł zrobić? Wiedział, że nie dostanie żadnego przydziału. Skoro nie pozwalają ci latać, nie ma sensu pozostawać w zespole.

— Uziemili go dla jego własnego dobra.

— To są medyczne spekulacje. To, że miałeś jeden kamień w nerkach, wcale nie oznacza, że urodzisz następny.

— W porządku, doktor Watson. To ty jesteś lekarką. Powiedz, czy chciałabyś, żeby Jack był członkiem twojej załogi, wiedząc o jego medycznych problemach?

— Owszem — odparła po krótkiej chwili. — Chciałabym tego jako lekarka. Uważam, że Jack czułby się doskonale w kosmosie. Ma tyle atutów, że nie potrafię zrozumieć, dlaczego go tam nie chcą. To, że się z nim rozwodzę, nie znaczy, że go nie szanuję.

Kittredge roześmiał się i wypił do końca swoje piwo.

— W tej kwestii nie stać cię chyba na obiektywizm...

Chciała zaprotestować, ale zdała sobie sprawę, że brakuje jej argumentów. Kittredge miał rację. Kiedy chodziło o Jacka McCalluma, nigdy nie była obiektywna.

Na dworze, w parnym gorącym powietrzu letniej houstońskiej nocy, zatrzymała się na chwilę na parkingu przy barze i spojrzała w niebo. Łuna wielkiego miasta przyćmiewała światło gwiazd, ale i tak rozpoznawała znajome konstelacje: Kasjopeę, Andromedę i Siedem Sióstr. Patrząc na nie, przypominała sobie zawsze, co powiedział Jack, kiedy pewnej letniej nocy leżeli obok siebie na trawie, wpatrując się w gwiazdy. Tej nocy, kiedy po raz pierwszy zdała sobie sprawę, że go kocha. „Niebo jest pełne kobiet, Emmo — oświadczył wtedy. — Tam jest twoje miejsce".

— I twoje, Jack — szepnęła cicho.

Otworzyła samochód i siadła za kierownicą, a potem sięgnęła do kieszeni i wyjęła z niej ślubną obrączkę. Wpatrując się w nią w półmroku, pomyślała o siedmiu latach małżeństwa, które teraz zbliżało się do końca.

Wsunęła obrączkę z powrotem do kieszeni. Jej lewa dłoń wydawała się bez niej naga, odsłonięta. Będę się musiała do tego przyzwyczaić, pomyślała, uruchamiając silnik.

Rozdział trzeci

10 lipca

— Kurtyna w górę — mruknął doktor Jack McCallum, słysząc syrenę pierwszego ambulansu.

Wychodząc na podjazd przed izbą przyjęć, czuł, jak jego puls gwałtownie przyśpiesza, a adrenalina zmienia nerwy w iskrzące się, obnażone przewody. Nie miał pojęcia, co czeka personel szpitala Memorial Southeast, poza tym, że w drodze są kolejni pacjenci. W izbie przyjęć poinformowano ich przez radio, że na drodze międzystanowej nr 45 zderzyło się ze sobą piętnaście pojazdów. W karambolu zginęły dwie osoby, wiele zostało rannych. Chociaż pacjenci w najbardziej krytycznym stanie powinni trafić do Bayshore albo Texas Med, również wszystkie mniejsze szpitale przygotowały się na przyjęcie poszkodowanych.

Jack rozejrzał się dookoła, żeby sprawdzić, czy jego zespół jest w pełnej gotowości. Druga lekarka, Anna Slezak, stała tuż obok z zaciętym wyrazem twarzy. Personel pomocniczy składał się z czterech pielęgniarek, laborantki oraz przestraszonego stażysty. Dopiero miesiąc po dyplomie, był najmniej doświadczonym członkiem zespołu i miał dwie lewe ręce. Nadaje się tylko na psychiatrę, pomyślał Jack.

Syrena zachłysnęła się i umilkła, kiedy ambulans skręcił na podjazd i podjechał tyłem pod wejście. Jack otworzył tylne drzwi i omiótł szybkim spojrzeniem pacjentkę — młodą kobietę z blond włosami zlepionymi krwią i głową oraz karkiem unieruchomionymi w ortopedycznym kołnierzu. Kiedy wyciągnęli ją z ambulansu i lepiej przyjrzał się jej twarzy, uświadomił sobie nagle, że ją zna.

— Debbie — powiedział.

Kobieta podniosła w górę zamglony wzrok. Najwyraźniej go nie poznawała.

— To ja, Jack McCallum — przedstawił się.

— Och, Jack. — Debbie zamknęła oczy i jęknęła. — Boli mnie głowa.

Poklepał ją krzepiąco po ramieniu.

— Zaopiekujemy się tobą, kochanie. O nic się nie martw.

Wtoczyli ją przez drzwi izby przyjęć do gabinetu zabiegowego.

— Znasz ją? — zapytała Anna.

— Jej mąż to Bill Haning. Ten astronauta.

— Jeden z tych facetów, którzy przebywają teraz na stacji kosmicznej? — Anna roześmiała się. — To będzie naprawdę zamiejscowa rozmowa.

— Jeśli będzie trzeba, bez trudu się z nim skontaktujemy. W Centrum Johnsona mogą nas od razu połączyć.

— Chcesz, żebym się nią zajęła?

Było to całkiem rozsądne pytanie. Lekarze wolą na ogół nie zajmować się krewnymi i przyjaciółmi; trudno zachować obiektywizm, kiedy leżący na stole operacyjnym człowiek jest kimś, kogo się zna i lubi. Ale chociaż Jack i Debbie bywali w swoim czasie na tych samych przyjęciach, uważał ją za znajomą, nie przyjaciółkę i nie widział powodu, żeby przekazywać ją innemu lekarzowi.

— Ja się nią zajmę — powiedział i ruszył w ślad za wózkiem do gabinetu zabiegowego, skupiając całą uwagę na tym, co trzeba zrobić. Jedynym widocznym urazem było skaleczenie na głowie, ale ponieważ ranna skarżyła się na silny ból, musiał sprawdzić, czy nie ma naruszonej czaszki i kręgów szyjnych.

Podczas gdy pielęgniarki pobierały krew do badań i delikatnie ściągały z Debbie ubranie, sanitariusz zdał Jackowi szybkie sprawozdanie.

— Znaleźliśmy ją w piątym z samochodów, które brały udział w karambolu. Z tego, co ustaliliśmy, oberwał z tyłu, przekręcił się na bok i wtedy oberwał ponownie w drzwi kierowcy. Były wgniecione.

— Czy była przytomna, kiedy do niej dotarliście?

— Przez kilka minut była nieprzytomna, ale ocknęła się, kiedy zakładaliśmy jej kroplówkę. Od razu unieruchomiliśmy jej kręgosłup. Ciśnienie krwi i tętno były stabilne. Należy do tych, którzy mieli więcej szczęścia. — Sanitariusz pokręcił głową. — Powinien pan zobaczyć faceta, który jechał za nią.

Jack podszedł do wózka, żeby zbadać pacjentkę. Obie źrenice Debbie reagowały na światło, ruchy gałek ocznych były w normie. Wiedziała, jak się nazywa i gdzie się znajduje, ale nie potrafiła przypomnieć sobie, jaki dziś dzień. Orientacja lekko zaburzona, pomyślał. Był to wystarczający powód, żeby ją przyjąć, choćby na jedną noc.

— Zrobimy ci teraz rentgen, Debbie — powiedział. — Musimy się upewnić, że niczego sobie nie złamałaś. — Spojrzał na siostrę. — Tomografia komputerowa czaszki i kręgów szyjnych.... — przerwał i zaczął nasłuchiwać.

W oddali słychać było syrenę kolejnego ambulansu.

— Proszę zrobić te zdjęcia — polecił i wybiegł z powrotem na podjazd, gdzie zgromadził się już jego zespół.

Do pierwszej syreny dołączyła druga, trochę cichsza. Jack i Anna wymienili zaniepokojone spojrzenia. Czyżby jechały do nich dwie karetki?

— To będzie jeden z tych dni — mruknął.

— Gabinet zabiegowy pusty? — zapytała Anna.

— Pacjentka jest w drodze do rentgena — odparł.

Dał krok do przodu i kiedy pierwszy ambulans zatrzymał się przed izbą przyjęć, otworzył tylne drzwi.

Tym razem był to mężczyzna w średnim wieku, z nadwagą. Miał bladą ziemistą cerę. Jest w szoku, ocenił w pierwszej chwili Jack, ale nie widział krwi, nie było śladu urazu.

— Był w samym środku karambolu — powiedział sanitariusz, kiedy wtaczali pacjenta do pokoju zabiegowego. — Kiedy go wyciągaliśmy, skarżył się na ból w piersi. Rytm serca stabilny, lekka tachykardia, ale bez przedwczesnych pobudzeń komorowych. Ciśnienie skurczowe dziewięćdziesiąt. Podaliśmy mu na miejscu morfinę, nitroglicerynę i tlen z przepływem 6 litrów na minutę.

Wszyscy robili, co do nich należało. Anna zebrała wywiad i zbadała mężczyznę, pielęgniarki podłączyły elektrody. Z maszyny wysunęła się wstęga elektrokardiogramu. Jack oddarł ją i jego uwagę natychmiast zwróciło uniesienie ST na odprowadzeniach V1 i V2.

— Zawał ściany przedniej — powiedział.

Anna pokiwała głową.

— Trzeba mu podać tkankowy aktywator plazminogenu.

— Podjechał kolejny ambulans! — zawołała od drzwi pielęgniarka.

Jack i dwie siostry wybiegli na dwór.

Na noszach krzyczała i wiła się z bólu młoda kobieta. Jack spojrzał na jej prawą nogę z wykręconą prawie zupełnie w bok stopą i od razu zorientował się, że pacjentka wymaga natychmiastowej operacji. Rozciął jej szybko ubranie, odsłaniając złamane biodro. Kość udowa wbiła się w panewkę, gdy kolana uderzyły w tablicę rozdzielczą samochodu. Widok groteskowo zdeformowanej nogi przyprawiał go o mdłości.

— Podajemy morfinę? — zapytała siostra.

Jack kiwnął głową.

— Daj jej tyle, ile potrzebuje. Jest teraz w świecie bólu. Najlepiej od razu sześć jednostek. I ściągnijcie tu jak najszybciej ortopedę...

— Doktor McCallum proszony jest do rentgena. Doktor McCallum proszony jest do rentgena...

Jack podniósł z niepokojem wzrok i wybiegł z gabinetu zabiegowego.

Nad leżącą na stole rentgenowskim Debbie pochylała się pielęgniarka i laborant.

— Zrobiliśmy jej właśnie zdjęcia czaszki i kręgów szyjnych — powiedział laborant. — Ale nie możemy jej obudzić. Nie reaguje nawet na ból.

— Jak długo jest nieprzytomna?

— Nie wiem. Leżała na stole i dopiero po dziesięciu, piętnastu minutach zorientowaliśmy się, że do nikogo się nie odzywa.

— Zrobiliście jej tomografię?

— Wysiadł komputer. Powinni go naprawić za parę godzin.

Jack zaświecił latarką w oczy Debbie i poczuł, jak żołądek podchodzi mu do gardła. Jej lewa źrenica była rozszerzona i nie reagowała na światło.

— Pokażcie mi zdjęcia — polecił.

— Zdjęcia szyi wiszą już na podświetlaczu.

Jack przeszedł szybko do sąsiedniego pokoju i przyjrzał się umieszczonym w podświetlaczu zdjęciom. Nie zauważył żadnych uszkodzeń kręgów szyjnych. Zdjął zdjęcia i umieścił w podświetlaczu rentgen czaszki. W pierwszej chwili nie zauważył niczego oczywistego. A potem jego wzrok przykuła prawie niedostrzegalna linia przecinająca lewą kość skroniową, cienka niczym zadrapanie szpilką. Pęknięcie.

Czy pęknięta kość uszkodziła lewą środkową tętnicę oponową? To spowodowałoby krwotok. W miarę gromadzenia się krwi i wzrostu ciśnienia sródczaszkowego, mózg poddany byłby coraz większemu uciskowi. To tłumaczyłoby pogorszenie się stanu mentalnego Debbie oraz powiększoną źrenicę.

Trzeba natychmiast usunąć krew.

— Zawieźcie ją z powrotem do zabiegowego! — polecił.

W ciągu kilku sekund pacjentka znalazła się ponownie na wózku i wyjechała na korytarz.

— Zawiadomcie neurochirurgię! — zawołał Jack, kiedy wtoczyli Debbie do pustego gabinetu. — Powiedzcie im, że mamy krwotok nadtwardówkowy i przygotowujemy się do trepanacji czaszki.

W gruncie rzeczy Debbie powinna była znaleźć się na sali operacyjnej, ale jej stan pogarszał się w tak szybkim tempie, że nie było czasu do stracenia. Rolę sali operacyjnej musiał przejąć gabinet zabiegowy. Przenieśli pacjentkę na stół i przymocowali plątaninę przewodów EKG do jej klatki piersiowej. Oddychała z coraz większym trudem, więc trzeba ją było zaintubować.

— Brak oddechu! — zawołała siostra.

Jack rozerwał opakowanie z rurką dotchawiczą i wsunął laryngoskop do gardła Debbie. Kilka sekund później rura znalazła się na miejscu i płuca pacjentki wypełniły się tlenem.

Pielęgniarka włączyła elektryczną golarkę. Jasne jedwabiste loki Debbie zaczęły spadać na podłogę, odsłaniając skórę czaszki.

Do gabinetu zajrzała sekretarka.

— Neurochirurg utknął w korku! Dotrze tu najprędzej za godzinę.

— Więc sprowadźcie kogoś innego!

— Wszyscy są w Texas Med! Zawożą tam wszystkich z urazami głowy.

Jezu, spieprzyliśmy sprawę, pomyślał Jack, spoglądając na Debbie. Z każdą mijającą minutą rosło ciśnienie w jej czaszce. Umierały komórki mózgowe. Gdyby to była moja żona, nie wahałbym się ani sekundy.

Z trudem przełknął ślinę.

— Dajcie mi świder Hudsona-Brace'a. Sam wywiercę dziury. — Zobaczył zaskoczone miny pielęgniarek. — To jak wiercenie dziur w ścianie — dodał z brawurą, której wcale nie odczuwał. — Robiłem to już kiedyś.

Siostry zaczęły przygotowywać Debbie do operacji, a Jack założył fartuch i rękawiczki. Obkładając czaszkę pacjentki sterylnymi chustami, ze zdumieniem stwierdził, że chociaż serce bije mu jak szalone, dłonie ma spokojne i pewne. Rzeczywiście robił kiedyś trepanację czaszki, ale było to przed wielu laty i pod nadzorem neurochirurga.

Nie ma ani chwili do stracenia. Ona umiera. Zrób to.

Sięgnął po skalpel i wykonał liniowe nacięcie nad lewą kością skroniową. Pociekła krew. Wytarł ją gąbką, po czym skauteryzował naczynia krwionośne. Odsunąwszy retraktorem płat skóry, przeciął czepiec ścięgnisty i dotarł do okostnej, którą zdrapał, odsłaniając gołą kość.

Teraz sięgnął po świder Hudsona-Brace'a, mechaniczne, ręczne urządzenie o prawie staroświeckim wyglądzie, rodzaj narzędzia, które można znaleźć w warsztacie dziadka. Najpierw użył perforatora, wiertła o kształcie łopatki, które wbiło się w kość na wystarczającą głębokość. Następnie zmienił wiertło na rozetowe, o wielu płaszczyznach cięcia. Odetchnął głęboko, ustawił je i zaczął wiercić w kierunku mózgu. Na jego czole pojawiły się pierwsze krople potu. Wiercił, nie mając wyników tomografii komputerowej, podjąwszy decyzję wyłącznie na podstawie oceny klinicznej. Nie wiedział nawet, czy wybrał właściwe miejsce.

Z otworu trysnęła nagle krew, zachlapując chirurgiczne chusty.

Pielęgniarka podała basen. Jack wyjął świder i patrzył, jak krew wypływa stałym strumieniem z czaszki i zbiera się w basenie. Wybrał właściwe miejsce. Z każdą uchodzącą kroplą zmniejszało się ciśnienie, któremu poddany był mózg Debbie Haning.

Wypuścił powietrze z płuc i nagle poczuł, jak ustępuje napięcie w jego ramionach i zaczynają boleć go zmęczone mięśnie.

— Przygotujcie wosk do kości — powiedział, a potem odłożył świder i sięgnął po ssak.

Biała mysz szybowała w powietrzu, jakby ktoś zawiesił ją w przezroczystym morzu. Doktor Emma Watson dryfowała ku niej, smukłonoga i pełna gracji niczym podwodna tancerka. Rozpuszczone włosy otaczały ciemnobrązową aureolą jej głowę. Po chwili złapała mysz i powoli odwróciła się twarzą do kamery. W ręku trzymała strzykawkę i igłę.

Film miał ponad dwa lata i zrobiono go na pokładzie promu Atlantis podczas lotu nr 141, ale Gordon Obie nadal uważał, że świetnie nadaje się do celów propagandowych i dlatego właśnie puszczał go w tej chwili na wszystkich monitorach w Teague Auditorium NASA. Któż nie podziwiałby Emmy Watson? Szybka i zgrabna, z błyskiem ciekawości w oczach, miała w sobie coś, czego nie można było nazwać inaczej jak bożą iskrą. Od małej blizny nad brwią aż po odrobinę ułamany przedni ząb (była to pamiątka, jak słyszał, nieostrożnej jazdy na nartach), cała jej twarz świadczyła o pełnym wrażeń życiu.

Ale dla Gordona Obiego najważniejsza była jej inteligencja i wiedza. Śledził karierę Emmy Watson z zainteresowaniem, które nie miało nic wspólnego z faktem, że była atrakcyjną kobietą.

Jako dyrektor Operacji Lotów Załogowych, Gordon Obie miał decydujące słowo przy selekcji załóg i starał się zachować bezpieczny — niektórzy powiedzieliby nawet „bezduszny" — stosunek emocjonalny do wszystkich swoich astronautów Sam był kiedyś astronautą, dwa razy pełnił funkcję dowódcy promu i już wówczas dał się poznać jako Sfinks: tajemniczy, powściągliwy, nieskory do pogaduszek człowiek. Czuł się dobrze, nie musząc zabierać głosu, zachowując względną anonimowość. Chociaż siedział na podium wraz z innymi członkami kierownictwa NASA, mało kto na widowni wiedział, jaką konkretnie funkcję pełni. Wchodził po prostu w skład dekoracji. Podobnie jak film z Emmą Watson, atrakcyjną kobietą, która miała przyciągnąć uwagę widowni.

Film skończył się i na ekranie ukazał się symbol NASA, określany pieszczotliwie mianem „klopsika" — nakrapiany gwiazdami niebieski krąg, ozdobiony eliptyczną orbitą i rozwidloną czerwoną strzałą. Dyrektor administracyjny NASA, Leroy Cornell, oraz dyrektor Centrum Kosmicznego Johnsona, Ken Blankenship, podeszli do mównicy, żeby odpowiedzieć na pytania. Ich zadanie polegało, szczerze mówiąc, na żebraniu o pieniądze, a przed sobą mieli sceptycznie nastawionych kongresmanów i senatorów, członków różnych podkomisji, które decydowały o wysokości budżetu NASA. Budżet ten przez drugi rok z rzędu był przedmiotem drastycznych cięć i w Centrum Johnsona zapanowała ostatnio atmosfera ponurej rezygnacji.

Przyglądając się zasiadającym na widowni elegancko ubranym kobietom i mężczyznom, Gordon nie mógł się oprzeć wrażeniu, że patrzy na przedstawicieli obcej kultury. Co się działo z tymi politykami? Jak mogli być tak bardzo krótkowzroczni? Irytowało go, że nie dzielili jego głębokiej wiary, iż tym, co różni ludzką rasę od zwierząt, jest głód wiedzy. Każde dziecko zadaje sobie uniwersalne pytanie: Dlaczego? Ludzie mają zakodowaną w genach ciekawość, chcą być eksploratorami, odkrywać naukowe prawdy.

Ale ci wyłonieni w wyborach dygnitarze już dawno stracili tę ciekawość. Przybyli do Houston, nie pytając „dlaczego?", lecz „dlaczego powinniśmy?".

To Cornell wpadł na pomysł, by uraczyć ich tym, co, nawiązując do filmu „Apollo 13", najlepszego materiału propagandowego, jaki kiedykolwiek trafił się NASA, określił cynicznie mianem „wycieczki z Tomem Hanksem". Zaprezentował już im najnowsze osiągnięcia krążącej na orbicie Międzynarodowej Stacji Kosmicznej i pozwolił uścisnąć dłonie kilku astronautów. Czyż nie o tym właśnie wszyscy marzyli? Żeby dotknąć „złotego chłopca", herosa nowej ery? Teraz czekała ich wycieczka po Centrum Kosmicznym Johnsona, którą mieli zacząć od budynku nr 30 i sali kontroli lotów. Nieważne, że ta publiczność nie odróżniała konsoli lotu od zestawu do gry w nintendo: wszystkie te cuda techniki miały ich olśnić i uczynić z nich prawdziwych wyznawców.

Nic takiego się jednak nie działo, stwierdził rozczarowany Gordon. Ci ludzie wcale tego nie kupowali.

Wśród wpływowych przeciwników NASA rej wodził siedzący w pierwszym rzędzie siedemdziesięcioszcześcioletni senator Phil Parish, bezkompromisowy jastrząb z Karoliny Południowej. Dla Parisha najważniejszy był budżet obrony; NASA mogła się wypchać. Podniósł teraz z fotela swoje trzysta funtów żywej wagi i zwrócił się do Cornella.

— Pańska agencja przekroczyła o miliony dolarów budżet tej stacji kosmicznej — wycedził. — Nie wydaje mi się, żeby Amerykanie chcieli ograniczyć wydatki na obronę tylko po to, byście mogli prowadzić na orbicie swoje fikuśne eksperymenty laboratoryjne. Ta stacja miała być podobno finansowana przez wiele państw. Tymczasem z tego, co widzę, to my pokrywamy większość kosztów. Jak mam wyjaśnić tę zagadkę zacnym mieszkańcom Karoliny Południowej?

Dyrektor administracyjny NASA odpowiedział Parishowi telewizyjnym uśmiechem. Cornell był zwierzęciem stricte politycznym, czarusiem, który dzięki osobistemu wdziękowi i charyzmie stał się ulubieńcem prasy i Waszyngtonu. Tam też spędzał większość czasu, prosząc Biały Dom i Kongres o więcej pieniędzy, zawsze o więcej pieniędzy, żeby łatać wiecznie dziurawy budżet agencji. To on reprezentował NASA na zewnątrz. Ken Blankenship, człowiek, który na co dzień kierował Centrum Johnsona, znany był tylko nielicznym. Stanowili yin i yang agencji, tak bardzo różniąc się temperamentem, że trudno było sobie wyobrazić, jak razem funkcjonują. W NASA powtarzano żartobliwie, że Leroy Cornell ma styl, lecz brakuje mu treści, podczas gdy Ken Blankenship ma treść, lecz brakuje mu stylu.

— Pyta pan, dlaczego inne państwa nie uczestniczą w tym wysiłku finansowym — odparł gładko Cornell. — Otóż chcę pana zapewnić, że owszem, uczestniczą. Ta stacja jest naprawdę międzynarodowa. Prawdą jest, że Rosjanom brakuje gotówki. Prawdą jest, że musieliśmy uzupełnić ich zaległości. Ale bardzo zależy im na tej stacji. Wysłali tam swojego kosmonautę i mają wszelkie powody, żeby pomóc nam ją utrzymać. A do czego jest nam potrzebna ta stacja? Proszę spojrzeć chociażby na badania w dziedzinie biologii i medycyny. A także materiałoznawstwa. Geofizyki. Korzyści, jakie przyniosą, będą widoczne już za naszego życia.

Na widowni wstał kolejny polityk i Gordon poczuł, jak skacze mu ciśnienie. Jeśli istniał ktoś, kim pogardzał bardziej niż senatorem Parishem, to tą osobą był kongresman z Montany, Joe Bellingham, facet o urodzie kowboja z reklamy Marlboro i kompletny naukowy ignorant. Podczas swojej ostatniej kampanii domagał się, by w szkołach mówiono o dziele stworzenia. Wyrzućcie podręczniki biologii i otwórzcie zamiast tego Biblię. Uważa pewnie, że rakiety fruwają na skrzydłach aniołów.

— Czy musimy dzielić się najnowocześniejszą technologią z Rosjanami i Japończykami? — zapytał Bellingham. — Niepokoi mnie, że zdradzamy im za darmo nasze naukowe sekrety. Hasło międzynarodowej współpracy brzmi bardzo pięknie, ale co ich powstrzyma przed użyciem tej wiedzy przeciwko nam? Dlaczego mielibyśmy ufać Rosjanom?

Strach i paranoja. Ignorancja i przesądy. Za dużo tego było

w tym kraju. Wystarczyło posłuchać przez chwilę Bellinghama, żeby wpaść w depresję. Gordon odwrócił się zdegustowany.

W tym samym momencie spostrzegł Hanka Millara, wchodzącego z zatroskaną miną na podium. Millar był szefem Biura Astronautów. Patrzył wprost na Gordona, który natychmiast zrozumiał, że wyłonił się jakiś problem.

Dyskretnie zszedł z podium i dwaj mężczyźni wyszli na korytarz.

— Co się stało?

— Był wypadek. Poszkodowaną jest żona Billa Haninga. Z tego, co wiemy, nie wygląda to najlepiej.

— Jezu!

— Bob Kittredge i Woody Ellis czekają w dziale public relations. Musimy wszyscy porozmawiać.

Gordon pokiwał głową, po czym spojrzał przez przeszklone drzwi audytorium na kongresmana Bellinghama, który wciąż perorował o tym, jak groźne jest dzielenie się najnowszą technologią z komuchami. Z ponurą miną wyszedł w ślad za Millarem na dwór i ruszył do sąsiedniego budynku.

Spotkali się w pokoju na zapleczu. Kittredge, dowódca lotu numer 162, był czerwony ze zdenerwowania. Woody Ellis, pełniący funkcję dyrektora lotu międzynarodowej stacji kosmicznej, wydawał się znacznie spokojniejszy, ale Gordon nigdy nie widział go zdenerwowanego, nawet w najbardziej kryzysowej sytuacji.

— Jak poważny był ten wypadek? — zapytał.

— Samochód pani Haning uczestniczył w dużym karambolu na drodze międzystanowej numer czterdzieści pięć — odparł Hank. — Ambulans odwiózł ją do szpitala Memorial Southeast. Dyżur na izbie przyjęć pełnił wtedy Jack McCallum.

Gordon kiwnął głową. Wszyscy dobrze znali Jacka McCalluma. Nie wchodził już w skład korpusu astronautów, wciąż jednak znajdował się na liście czynnych lekarzy agencji. Rok temu zrezygnował z większości obowiązków w NASA, żeby pracować w lecznictwie prywatnym.

— To Jack poinformował nas o Debbie — dodał Hank.

— Powiedział coś o jej stanie?

— Poważny uraz głowy. Leży w śpiączce na oddziale intensywnej terapii.

— Jakie są prognozy?

— Nie potrafił odpowiedzieć na to pytanie. — W ciszy, która zapadła, wszyscy zastanawiali się, co ta tragedia może oznaczać dla NASA. Hank westchnął. — Będziemy musieli powiedzieć Billowi o wypadku. Nie możemy tego przed nim ukrywać. Problem polega na tym... — zaczął i urwał.

Nie musiał mówić dalej; wszyscy wiedzieli, na czym polega problem.

Bill Haning znajdował się teraz na orbicie, na pokładzie stacji kosmicznej. Z zaplanowanego na cztery miesiące pobytu minął zaledwie miesiąc. Wiadomość o tragedii mogła go załamać. Ze wszystkich problemów, z którymi astronauci borykają się podczas długiego pobytu w kosmosie, najgroźniejsze są według NASA problemy natury emocjonalnej. Astronauta, który wpadł w depresję, mógł przyczynić się do niepowodzenia całej misji. Coś podobnego wydarzyło się przed kilku laty na Mirze, kiedy Wołodia Diezkurow został poinformowany o śmierci swojej matki. Na kilka dni zamknął się w jednym z modułów stacji i nie chciał w ogóle rozmawiać z centrum kontroli lotów w Moskwie. Jego rozpacz zakłóciła pracę całej załogi Mira.

— Są do siebie bardzo przywiązani — mruknął Hank. — Już teraz mogę wam powiedzieć, że Bill nie zniesie tego dobrze.

— Uważasz, że powinniśmy go zmienić? — zapytał Gordon.

— Przy następnym planowanym locie promu. I tak będzie mu bardzo ciężko przez następne dwa tygodnie. Nie możemy od niego żądać, żeby spędził tam pełne cztery miesiące. Mają dwójkę małych dzieci — dodał półgłosem Hank.

— Jego zmienniczką jest Emma Watson — powiedział Woody Ellis. — Możemy wysłać ją rejsem numer sto sześćdziesiąt. Z załogą Vance'a.

Gordon pilnował się, żeby nie okazać żadnego zainteresowania, kiedy padło nazwisko Watson. Żadnych emocji.

— Co o niej sądzicie? — zapytał. — Czy jest gotowa polecieć trzy miesiące wcześniej?

— I tak miała zastąpić Billa. Śledzi na bieżąco wszystkie

prowadzone na pokładzie eksperymenty. Dlatego uważam, że ta opcja jest do przyjęcia.

— Nie jestem z tego zadowolony — stwierdził Bob Kittredge.

Gordon westchnął ciężko.

— Nie spodziewałem się, że będziesz — poinformował dowódcę lotu.

— Watson stanowi integralną część mojej załogi. Stworzyliśmy zgrany zespół. Nie chciałbym go rozbijać.

— Startujecie dopiero za trzy miesiące. Macie czas na dobranie nowego członka załogi.

— Utrudniacie mi moje zadanie.

— Chcesz powiedzieć, że w tym czasie nie zdołasz stworzyć nowego zespołu?

Kittredge zacisnął wargi.

— Twierdzę tylko, że moja załoga jest w tej chwili zgranym zespołem. Utrata Watson jest nam bardzo nie na rękę.

Gordon spojrzał na Hanka.

— A co z załogą lotu numer sto sześćdziesiąt? Z Vance'em i jego ludźmi?

— Z ich strony nie ma żadnych problemów. Watson będzie po prostu zwykłą pasażerką. Dostarczą ją na pokład stacji podobnie jak każdy inny bagaż.

Gordon zastanawiał się. Mówili na razie o opcjach, a nie o czymś pewnym. Być może Debbie Haning obudzi się ze śpiączki i Bill zostanie na stacji zgodnie z planem. Podobnie jak wszyscy pracownicy NASA wiedział jednak, że trzeba być przygotowanym na każdą ewentualność, że trzeba mieć alternatywne plany na wypadek, gdyby zdarzyło się A, B lub C.

Spojrzał na Woody'ego Ellisa, który kiwnął potakująco głową.

— W porządku — mruknął w końcu. — Znajdźcie mi Emmę Watson.

Emma zobaczyła go na samym końcu korytarza. Rozmawiał z Hankiem Millarem i chociaż był odwrócony do niej plecami i miał na sobie zielony chirurgiczny fartuch, wiedziała, że to on. Po siedmiu latach małżeństwa nie musiała widzieć twarzy Jacka, żeby go rozpoznać.

Właśnie z tyłu ujrzała po raz pierwszy Jacka McCalluma, kiedy poznali się w szpitalu w San Francisco, gdzie obydwoje odbywali staż na izbie przyjęć. Stał przy stoliku pielęgniarek, wypełniając historię choroby, z pochylonymi ze zmęczenia szerokimi ramionami i potarganymi włosami, jakby dopiero co zwlókł się z łóżka. Bo też właśnie z niego wstał; działo się to rankiem po wyjątkowo ciężkim dyżurze i chociaż był nieogolony i miał spuchnięte oczy, kiedy odwrócił się i po raz pierwszy spojrzał na Emmę, natychmiast coś między nimi zaiskrzyło.

Teraz miał dziesięć lat więcej, jego ciemne włosy przetykała siwizna, a ramiona ponownie uginały się ze zmęczenia. Nie widziała go od trzech tygodni, odbyła z nim tylko przed kilku dniami rozmowę przez telefon, która szybko zmieniła się w kolejną głośną kłótnię. Ostatnio w ogóle nie potrafili się racjonalnie zachowywać, nie mogli zamienić spokojnie nawet kilku słów.

Nic dziwnego, że idąc ku niemu korytarzem, czuła, jak ogarnia ją niepokój.

Pierwszy zauważył ją Hank Millar i jego twarz natychmiast stężała, jakby wiedział, że zaraz dojdzie do bitwy, i chciał dać nogę, nim zacznie się strzelanina. Jack również musiał spostrzec zmianę wyrazu twarzy Hanka, bo odwrócił się, żeby zobaczyć, co ją spowodowało.

Na widok Emmy zastygł w bezruchu i w pierwszej chwili na jego wargach pojawiło się coś w rodzaju spontanicznego uśmiechu. Tak jakby był jednocześnie zdziwiony i ucieszony tym, że ją widzi. Po chwili jednak opanował się, uśmiech zniknął i jego miejsce zajęło spojrzenie, które nie było ani przyjazne, ani wrogie, po prostu obojętne. Spojrzenie kogoś obcego, właściwie bardziej bolesne, pomyślała, niż otwarta wrogość. Wiedziałaby wtedy przynajmniej, że żywi do niej jakieś uczucia, że z małżeństwa, które było kiedyś szczęśliwe, pozostały choćby porozbijane szczątki.

Zorientowała się, że odpowiada na jego zimny wzrok tak samo obojętnym spojrzeniem.

— Gordon powiedział mi o Debbie — oznajmiła, zwracając się do obu mężczyzn.

Hank zerknął na Jacka, mając nadzieję, że ten odezwie się pierwszy.

— Jest wciąż nieprzytomna — powiedział w końcu. — Jeśli chcesz się do nas przyłączyć, to proszę. Odprawiamy tu coś w rodzaju czuwania.

— Tak, oczywiście — odparła, ruszając w stronę poczekalni.

— Emmo! — zawołał za nią Jack. — Możemy porozmawiać?

— Zobaczę się z wami później — powiedział Hank, wycofując się pośpiesznie korytarzem.

Poczekali, aż zniknie za rogiem, i spojrzeli na siebie.

— Z Debbie nie jest najlepiej — stwierdził Jack.

— Co się stało?

— Miała krwotok nadtwardówkowy. Przyjechała przytomna, mówiła. A potem w ciągu zaledwie kilku minut jej stan znacznie się pogorszył. Zajmowałem się wtedy innym pacjentem. Nie zorientowałem się od razu. Zrobiłem jej trepanację dopiero wtedy, gdy... — przerwał i uciekł spojrzeniem w bok. — Jest teraz na respiratorze — dodał.

Emma chciała go dotknąć, lecz powstrzymała się, wiedząc, że na pewno odtrąci jej dłoń. Od dawna już nie przyjmował od niej żadnych słów pociechy. Bez względu na to, co mówiła i jak szczere były jej intencje, zawsze podejrzewał, że się nad nim lituje. A tego nie tolerował.

— To była trudna diagnoza — przyznała tylko.

— Powinienem postawić ją wcześniej.

— Powiedziałeś, że jej stan szybko się pogorszył. Nie analizuj, co by było, gdyby.

— Takie gadanie na pewno nie poprawia mi samopoczucia.

— Nie staram się wcale poprawić ci samopoczucia! — odparła poirytowana. — Stwierdziłam tylko, że twoja diagnoza była trafna. I postępowałeś zgodnie z nią. Czy nie możesz sobie choć raz odpuścić?

— Słuchaj, tu wcale nie chodzi o mnie — odpalił. — Chodzi o ciebie.

— Co to ma znaczyć?

— Debbie na pewno szybko nie opuści szpitala. A to oznacza, że Bill...

— Wiem. Gordon Obie pozwolił mi lecieć.

— To już postanowione? — zapytał po chwili Jack.

Pokiwała głową.

— Bill wraca do domu. Lecę następnym promem, żeby go zastąpić. — Jej wzrok powędrował ku oddziałowi intensywnej terapii. — Mają dwoje dzieci — dodała cicho. — On nie może tam zostać. Nie przez kolejne trzy miesiące.

— Nie jesteś przecież gotowa. Nie miałaś czasu...

— Będę gotowa — odparła, odwracając się.

— Emmo...

Wyciągnął rękę, żeby ją zatrzymać. Dotyk jego dłoni kompletnie ją zaskoczył. Zmierzyła go ostrym wzrokiem i od razu ją puścił.

— Kiedy wyjeżdżasz do Centrum Kennedy'ego? — zapytał.

— Za tydzień. Na kwarantannę.

Najwyraźniej wytrąciło go to z równowagi. Przez chwilę nie odzywał się, próbując przyswoić sobie tę wiadomość.

— Skoro o tym mowa, czy mógłbyś podczas mojej nieobecności zaopiekować się Humphreyem?

— Nie możesz go oddać do schroniska?

— Trzymanie go przez trzy miesiące w zagrodzie byłoby okrutne.

— Czy ten mały potwór ma już wyrwane pazury?

— Daj spokój, Jack. On drapie różne rzeczy tylko wtedy, gdy czuje się ignorowany. Zwracaj na niego uwagę, to zostawi twoje meble w spokoju.

— Doktor McCallum proszony jest na izbę przyjęć — zabrzmiało w głośnikach. — Doktor McCallum proszony jest na izbę przyjęć.

— Musisz chyba iść — powiedziała i odwróciła się, zamierzając odejść.

— Zaczekaj. To dzieje się zbyt szybko. Nie mieliśmy czasu porozmawiać.

— Jeśli chodzi o rozwód, mój adwokat może ci udzielić odpowiedzi na wszystkie pytania, kiedy mnie nie będzie.

— Nie! — odparł i wzdrygnęła się, słysząc złość w jego glosie. — Nie, nie chcę rozmawiać z twoim adwokatem!

— Więc co chcesz mi powiedzieć?

Wpatrywał się w nią przez moment, jakby nie potrafił znaleźć odpowiednich słów.

— Chodzi mi o tę misję — wykrztusił w końcu. — Jest zbyt pośpiesznie organizowana. Nie podoba mi się to.

— Co to znaczy?

— Dołączono cię w ostatniej chwili. Lecisz z inną załogą.

— Vance jest świetnym dowódcą. Nie mam żadnych obaw, jeśli idzie o ten lot.

— A pobyt na stacji? Może się przeciągnąć do sześciu miesięcy.

— Poradzę sobie.

— Ale to niezgodne z planem. Wszystko jest robione na łapu-capu.

— Więc co twoim zdaniem powinnam zrobić, Jack? Wycofać się?

— Nie wiem! — Sfrustrowany przeczesał dłonią włosy. — Nie wiem.

Przez chwilę oboje stali w milczeniu. Żadne nie wiedziało, co powiedzieć, i żadne nie chciało zakończyć tej rozmowy. Siedem lat małżeństwa, pomyślała, i tak to wygląda. Dwoje ludzi, którzy nie potrafią ze sobą wytrzymać i mimo to nie są w stanie się rozstać. A teraz nie ma już czasu, żeby to naprawić.

— Doktor McCallum proszony jest pilnie na izbę przyjęć! — zabrzmiało kolejne wezwanie.

Jack posłał jej rozdarte spojrzenie.

— Emmo...

— Idź, Jack — ponagliła go. — Potrzebują cię.

McCallum spojrzał na nią sfrustrowany i ruszył w kierunku izby przyjęć, a ona odwróciła się i odeszła w drugą stronę.

Rozdział czwarty

12 lipca
Na pokładzie międzynarodowej
stacji kosmicznej (ISS)

Przez okna kopuły Węzła numer 1 doktor William Haning widział chmury, które wirowały dwieście dwadzieścia mil niżej nad Atlantykiem. Dotknął szyby i przesunął palcami po szklanej barierze, która chroniła go przed kosmiczną próżnią, kolejnej przeszkodzie, która oddzielała go od domu i od żony. Patrząc na obracającą się niżej ziemię, widział, jak Ocean Atlantycki odsuwa się powoli do tyłu i jego miejsce zajmuje Afryka Północna, a potem Ocean Indyjski, nad którym zapadała właśnie noc. Choć znajdował się w stanie nieważkości, rozpacz ściskała go za gardło tak mocno, że z trudem oddychał.

Jego żona walczyła w tym momencie o życie w szpitalu w Houston, a on nie mógł jej w żaden sposób pomóc. Przez następne dwa tygodnie będzie tu tkwił jak w pułapce, widząc z góry miasto, w którym być może umierała właśnie Debbie, nie będąc jednak w stanie do niej dotrzeć, nie mogąc jej dotknąć. Mógł co najwyżej zamknąć oczy i wyobrazić sobie, że siedzi przy jej boku i że splatają się ich palce.

Musisz wytrzymać. Musisz walczyć. Wracam do ciebie.

— Dobrze się czujesz, Bill?

Odwrócił się i zobaczył, że do jego pomieszczenia wpłynęła z amerykańskiego modułu laboratoryjnego Diana Estes. Zdziwiło go, że to właśnie ona dopytuje się o jego zdrowie. Chociaż

49

już od miesiąca przebywali wspólnie w ciasnym wnętrzu stacji, nie potrafił polubić tej Angielki. Była zbyt chłodna, zbyt kliniczna. Mimo swej wspaniałej blond urody nie była kobietą, która by go pociągała. Ona też nie obdarzyła go choćby przelotnym zainteresowaniem. Cała jej uwaga skupiona była na Michaelu Griggsie. Fakt, że Griggs miał żonę, która czekała na niego na Ziemi, nie wydawał się mieć dla nich żadnego znaczenia. Tu, na pokładzie stacji, Diana i Griggs byli niczym połówki podwójnej gwiazdy, orbitujące wokół siebie i związane potężną siłą grawitacji.

Tak wyglądały smutne realia pobytu w miejscu, gdzie kisiło się we własnym sosie sześcioro ludzi z czterech różnych krajów. Bez przerwy zmieniały się alianse i powstawały nowe rozłamy, stale byli jacyś „oni" przeciwko jakimś „nam". Stres wynikający z tak długiego przebywania w zamkniętej przestrzeni przybierał różne formy. Rosjanin Nikołaj Rudenko, który był na stacji najdłużej, stał się ostatnio poirytowany i przygnębiony. Kenichiego Hirai z japońskiej NASDA tak bardzo frustrowała słaba znajomość angielskiego, że często popadał w długie okresy milczenia. Tylko Luther Ames nadal się ze wszystkimi przyjaźnił. Kiedy z Houston przekazano im złe wieści o Debbie, jeden Luther wiedział instynktownie, co powiedzieć Billowi, tylko on przemówił prosto z serca. Ames był synem uwielbianego przez wiernych czarnego pastora z Alabamy i odziedziczył po ojcu dar niesienia pociechy.

— Nie ma co do tego dwóch zdań, Bill — stwierdził. — Musisz wracać do domu, do swojej żonki. Powiedz Houston, żeby przysłali po ciebie limuzynę, bo w przeciwnym razie będą mieli do czynienia ze mną.

Jak bardzo różniły się te słowa od reakcji Diany, która z nieubłaganą logiką stwierdziła, że Bill i tak nie jest w stanie przyspieszyć powrotu żony do zdrowia. Debbie była w śpiączce; nie będzie nawet wiedziała, że przy niej czuwa. Zimna i kłująca, jak te kryształy, które hoduje w swoim laboratorium, pomyślał wtedy o Dianie.

Dlatego zdumiało go to jej nagłe zainteresowanie. Unosiła się w głębi węzła, odległa jak zawsze. Jej długie blond włosy falowały wokół twarzy niczym dryfujące morskie wodorosty.

Odwrócił się od niej i znowu wyjrzał przez okno.

— Czekam, aż pojawi się Houston — powiedział.

— Dostałeś nową pocztę elektroniczną od naszych kontrahentów.

Nie odpowiedział, wpatrując się w migotliwe światła Tokio, które znalazło się właśnie na ostrej niczym brzytwa krawędzi świtu.

— Są rzeczy, na których powinieneś się skupić, Bill. Jeśli nie czujesz się na siłach, musimy podzielić twoje obowiązki pomiędzy innych.

Obowiązki. A więc o tym chciała z nim porozmawiać. Nie o bólu, który odczuwał, lecz o tym, czy jest w stanie podołać swoim obowiązkom w laboratorium. Każdy dzień na pokładzie stacji był zaplanowany co do minuty, niewiele czasu zostawało na rozpacz. Jeśli jeden z członków załogi był niezdolny do pracy, inni musieli przejąć jego zadania, w przeciwnym razie eksperymenty odbywały się bez dozoru.

— Czasami praca jest najlepszym sposobem, żeby zapomnieć o nieszczęściu — stwierdziła Diana z chłodną logiką.

Bill dotknął palcem smugi światła, którą było Tokio.

— Nie udawaj, że masz serce, Diano. Nikogo i tak nie oszukasz.

Przez moment w ogóle się nie odzywała. Słyszał tylko nieustający pomruk stacji kosmicznej, dźwięk, do którego tak się przyzwyczaił, że prawie go nie rejestrował.

— Rozumiem, że nie jest ci łatwo — odparła w końcu, wcale nie zbita z tropu. — Wiem, że nie jest ci łatwo tu tkwić, bez szans na powrót do domu. Ale nie możesz na to nic poradzić. Musisz po prostu poczekać na prom.

Roześmiał się gorzko.

— Dlaczego mam czekać, skoro wiem, że mógłbym być w domu za cztery godziny?

— Daj spokój, Bill. Nie żartuj.

— Wcale nie żartuję. Powinienem wsiąść do kapsuły ratunkowej i odlecieć.

— Zostawiając nas bez kapsuły? Pomieszało ci się w głowie. Może powinieneś wziąć jakieś leki — dodała po chwili. — No wiesz... żeby jakoś przetrwać ten okres.

Obrócił się do niej i cały jego ból, cała rozpacz ustąpiły miejsca wściekłości.

— Tabletka jest dobra na wszystko, tak?

— Pomogłaby ci, Bill. Chcę po prostu wiedzieć, że nie zrobisz niczego irracjonalnego.

— Pierdol się, Diano.

Odepchnął się od kopuły i minął Dianę, kierując się w stronę laboratorium.

— Bill...

— Jak byłaś łaskawa zauważyć, mam kilka rzeczy do zrobienia.

— Powiedziałam, że możemy przejąć twoje obowiązki. Jeśli nie czujesz się na siłach...

— Zrobię to, co do mnie należy, do diabła!

Popłynął w stronę laboratorium amerykańskiego, zadowolony, że nie ruszyła w ślad za nim. Oglądając się przez ramię, zobaczył, że pośpieszyła do modułu mieszkalnego, z pewnością po to, żeby sprawdzić załogowy statek ratunkowy, CRV. Mieszcząca sześciu astronautów kapsuła była ich jedyną deską ratunku, gdyby stację spotkała jakaś katastrofa. Wystraszył ją ględzeniem o użyciu CRV i teraz tego żałował. Diana zacznie go obserwować, szukając oznak emocjonalnego załamania.

Wystarczająco bolesne było samo uwięzienie w tej wyniesionej 220 mil pod niebiosa puszce od sardynek. Fakt, że będą go teraz mieć na oku, jeszcze to pogarszał. Mógł rozpaczliwie pragnąć powrotu do domu, ale nie znaczy to jeszcze, że ma niestabilną psychikę. Lata szkoleń i niezliczone testy psychologiczne potwierdziły, że jest stuprocentowym profesjonalistą. Z całą pewnością nie naraziłby swoich kolegów.

Odepchnąwszy się wypraktykowanym ruchem od ściany, podpłynął do swojego stanowiska i sprawdził listy, które nadeszły ostatnio pocztą elektroniczną. Diana miała rację przynajmniej w jednym: praca sprawi, że choć na chwilę przestanie myśleć o Debbie.

Większość korespondencji pochodziła z należącego do NASA Instytutu Badań Biologicznych Amesa w Kalifornii i zawierała rutynowe prośby o potwierdzenie danych. Wiele eksperymentów nadzorowanych było z Ziemi i naukowcy kwestionowali niekiedy otrzymane informacje. Skrzywił się, gdy jego wzrok trafił na kolejną prośbę o próbki moczu i kału astronautów. Zjechał kursorem jeszcze niżej i zatrzymał go na nowej wiadomości.

Ta była inna. Nie pochodziła z Instytutu Amesa, lecz z ośrodka koordynującego zamówienia z sektora prywatnego. Wiele eksperymentów prowadzonych na stacji opłacali prywatni kontrahenci i często otrzymywał listy od naukowców spoza NASA.

Wiadomość nadana była z firmy SeaScience w La Jolla w Kalifornii.

Do: dr. Williama Haninga, ISS.
Od: Helen Koenig, prowadzącej badanie.
Dotyczy: eksperymentu nr CCU23 (Kultury komórkowe archaeonów)
Treść: Otrzymane przez nas ostatnio dane wykazują nagły i nieoczekiwany wzrost masy komórek. Proszę sprawdzić to przy użyciu waszej pokładowej aparatury mikropomiarowej.

Kolejne żądanie z serii „szarpnij za dźwignię", pomyślał znużony. W przypadku wielu orbitalnych eksperymentów dane były rejestrowane bezpośrednio na półkach laboratorium, przy użyciu kamer lub automatów pobierających próbki, a rezultaty przesyłano prosto do naukowców na Ziemi. Przy takiej ilości zgromadzonej na stacji super nowoczesnej aparatury nie do uniknięcia były różne defekty. Tak naprawdę do tego głównie byli tu na górze potrzebni ludzie — żeby naprawiać kapryśną elektronikę.

Otworzył w komputerze plik dotyczący eksperymentu nr 23 i przejrzał protokół. Badania prowadziła komercyjna firma SeaScience. W pożywce rozwijały się archaeony, podobne do bakterii morskie organizmy pobrane przy głębokowodnych źródłach termicznych, nieszkodliwe dla ludzi.

Przepłynął przez laboratorium do pojemnika z kulturami

53

komórkowymi i wsunął stopy w skarpetkach w strzemiona, które pozwalały zachować stałą pozycję. Pojemnik był skomplikowanym urządzeniem z własnym obiegiem cieczy i systemem doprowadzania, który stale skrapiał dwa tuziny pożywek i okazów tkanki. Większość eksperymentów odbywała się samoczynnie, bez ludzkiej ingerencji. W ciągu czterech tygodni, które Bill spędził na pokładzie stacji, tylko raz rzucił okiem na probówkę numer 23.

Wysunął z pojemnika tacę z okazami. Wewnątrz znajdowały się dwadzieścia cztery próbówki z pożywkami, rozmieszczone na obrzeżach pojemnika. Zidentyfikował próbówkę numer 23 i wyjął ją z tacy.

Natychmiast ogarnął go niepokój. Pokrywka wybrzuszyła się, jakby oddziaływało na nią wysokie ciśnienie. Zamiast lekko mętnego płynu, który spodziewał się ujrzeć, w środku była jaskrawa niebieskozielona masa. Przekręcił próbówkę do góry nogami, ale zawartość nie poruszyła się. Nie była płynna, lecz gęsta i kleista.

Wykalibrował urządzenie mikropomiarowe i wsunął próbówkę w otwór. Chwilę później na ekranie pojawiły się dane.

Stało się coś bardzo złego, pomyślał. Nastąpiło jakieś skażenie. Albo oryginalna próbka komórek nie była czysta, albo do próbówki dostał się jakiś inny organizm i zniszczył pierwotną kulturę.

Wystukał na klawiaturze odpowiedź dla doktor Koenig:

Potwierdzam wasze wyniki. W kulturze zaszły, jak się zdaje, drastyczne zmiany. Nie jest już płynna, lecz przybrała formę galaretowatej masy o jaskrawym, prawie neonowym niebieskozielonym zabarwieniu. Niewykluczone, że doszło do skażenia.

Na chwilę przestał pisać. Istniała inna możliwość: efekty mikrograwitacji. Na Ziemi kultury komórkowe mają tendencję do tworzenia płaskich arkuszy, rozwijając się tylko w dwóch wymiarach na powierzchni pojemników. W stanie nieważkości, nie poddane sile ciążenia, te same kultury zachowują się w inny sposób. Rozwijają się w trzech wymiarach, przybierając kształty, których nigdy nie przybrałyby na Ziemi.

Więc może próbówka numer 23 nie była wcale skażona? Może tak właśnie zachowywały się w stanie nieważkości kultury archaeonów? Prawie natychmiast wykluczył tę ewentualność. Zmiany były zbyt drastyczne. Sama nieważkość nie mogła sprawić, żeby jednokomórkowy organizm przeobraził się w dziwną zieloną substancję.

Następnym promem przyślemy wam próbkę kultury nr 23 — dopisał. — Proszę o kontakt, jeśli macie jakieś dalsze instrukcje.

Wzdrygnął się, słysząc nagłe stuknięcie szuflady. Odwrócił się i zobaczył Kenichiego Hirai, który pracował przy swoim regale. Od jak dawna tu siedział? Japończyk tak cicho wsunął się do laboratorium, że Bill w ogóle go nie usłyszał. W świecie, gdzie nie ma „góry" i „dołu", gdzie nie można usłyszeć czyichś kroków, werbalne pozdrowienie jest czasami jedynym sposobem, by zwrócić uwagę na swoją obecność.

Czując na sobie spojrzenie Amerykanina, Kenichi skinął po prostu głową i wrócił do pracy. Jego milczenie irytowało Billa. Kenichi stał się kimś w rodzaju nawiedzającego stację ducha, zakradając się bez słowa do różnych modułów i napędzając wszystkim stracha. Bill wiedział, że Japończyk ma kompleksy z powodu słabej znajomości angielskiego, i żeby uniknąć upokorzeń, postanowił rozmawiać bardzo mało albo wcale. Mimo to, wpływając do modułu, mógł przynajmniej powiedzieć „cześć", żeby nie szarpać nerwów kolegom.

Bill ponownie skupił uwagę na próbówce nr 23. Ciekawe, jak ta galaretowata masa będzie wyglądać pod mikroskopem, pomyślał.

Wsunął próbówkę do pleksiglasowej komory rękawicowej, zamknął zasuwkę i wsunął dłonie w rękawice. Wiedział, że jeśli dojdzie do wycieku, masa i tak pozostanie w komorze. W innym przypadku unoszące się w stanie nieważkości bańki cieczy mogły poważnie zaszkodzić okablowaniu elektrycznemu stacji. Delikatnie otworzył probówkę. Wiedział, że jej zawartość jest pod ciśnieniem; widział, jak wybrzuszyła się pokrywka. Mimo to był zszokowany, gdy wyskoczyła z hukiem niczym korek od szampana.

Niebieskozielona substancja rozprysnęła się po ścianach komory i przywarła do nich na chwilę, drżąc jak żywa. Ale przecież była żywa: tworzyły ją miliony mikroorganizmów połączonych galaretowatą osnową.

— Bill, musimy porozmawiać.

Ten głos zaskoczył go. Szybko zakorkował z powrotem próbówkę i odwrócił się do Michaela Griggsa, który właśnie wpłynął do laboratorium. Tuż za nim unosiła się Diana. Jacy oni piękni, pomyślał. Oboje wyglądali na zgrabnych i wysportowanych w swoich granatowych koszulkach NASA i kobaltowego koloru szortach.

— Diana powiedziała mi, że masz kłopoty — oświadczył Griggs. — Rozmawialiśmy z Houston. Uważają, że byłoby dobrze, gdybyś rozważył wzięcie jakichś leków. Żeby przetrwać następnych kilka dni.

— Musieliście napędzić stracha Houston.

— Martwią się o ciebie. Wszyscy się martwimy.

— Słuchaj, moja uwaga na temat CRV była czysto teoretyczna...

— Ale wszystkich nas wyprowadziła z równowagi.

— Nie potrzebuję valium. Po prostu dajcie mi spokój.

Wyjął próbówkę z komory rękawicowej i wsunął ją z powrotem w otwór pojemnika z kulturami. Był teraz zbyt zdenerwowany, żeby pracować.

— Musimy ci ufać, Bill. Tu, na górze, musimy na sobie polegać.

Bill odwrócił do niego rozwścieczoną twarz.

— Czy widzisz przed sobą majaczącego szaleńca? Powiedz!

— Myślisz teraz o swojej żonie. Rozumiem to i...

— Niczego nie rozumiesz. Wątpię, żebyś w ostatnich dniach poświęcał zbyt wiele myśli swojej własnej żonie...

Rzucił znaczące spojrzenie Dianie, a potem pokonał cały

moduł i wpłynął do węzła. Miał zamiar zajrzeć do modułu mieszkalnego, ale zatrzymał się, widząc tam Luthera, który przygotowywał sobie obiad.

Nie ma gdzie się schować, pomyślał. Człowiek nigdzie nie jest sam.

Czując, jak łzy podchodzą mu do oczu, wycofał się z powrotem do węzła.

Odwrócony plecami do innych, patrzył przez okno na Ziemię. W polu widzenia pojawiło się już wybrzeże Pacyfiku. Kolejny wschód i kolejny zachód.

Kolejna wieczność, którą musiał przeczekać.

Kenichi patrzył, jak Griggs i Diana wypływają z modułu laboratoryjnego, pomagając sobie nawzajem dobrze obliczonymi pchnięciami. Poruszali się z gracją, podobni jasnowłosym bogom. Często obserwował ich, kiedy nie zdawali sobie z tego sprawy. Szczególnie lubił przyglądać się Dianie Estes, kobiecie o tak jasnych włosach i tak bladej skórze, że wydawała się prawie przezroczysta.

Po ich odejściu został w laboratorium sam i mógł się odprężyć. Tyle było konfliktów na tej stacji. Działało mu to na nerwy i nie pozwalało się skoncentrować. Był człowiekiem z natury cichym i lubił pracować w samotności. Chociaż dość dobrze rozumiał angielski, trudno mu było się w nim wysławiać i każda rozmowa go wyczerpywała. O wiele łatwiej było pracować w pojedynkę i w ciszy, kiedy za jedynych towarzyszy miał laboratoryjne zwierzęta.

Spojrzał przez szybę na przebywające w pomieszczeniu dla zwierząt myszy. Po jednej stronie drucianej siatki znajdowało się dwanaście samców, po drugiej dwanaście samic. W Japonii hodował jako chłopiec króliki i lubił kłaść je sobie na kolanach i gładzić. Ale podróżujące stacją myszy nie były zwierzętami domowymi; odizolowano je od ludzi, a powietrze, którym oddychały, filtrowano i ochładzano przed zetknięciem się ze środowiskiem stacji. Czynności wymagające kontaktu ze zwierzętami wykonywane były w przylegającej do pomieszczenia dla zwierząt komorze rękawicowej, gdzie wszelkie biologiczne okazy, od bakterii po laboratoryjne szczury, mogły być poddane badaniom bez obawy skażenia powietrza stacji.

Dzisiaj przypadał dzień pobierania krwi. Zadanie, którego nie lubił, ponieważ trzeba było przekłuć skórę myszy igłą. Mrucząc po japońsku słowa przeprosin, wsunął dłonie w rękawice i przeniósł pierwszą mysz na uszczelnione stanowisko pracy. Usiłowała wyrwać się z jego rąk. Puścił ją i patrząc, jak unosi się w powietrzu, zaczął przygotowywać strzykawkę. Przykro było patrzeć, jak gorączkowo wierzga nogami, próbując mu umknąć. Nie mając się od czego odepchnąć, dryfowała bezradnie w miejscu.

Trzymając w jednej ręce gotową igłę, Kenichi drugą ponownie sięgnął po mysz. I dopiero w tym momencie dostrzegł unoszącą się obok gryzonia niebieskozieloną bańkę cieczy, tak blisko, że mysz wysunęła nagle różowy język i polizała ją.

Kenichi roześmiał się głośno. Astronauci połykali często dla zabawy unoszące się w powietrzu krople i dokładnie tak samo zachowywała się mysz, bawiąc się nowo odkrytą zabawką.

Potem jednak zainteresowało go, skąd wzięła się niebieskozielona substancja. Z komory rękawicowej korzystał przed chwilą Bill. Czy to, co tu rozlał, nie było przypadkiem toksyczne?

Podfrunął do komputera i zerknął na protokół badania, które ostatnio kontrolował Bill. Opatrzone symbolem CCU23, dotyczyło kultur komórkowych. Treść protokołu upewniła go, że zawartość próbówki nie jest niebezpieczna. Archaeony były jednokomórkowymi organizmami morskimi, całkowicie nieszkodliwymi i pozbawionymi właściwości zakaźnych.

Usatysfakcjonowany, powrócił do komory, wsunął dłonie w rękawice i sięgnął po strzykawkę.

Rozdział piąty

16 lipca

Nie mamy połączenia.

Jack wpatrywał się w przecinającą niebo smugę gazów wylotowych, czując, jak ogarnia go przerażenie. Słońce grzało go w twarz, lecz po plecach ściekał lodowaty pot. Przeszukał wzrokiem błękit. Gdzie był prom? Jeszcze przed kilkoma sekundami widział, jak zatacza łuk po bezchmurnym niebie, czuł, jak ziemia drży od huku silników. Kiedy wystartował, jego serce także pomknęło w górę i podążało śladem kosmicznego pojazdu aż do chwili, gdy stał się błyszczącą kropką odbitego słonecznego światła.

Nie widział go. Biała smuga gazów zmieniła się w poszarpany ogon czarnego dymu.

Lustrując wzrokiem niebo, dostrzegł rzeczy, od których zakręciło mu się w głowie. Błysk ognia. Rozwidlające się zygzaki dymu. Spadające do morza potrzaskane fragmenty.

Nie mamy połączenia.

Obudził się zlany potem, łapiąc kurczowo powietrze. Był jasny dzień, do jego sypialni zaglądało palące słońce.

Usiadł z jękiem na skraju łóżka i zagłębił głowę w dłoniach. Poprzedniego wieczoru wyłączył klimatyzację i teraz w pokoju było gorąco jak w piecu. Pokuśtykał do klimatyzatora, włączył go, po czym wrócił do łóżka i odetchnął z ulgą, gdy sypialnię zaczęło wypełniać chłodne powietrze.

Stary koszmar.

Pomasował twarz, próbując odgonić od siebie straszliwe obrazy, ale zbyt mocno wryły mu się w pamięć. Był na pierwszym roku studiów, kiedy eksplodował *Challenger*. Pierwsze wiadomości o katastrofie usłyszał w świetlicy akademika. Tamtego dnia i w dniach, które nastąpiły po nim, wielokrotnie oglądał w telewizji jej przebieg, aż stała się dla niego tak prawdziwa, jakby wraz z innymi widzami stał na odsłoniętych trybunach Cape Canaveral tego poranka.

Teraz to wspomnienie odżyło w sennym koszmarze.

To z powodu startu Emmy.

Pod prysznicem długo stał z opuszczoną głową pod siekącymi strugami zimnej wody, żeby odgonić od siebie resztki snu. Od przyszłego tygodnia zaczynał trzytygodniowy urlop, ale daleko mu było do wakacyjnego nastroju. Nie żeglował łódką od wielu miesięcy. Może kilka tygodni na wodzie, z dala od gwaru wielkiego miasta, okaże się najlepszą terapią. Tylko on, morze i gwiazdy.

Od tak dawna już nie przyglądał się gwiazdom. Ostatnio unikał jakby nawet ich widoku. Jako chłopiec zawsze lubił patrzeć na niebo. Matka opowiedziała mu, że będąc małym brzdącem, stał którejś nocy długo na trawniku i wyciągał w górę obie ręce, próbując dotknąć księżyca. A kiedy mu się to nie udało, popłakał się z żalu.

Księżyc, gwiazdy, czarna kosmiczna noc` — wszystko to było teraz poza jego zasięgiem i często czuł się jak ten płaczący z żalu malec, którym kiedyś był, ze stopami przykutymi do Ziemi i rękoma sięgającymi nieba.

Zakręcił wodę i oparłszy się obiema dłońmi o kafle, stał przez chwilę z pochyloną głową i ociekającymi włosami. Jest szesnasty lipca, pomyślał. Do startu Emmy zostało osiem dni. Na skórze czuł zimne krople wody.

Dziesięć minut później siedział już ubrany w samochodzie.

Był wtorek. Emma brała właśnie udział w trzydniowych zintegrowanych ćwiczeniach symulacyjnych z nową załogą. Na pewno jest zmęczona i nie będzie chciała go widzieć. Ale jutro wyjeżdża na Cape Canaveral. Jutro znajdzie się poza jego zasięgiem.

W Centrum Kosmicznym Johnsona zaparkował przy budynku numer 30, błysnął odznaką NASA strażnikowi i pobiegł na górę, do sali kontroli lotu promu. Wewnątrz wszyscy byli milczący i spięci. Trzydniowe zintegrowane ćwiczenia stanowiły rodzaj końcowego egzaminu zarówno dla astronautów, jak i zespołu kontroli naziemnej. W trakcie naszpikowanej sytuacjami kryzysowymi symulacji całej misji, od startu aż po lądowanie, awarie dobrane były tak wrednie, że nikt nie mógł sobie pozwolić na chwilę odpoczynku. W ciągu trzech ostatnich dni na sali zmieniały się wielokrotnie trzy ekipy kontrolerów i dwadzieścia kilka zasiadających teraz przy konsolach osób padało z nóg. Z koszy na śmieci wysypywały się filiżanki po kawie i puszki dietetycznej pepsi. Kilku kontrolerów zobaczyło Jacka i pozdrowiło go skinieniem głowy, nie było jednak czasu na prawdziwe powitanie; zmagali się właśnie z poważnym kryzysem i uwaga wszystkich skupiona była na tym, jak go rozwiązać. Jack po raz pierwszy od kilku miesięcy odwiedził salę kontroli lotu; ponownie poczuł stare podniecenie, elektryczność, którą przesycone było powietrze za każdym razem, gdy trwała misja.

Podszedł do trzeciego rzędu konsoli i stanął za dyrektorem lotu, Randym Carpenterem, który był w tym momencie zbyt zajęty, by zamienić z nim kilka słów. Carpenter był najwyższym kapłanem dyrektorów lotu wahadłowca. Ze swymi dwustu osiemdziesięcioma funtami żywej wagi i brzuchem przelewającym się znad paska sprawiał imponujące wrażenie, stojąc na rozstawionych z lekka nogach niczym kapitan na kołyszącym się mostku okrętu. Na tej sali to on był głównodowodzącym. „Jestem świetnym przykładem — lubił powtarzać — jak wiele może w życiu osiągnąć gruby chłopak w okularach". W odróżnieniu od dyrektora lotu, Gene'a Krantza, którego powiedzenie „katastrofa nie jest naszą opcją" uczyniło bohaterem mediów, Carpenter był znany tylko w NASA. Brak fotogeniczności nie wróżył mu raczej filmowej kariery.

Przysłuchując się rozmowie na łączach, Jack szybko zdał sobie sprawę, z czym boryka się teraz Carpenter. Sam stanął w obliczu podobnego problemu w trakcie zintegrowanych ćwiczeń przed dwoma laty, kiedy wciąż wchodził w skład korpusu astronautów i przygotowywał się do lotu numer 145. Załoga promu informowała o wskazującym na wyciek powietrza raptownym spadku ciśnienia w kabinie. Nie było czasu na odnalezienie źródła; musieli awaryjnie zejść z orbity.

Kontroler dynamiki lotu, siedzący przy pierwszym rzędzie konsoli, który określano mianem Okopu, gorączkowo obliczał trajektorie, żeby wybrać najlepsze miejsce lądowania. Nikt nie traktował tego jako zabawy; zdawali sobie sprawę, że gdyby kryzys był autentyczny, życie siedmiu osób znalazłoby się w niebezpieczeństwie.

— Ciśnienie kabinowe spadło do trzynastu przecinek siedem funtów na cal — stwierdził kontroler środowiska kabiny.

— Lądowanie w bazie sił powietrznych Edwards — oznajmił kontroler dynamiki lotu. — Przyziemienie około godziny trzynastej zero zero.

— Przy tym tempie spadku ciśnienie kabinowe będzie wtedy wynosiło siedem funtów na cal — powiedział kontroler środowiska kabiny. — Zalecam założenie hełmów przed inicjalizacją sekwencji ponownego wejścia w atmosferę.

Komunikujący się z załogą CAPCOM przekazał jej zalecenie.

— Przyjąłem — oświadczył komendant Vance. — Założyliśmy hełmy. Inicjujemy zejście z orbity.

Wbrew swej woli Jack dał się porwać emocjom. Oczy miał utkwione w wielkim ekranie z przodu sali, gdzie na mapie świata naniesiona była trasa wahadłowca. Chociaż wiedział, że wszystkie kryzysy powstają w tej chwili wyłącznie w wyobraźni kontrolerów, surowa powaga, z jaką prowadzone było ćwiczenie, wywarła na nim silne wrażenie. Nie zdawał sobie prawie sprawy, że wpatrując się w migoczące na ekranie dane, zaciska z całej siły szczęki.

Ciśnienie w kabinie spadło do siedmiu funtów na cal.

Atlantis zetknął się z górną warstwą atmosfery. Zaczął się dziesięciominutowy okres ciszy radiowej, kiedy siła tarcia jonizuje powietrze wokół wahadłowca, uniemożliwiając jakąkolwiek łączność.

— Słyszycie nas, *Atlantis*? — zapytał CAPCOM.

Nagle usłyszeli głos komendanta Vance'a:

— Słyszymy was głośno i wyraźnie, Houston.

Lądowanie, które nastąpiło kilka chwil później, było idealne. Gra skończona.

Na sali rozległy się oklaski.

— W porządku, kochani! Dobra robota! — oznajmił dyrektor Carpenter. — Odprawa o piętnastej. Teraz ogłaszam przerwę na lunch. — Uśmiechnięty, zdjął z głowy słuchawki i po raz pierwszy spojrzał na Jacka. — Cześć. Nie widziałem cię tutaj od lat.

— Bawię się w doktora z cywilami.

— Skusił cię wielki szmal, co?

Jack roześmiał się.

— Jasne, tylko powiedz mi, co mam zrobić z tą całą forsą. — Powiódł wzrokiem po siedzących przy konsolach kontrolerach lotu, którzy wyciągnęli kanapki i puszki z napojami. — Symulacja się powiodła?

— Udało nam się pokonać wszystkie przeszkody.

— A załoga promu?

— Są gotowi. — Carpenter zmierzył go uważnym spojrzeniem. — Łącznie z Emmą. Jest w swoim żywiole, Jack, więc postaraj się nie wytrącać jej z równowagi. W tej chwili musi się skupić.

Było to coś więcej niż przyjacielska rada. Nie wywlekaj teraz swoich osobistych spraw, ostrzegał go Carpenter. Nie pozwolę, żebyś psuł morale mojej załogi.

Czekając w prażącym upale przed budynkiem numer 5, w którym mieściły się symulatory lotu, Jack czuł, jak ogarnia go zakłopotanie, a nawet skrucha. Emma wyszła na zewnątrz razem z resztą załogi. Ktoś opowiedział właśnie jakiś żart, bo wszyscy głośno się śmieli. A potem Emma zobaczyła Jacka i uśmiech spełzł jej z ust.

— Nie wiedziałam, że przyjedziesz — burknęła.

— Ja też tego nie wiedziałem — odparł zdetonowany, wzruszając ramionami.

— Odprawa jest za dziesięć minut — przypomniał jej Vance.

— Nie spóźnię się — powiedziała. — Idźcie przodem —

63

Kiedy jej koledzy oddalili się, odwróciła się z powrotem do Jacka. — Naprawdę muszę z nimi iść. Słuchaj, wiem, że ten start wszystko komplikuje. Jeśli przyjechałeś w sprawie rozwodu, obiecuję, że podpiszę wszystkie papiery po powrocie.

— Nie po to przyjechałem.

— Chodzi ci o coś innego?

— Tak — odparł po chwili. — O Humphreya. Jak się nazywa ten jego weterynarz? Muszę to wiedzieć na wypadek, gdyby połknął za dużo sierści czy coś w tym rodzaju...

Spojrzała na niego ze zniecierpliwieniem.

— To ten sam weterynarz co zawsze. Doktor Goldsmith.

— No tak.

Przez chwilę stali w milczeniu w palących promieniach słońca. Pot spływał Jackowi po plecach. Nagle Emma wydała mu się taka drobna, taka bezcielesna. A przecież miał przed sobą kobietę, która bez zmrużenia oka skakała z samolotu i potrafiła prześcignąć go na koniu. Swoją piękną, nieustraszoną żonę.

Odwróciła się w stronę budynku numer 30, gdzie czekała na nią załoga.

— Muszę już iść, Jack.

— Kiedy wylatujesz?

— O szóstej rano.

— Wszyscy twoi kuzyni będą oglądać start?

— Oczywiście. Ciebie tam nie będzie, prawda? — zapytała po chwili.

Wciąż miał w pamięci koszmar *Challengera*, zasnuwające błękit gniewne smugi dymu. Nie mogę tego oglądać, pomyślał. Nie jestem w stanie myśleć o tym, co może się zdarzyć. Potrząsnął głową.

Przyjęła jego odpowiedź chłodnym skinieniem głowy i spojrzeniem, które mówiło: potrafię być tak samo obojętna jak ty. Odwrócona do niego bokiem, zbierała się do odejścia.

— Emmo... — Wziął ją za rękę i delikatnie obrócił z powrotem. — Będzie mi ciebie brakowało.

Westchnęła.

— Jasne, Jack.

64

— Naprawdę.

— Przez całe tygodnie ani razu nie zadzwoniłeś. A teraz opowiadasz, że będzie ci mnie brakowało — mruknęła.

Zabolała go gorycz, jaką usłyszał w jej głosie. A także fakt, że mówiła prawdę. W ciągu kilku ostatnich miesięcy unikał jej. Trudno było przebywać w jej pobliżu; jej sukces pogłębiał w nim tylko poczucie klęski.

Nie było nadziei na pogodzenie: widział to w jej chłodnym spojrzeniu. Trzeba było znieść to w cywilizowany sposób.

Odwrócił wzrok, czując nagle, że nie może na nią patrzeć.

— Przyjechałem, żeby życzyć ci po prostu bezpiecznej podróży. I wspaniałych wrażeń. Pomachaj mi za każdym razem, kiedy będziesz przelatywać nad Houston. Będę cię wypatrywał.

Szybująca po niebie stacja kosmiczna wyglądała jak ruchoma gwiazda, trochę tylko jaśniejsza niż Wenus.

— Ty też mi pomachaj, dobrze?

Oboje zdołali się uśmiechnąć. Więc jednak rozejdą się w sposób cywilizowany. Otworzył ramiona, a ona przytuliła się do niego. Ich uścisk był krótki i niezgrabny, jakby byli spotykającymi się po raz pierwszy nieznajomymi. Poczuł, jak jej ciało przywiera do niego, ciepłe i pełne życia. A potem odsunęła się i ruszyła w stronę budynku kontroli misji.

Zatrzymała się tylko raz, żeby pomachać na pożegnanie. Słońce świeciło mu prosto w twarz i mrużąc oczy, widział tylko jej ciemną sylwetkę i włosy powiewające na ciepłym wietrze. Uświadomił sobie, że nie kochał jej jeszcze nigdy tak bardzo, jak właśnie w tej chwili: kiedy patrzył, jak odchodzi.

19 lipca
Przylądek Canaveral

Nawet z daleka widok zapierał Emmie dech. Stojący na wyrzutni 39B, skąpany w jaskrawym świetle reflektorów prom *Atlantis*, wraz z wielkim pomarańczowym zbiornikiem i dwiema rakietami na paliwo stałe, wznosił się niczym latarnia morska na tle czarnego nieba. Bez względu na to, ile razy go oglądała, widok stojącego na wyrzutni wahadłowca nigdy nie przestawał jej zachwycać.

Pozostali członkowie załogi również milczeli. Żeby zmienić dobowy cykl snu, obudzili się tego ranka o drugiej i wyszli ze swoich kwater na trzecim piętrze budynku procedur operacyjnych i kontrolnych, by przyjrzeć się behemotowi, który miał ponieść ich w przestrzeń. Emma słyszała krzyk nocnego ptaka i czuła na policzku świeżą chłodną bryzę od zatoki, która rozwiewała stęchłą woń otaczających ich moczarów.

— Człowiek czuje się przy tym taki malutki, prawda? — powiedział komendant Vance ze swoim miękkim teksańskim akcentem.

Pozostali zamruczeli na znak zgody.

— Jak mrówka — stwierdził Chenoweth, jedyny nowicjusz w składzie załogi. To miała być jego pierwsza podróż w kosmos i był tak podniecony, że wydawał się emitować własne pole elektryczne. — Zawsze zapominam, jaka ta rakieta jest wielka. Potem widzę ją i myślę: Jezu, co za potęga... A ja jestem tym szczęśliwym sukinsynem, który się nią przeleci.

Wszyscy roześmieli się, ale był to stłumiony, nieśmiały śmiech stojących przed ołtarzem wiernych.

— Nigdy nie sądziłem, że tydzień może trwać tak długo — dodał Chenoweth.

— Ten facet ma już dość bycia prawiczkiem — mruknął ktoś z załogi.

— Żebyście wiedzieli, że mam dosyć. Chcę się znaleźć tam, na górze. — Wzrok Chenowetha poszybował ku niebu, ku gwiazdom. — Wy wszyscy znacie już tajemnicę, a ja nie mogę się doczekać, żeby samemu ją odkryć.

Tajemnica. Posiedli ją tylko uprzywilejowani nieliczni, ci, którzy polecieli. Nie można jej było zdradzić komuś innemu, każdy musiał ją odkryć sam, zobaczyć na własne oczy czarną przestrzeń i unoszącą się daleko w dole błękitną Ziemię. Poczuć wgniatającą w fotel siłę ciągu. Wracający na ziemię astronauci mają często na ustach znaczący uśmiech, uśmiech, który mówi: dane mi było doznać czegoś, czego doświadczy bardzo niewiele ludzkich istot.

Emma również miała na ustach taki uśmiech, gdy stanęła przed dwoma laty w luku wyjściowym *Discovery*. Chwiejnym krokiem wyszła na słońce i przyjrzała się niewiarygodnie błękitnemu niebu. W ciągu ośmiu dni spędzonych na pokładzie wahadłowca przeżyła dwieście sześćdziesiąt wschodów i zachodów słońca, widziała pożary lasów w Brazylii i oko huraganu szalejącego na Samoa, oglądała Ziemię, która wydawała się boleśnie krucha.

Wróciła na zawsze odmieniona.

Jeśli wszystko pójdzie dobrze, za pięć dni Chenoweth również pozna ten sekret.

— Czas, żeby na moje źrenice padło jakieś światło — oznajmił. — Mój umysł wciąż uważa, że jest środek nocy.

— Bo jest środek nocy — stwierdziła Emma.

— Dla nas jest już świt, kochani — powiedział Vance.

Najszybciej z nich wszystkich przystosował swój rytm biologiczny do nowego rozkładu snu i czuwania. Teraz obrócił się na pięcie i ruszył z powrotem do budynku, żeby o trzeciej w nocy rozpocząć nowy dzień pracy.

Inni podążyli w ślad za nim. Tylko Emma zamarudziła chwilę dłużej na dworze, przyglądając się promowi. Dzień wcześniej pojechali na wyrzutnię startową, żeby po raz ostatni sprawdzić procedury ratunkowe. Z bliska, w promieniach słońca, prom wydawał się oślepiająco jasny, zbyt masywny, by ogarnąć go jednym spojrzeniem. Można było skupić się tylko na jednej jego części. Na dziobie. Na skrzydłach. Na czarnych płytkach, pokrywających niczym gadzie łuski jego podbrzusze.

W świetle dnia wydawał się rzeczywisty i solidny. Ale teraz, w snopach reflektorów na tle czarnego nieba, sprawiał wrażenie jakby nie z tego świata.

W gorączce przygotowań Emma nie pozwalała sobie na żadne obawy, odsunęła od siebie wszelkie złe przeczucia. Była gotowa do lotu. Chciała lecieć. Ale teraz przeszył ją nagły lęk.

Spojrzała na niebo i zobaczyła, że gwiazdy znikają za welonem chmur. Pogoda miała się zmienić. Czując pełznący po plecach dreszcz, wróciła do budynku. Do światła.

W ciele Debbie Haning tkwiło pół tuzina rurek. Ta, która wystawała z gardła, doprowadzała do jej płuc tlen. Tkwiąca w lewym nozdrzu sonda żołądkowa biegła przez przełyk do żołądka. Cewnikiem odpływał mocz, dwie kroplówki dostarczały płyny. Na poziomie nadgarstka założone było wkłucie dotętnicze; na monitorze bez przerwy tańczył poziom ciśnienia krwi. Jack zerknął na kroplówki i zobaczył, że zawierają silne antybiotyki. Zły znak: świadczył o tym, że wdało się zakażenie — ale była to normalna rzecz, gdy pacjent przebywał przez dwa tygodnie w śpiączce. Każdy wyłom w skórze Debbie, każda plastikowa rurka była szeroko otwartą bramą dla bakterii i w jej krwiobiegu toczyła się teraz śmiertelna walka.

Jack wiedział to wszystko, nie powiedział jednak nic matce Debbie, która siedziała przy łóżku, trzymając córkę za rękę. Dolna szczęka Debbie opadła, jej twarz była ziemista, powieki tylko częściowo zamknięte. Znajdowała się w stanie głębokiej śpiączki, nieświadoma niczego, nawet bólu.

Margaret podniosła wzrok, kiedy Jack podszedł bliżej, i skinęła głową na powitanie.

— Miała złą noc — powiedziała. — Ma gorączkę. Lekarze nie wiedzą, skąd się przyplątała.

— Pomogą jej antybiotyki.

— A potem co? Powiedzmy, że zwalczycie infekcję, ale co potem? — Margaret wzięła głęboki oddech. — Ona by tego nie chciała. Tych wszystkich rurek i igieł. Chciałaby, żebyśmy pozwolili jej odejść.

— Nie czas jeszcze się poddawać. Jej EEG świadczy o aktywności mózgu. Nie jest martwy.

— Więc dlaczego się nie budzi?

— Nie wiem. Ale jest młoda. Ma tyle rzeczy, dla których warto żyć.

— To nie jest życie. — Margaret spojrzała na rękę swojej córki, pokłutą i spuchniętą od zastrzyków i kroplówek. — Kiedy umierał jej ojciec, powiedziała mi, że nigdy nie chciał skończyć w ten sposób, przywiązany do łóżka i przymusowo karmiony. Wciąż o tym myślę. O tym, co mi wtedy powiedziała. — Margaret ponownie podniosła wzrok. — Co ty byś zrobił? Gdyby to była twoja żona?

— Nie dawałbym za wygraną.

— Nawet gdyby ci powiedziała, że nie chce skończyć w ten sposób?

Jack przez chwilę się zastanawiał.

— Decyzja i tak należałaby do mnie — odparł w końcu z przekonaniem. — Bez względu na to, co ona i ktokolwiek inny by mi powiedział. Nie postawiłbym krzyżyka na osobie, którą kocham. Nigdy. Dopóki istnieje najmniejsza szansa, że ją uratuję.

Jego słowa nie przyniosły pociechy Margaret. Nie miał prawa kwestionować tego, w co wierzyła i co czuła, ale zadała mu pytanie i odpowiedział jej to, co dyktowało mu serce, nie rozum.

Czując się trochę winny, poklepał Margaret po ramieniu i wyszedł. Najprawdopodobniej decyzję za nich podejmie natura. Pozostający w stanie śpiączki pacjent z poważną infekcją i tak jest już jedną nogą w grobie.

Wyszedł z oddziału intensywnej opieki medycznej i wsiadł do windy. Jego wakacje zaczynały się pod złym znakiem. Wysiadając na parterze zdecydował, że w drodze powrotnej do domu zajrzy do spożywczego na rogu i kupi sobie sześciopak budweisera. Łyknie zimnego piwa, a po południu zajmie się załadunkiem łodzi. Może dzięki temu przestanie zamartwiać się o Debbie Haning.

— Kod niebieski, OIOM. Kod niebieski, OIOM.

Poderwał w górę głowę, słysząc nadawany przez głośniki komunikat. Debbie, pomyślał i pobiegł z powrotem w stronę klatki schodowej.

Przy jej łóżku tłoczył się personel. Jack przecisnął się bliżej i rzucił okiem na monitor. Migotanie komór! Serce Debbie było teraz dygoczącą masą mięśni, nie będącą w stanie pompować krwi i utrzymać mózgu przy życiu.

— Podaję jedną ampułkę epinefryny! — zawołała pielęgniarka.

— Cofnąć się!

Jack zobaczył, jak ciało Debbie podskakuje na łóżku, gdy

z łyżek defibrylatora popłynął prąd. Linia na monitorze pobiegła w górę, a potem opadła. Migotanie nie ustępowało.

Siostra przystąpiła do reanimacji. Jej krótko przycięte blond włosy opadały w dół przy każdym pchnięciu klatki piersiowej pacjentki.

Zajmujący się Debbie neurolog, doktor Salomon, podniósł wzrok, kiedy Jack stanął obok niego przy łóżku.

— Podajecie amiodaron? — zapytał Jack.

— Tak, ale bez rezultatu.

Jack ponownie zerknął na monitor. Migotanie zmieniło się z poszarpanego na łagodne. Linia coraz bardziej się spłaszczała.

— Defibrylowaliśmy ją cztery razy — powiedział Salomon. — Prawidłowy rytm nie powrócił.

— Podaliście dosercowo epinefrynę?

— Jeszcze nie. Ale poza tym zostały nam chyba tylko zdrowaśki.

Pielęgniarka przygotowała strzykawkę z epinefryną i założyła na nią długą igłę. Jack wziął ją do ręki, lecz i tak wiedział, że bitwa jest przegrana. Ten zastrzyk niczego nie zmieni. Zaraz potem pomyślał o Billu Haningu, czekającym, żeby wrócić do żony. I o tym, co sam powiedział zaledwie przed chwilą Margaret.

Nie postawiłbym krzyżyka na osobie, którą kocham. Nigdy. Dopóki istnieje choćby najmniejsza szansa, że ją uratuję.

Spojrzał na Debbie i przez krótką chwilę wydawało mu się, że widzi twarz Emmy. Przełknął z trudem ślinę.

— Zaprzestać masażu serca — polecił.

Siostra uniosła ręce nad mostkiem pacjentki.

Jack zdezynfekował szybko skórę Debbie betadyną i przystawił koniec igły poniżej wyrostka mieczykowatego. Kiedy ją wbijał, jego własny puls walił jak oszalały. Wkłuwał się coraz głębiej w klatkę piersiową, delikatnie aspirując.

Wypływająca krew powiedziała mu, że igła znalazła się w sercu. Wciskając mocno tłok, wstrzyknął całą dawkę epinefryny i wyciągnął igłę.

— Proszę podjąć masaż — powiedział i spojrzał na monitor.

Dalej, Debbie, pomyślał. Walcz, do cholery. Nie wypinaj się na nas. Nie wypinaj się na Billa.

Na sali panowała cisza, oczy wszystkich utkwione były w monitorze. Linia coraz bardziej się spłaszczała, serce umierało, komórka za komórką. Nikt nie musiał nic mówić; na twarzach lekarzy i pielęgniarek wypisana była katastrofa.

Jest taka młoda, pomyślał Jack. Trzydzieści sześć lat...

Tyle samo, co Emma.

Doktor Salomon podjął w końcu decyzję.

— Zakończmy to — powiedział. — Śmierć nastąpiła o jedenastej piętnaście.

Siostra wykonująca masaż serca odstąpiła z posępną miną do tyłu. W jasnym świetle jarzeniówek tors Debbie wyglądał jak odlany z plastiku. Przypominała manekin, a nie inteligentną i pełną życia kobietę, którą Jack spotkał przed pięciu laty na bankiecie, urządzonym przez NASA na świeżym powietrzu pod gwiazdami.

Do łóżka podeszła Margaret. Przez chwilę stała w milczeniu, jakby nie poznawała własnej córki. Doktor Salomon położył rękę na jej ramieniu.

— To stało się tak szybko — powiedział łagodnie. — Nie byliśmy w stanie nic zrobić.

— On powinien tu być — stwierdziła łamiącym się głosem Margaret.

— Próbowaliśmy utrzymać ją przy życiu — mruknął Salomon. — Przykro mi.

— Najbardziej żal mi Billa — szepnęła, podnosząc rękę córki do ust i całując ją. — Tak bardzo chciał tu być. Nigdy sobie tego nie wybaczy.

Jack wyszedł na korytarz i usiadł na krześle w dyżurce pielęgniarek. W uszach wciąż dźwięczały mu słowa Margaret. On tak bardzo chciał tu być. Nigdy sobie tego nie wybaczy.

Spojrzał na telefon. Co ja tutaj jeszcze robię, pomyślał.

Wziął książkę telefoniczną z biurka rejestratorki, podniósł słuchawkę telefonu i wystukał numer.

— Lone Star Travel — odezwał się w słuchawce kobiecy głos.

— Muszę dostać się na przylądek Canaveral.

Rozdział szósty

Przylądek Canaveral

Przez otwartą szybę wynajętego samochodu wpadało wilgotne powietrze Merritt Island. Jack czuł zapach mokrej ziemi i tropikalnej roślinności. Do Centrum Kosmicznego Kennedy'ego prowadziła zwykła wiejska droga. Mijał pomarańczowe gaje, rozsypujące się kioski z pączkami i złomowiska, na których chwasty zarastały zużyte części rakiet. Zbliżał się zmierzch i przed sobą zobaczył nagle tylne światła wielu pojazdów. Droga była zakorkowana: jego samochód utknie wkrótce w długiej kolumnie turystów szukających najlepszych miejsc, z których można będzie obejrzeć poranny start.

Nie było sensu próbować przebijać się przez korek ani starać się wjechać do centrum od strony Port Canaveral. O tej porze astronauci i tak zresztą spali.

Zjechał na bok, zawrócił o sto osiemdziesiąt stopni i ruszył z powrotem do autostrady A1A, w stronę Cocoa Beach.

Cocoa Beach — ciągnące się między Banana River na zachodzie i Atlantykiem na wschodzie pasmo schodzących na psy hoteli, barów oraz sklepów z T-shirtami — było głównym punktem wypadowym astronautów już od czasów Billa Shepherda i lotu *Mercury 7*. Jack znał tutaj każdy zakątek, od Tokyo Steak House aż po bar Moon Shot. Kiedyś uprawiał jogging na tej samej plaży, po której biegał John Glenn. Zaledwie przed dwoma laty stał w parku przy molu i patrzył na wyrzutnię 39A po drugiej stronie Banana River, wpatrując się w swój prom, ptaka, który miał ponieść go w przestrzeń. Wciąż nie mógł o tym spokojnie myśleć. Pamiętał długi bieg w upalne popołudnie i nagłe, rozdzierające ukłucie w boku, ból tak straszliwy, że padł na kolana. A potem, przez mgłę narkotyków, twarz jakiegoś chirurga na izbie przyjęć, który przekazał mu złą nowinę. Że ma kamień w nerce.

Został wykluczony z misji.

Co gorsza, pod znakiem zapytania stanął również jego dalszy udział w lotach załogowych. Kamica nerkowa należy do nielicznych schorzeń, które mogą permanentnie uziemić astronautę. Mikrograwitacja sprawia, że zmienia się poziom płynów ustrojowych, co w rezultacie prowadzi do odwodnienia. Powoduje również odwapnienie kości. Te dwa czynniki zwiększają ryzyko powstania nowych kamieni podczas lotu — ryzyko, na które NASA nie mogła sobie pozwolić. Będąc nadal członkiem korpusu, Jack został praktycznie uziemiony. Pozostał w zespole przez kolejny rok, mając nadzieję, że dostanie jakiś przydział, ale jego nazwisko nigdy nie zostało wzięte pod uwagę. Stał się martwą duszą, facetem z ławki rezerwowych, wycierającym progi Centrum Kosmicznego Johnsona w oczekiwaniu na jakąś misję.

Wrócił myślami do teraźniejszości. Oto znowu znalazł się na przylądku Canaveral, nie jako astronauta, lecz zwykły turysta na drodze A1A: głodny, zgorzkniały i bez noclegu. Wszystkie hotele w promieniu czterdziestu mil były przepełnione, a on miał już dosyć siedzenia za kółkiem.

Skręcił na parking przy hotelu Hilton i ruszył do baru.

Lokal zmienił się wyraźnie na korzyść od czasu, gdy tu ostatnio bywał. Nowy dywan, nowe stołki przy barze, podwieszone pod sufitem wiatraki wentylatorów. W swoim czasie była to dosyć obskurna knajpa: sfatygowany stary Hilton na starej turystycznej trasie. W Cocoa Beach nie ma czterogwiazdkowych hoteli. Nie można tu liczyć na większe luksusy.

Zamówił szkocką z wodą i wlepił wzrok w telewizor nad barem. Nastawiony był na oficjalny kanał NASA i na ekranie

widać było prom *Atlantis*, skąpany w świetle reflektorów i otoczony upiornymi kłębami pary. Statek Emmy. Jack przyglądał
mu się, myśląc o milach kabli biegnących wewnątrz kadłuba,
o niezliczonych przełącznikach, stykach, śrubach i uszczelkach.
O milionach rzeczy, które mogą nawalić. To cud, że dotychczas
doszło do tak niewielu awarii, że ludzie, przy wszystkich swoich
ograniczeniach, potrafili zaprojektować i zbudować pojazd na
tyle bezpieczny, by siedem osób zgodziło się wejść do środka
i przypiąć się pasami do foteli. Niech ten start należy do
udanych, pomyślał. Niech wszyscy zrobią to, co do nich należy,
i niech nie obluzuje się ani jedna śrubka. To musi być udany
start, bo na pokładzie jest moja Emma.

Na sąsiednim stołku barowym przysiadła jakaś kobieta.

— Ciekawe, o czym teraz myślą — powiedziała.

Obrócił się, żeby na nią spojrzeć. Smukła, opalona blondynka
o pustej twarzy, którą zapomina się zaraz po pożegnaniu.

— Kto o czym teraz myśli? — zapytał.

— Astronauci. Zastanawiam się, czy nie żałują czasem
swojej decyzji: „Cholera, w co ja wdepnąłem?".

Wzruszył ramionami i pociągnął łyk szkockiej.

— W tej chwili o niczym nie myślą. Wszyscy śpią.

— Ja nie mogłabym zasnąć.

— Ich rytm biologiczny został kompletnie przestawiony.
Najprawdopodobniej poszli do łóżek przed dwiema godzinami.

— Chodzi mi o to, że ja w ogóle nie mogłabym zasnąć.
Leżałabym, zastanawiając się, jak się z tego wymigać.

Roześmiał się.

— Zaręczam pani, że jeśli któryś z nich nie może zasnąć, to
dlatego, że nie może się doczekać, żeby wejść na pokład tego
cacka i polecieć w przestrzeń

Przyjrzała mu się z zaciekawieniem.

— Pracuje pan w NASA, prawda?

— Pracowałem. Byłem astronautą.

— Już pan nie jest?

Podniósł szklankę do ust i poczuł, jak ostre kostki lodu tną
go w zęby.

— Odszedłem na emeryturę.

Odstawił pustą szklankę i wstał. W oczach kobiety zobaczył rozczarowanie. Przez chwilę zastanawiał się, jak wyglądałaby reszta wieczoru, gdyby tu został i podjął rozmowę. Przyjemne towarzystwo. Obietnica czegoś więcej.

Zapłacił rachunek i wyszedł.

O północy, stojąc na plaży przy molu, przyglądał się wyrzutni 39B. Jestem tutaj, pomyślał. Jestem z tobą, Emmo, nawet jeśli o tym nie wiesz.

Usiadł na piasku i zaczął czekać na świt.

24 lipca
Houston

— Nad Zatoką rozszerza się układ wysokiego ciśnienia sięgający przylądka Canaveral, w związku z czym możliwa jest zgoda na procedurę RTLS. W bazie sił powietrznych Edwards niebo jest lekko zachmurzone, ale do startu powinno się przejaśnić. Lądowiska transatlantyckie w Saragossie i Moron w Hiszpanii są w pełnej gotowości i mają zgodę na przyjęcie promu. W Ben Guerir w Maroku spodziewane są silne wiatry i burze piaskowe i w tym momencie pas nie nadaje się do lądowania.

Pierwsza tego dnia prognoza pogody, przekazana również na przylądek Canaveral, była pomyślna, i dyrektor lotu Carpenter nie krył zadowolenia. Start miał się odbyć zgodnie z planem. Złe warunki na lotnisku w Ben Guerir nie powinny niepokoić, skoro w Hiszpanii panowała piękna pogoda. Wszystko to było zresztą dmuchaniem na zimne: lądowiska mogły okazać się potrzebne tylko w przypadku poważnej awarii.

Omiótł spojrzeniem pozostałych członków zespołu startowego, żeby zorientować się, czy nie pojawiły się jakieś nowe zagrożenia. W sali kontroli lotu, jak zawsze przed startem, prawie namacalnie rosło napięcie, i było to czymś pozytywnym. Dzień, kiedy nie będą spięci, będzie dniem, w którym popełnią błąd. Carpenter chciał, by nerwy jego ludzi były napięte jak postronki — żeby byli w stanie pełnej gotowości, który o północy wymagał dodatkowej dawki adrenaliny.

75

Sam też był podenerwowany, mimo że odliczanie przebiegało zgodnie z planem. Zespół kontrolny w Centrum Kennedy'ego zakończył sprawdzanie podzespołów. Zespół dynamiki lotu potwierdził co do sekundy czas startu. Tysiące ludzi w całym kraju i poza jego granicami obserwowało ten sam zegar.

Na przylądku Canaveral, gdzie stał prom, podobne napięcie odczuwało się również w centrum kontroli startu. W momencie uruchomienia rakiet na paliwo stałe pałeczkę przejmowało Houston. Oddalone od siebie o tysiące mil dwa ośrodki kontrolne w Houston i Canaveral związane były tyloma łączami, że równie dobrze mogły mieścić się w tym samym budynku.

W Centrum Lotów Kosmicznych w Huntsville w Alabamie zespoły badawcze czekały na rozpoczęcie eksperymentów. Sto sześćdziesiąt mil na północny wschód od przylądka Canaveral okręty marynarki wojennej oczekiwały na morzu na rakiety stałopaliwowe, które miały odpaść od promu po pierwszym odpaleniu.

W miejscach awaryjnego lądowania oraz w stacjach nasłuchowych na całym świecie, od NORAD w stanie Colorado po międzynarodowe lotnisko w Banjul w Gambii, wszyscy patrzyli na zegary.

W tym samym momencie siedem osób szykowało się, by złożyć swoje życie w ich ręce.

Carpenter widział astronautów na monitorze zamkniętej sieci telewizyjnej. Pomagano im właśnie założyć pomarańczowe kombinezony startowe. Pozbawiony dźwięku obraz przekazywany był na żywo z Florydy. Carpenter uświadomił sobie, że bezwiednie studiuje ich twarze. Choć nikt z astronautów nie okazywał ani cienia lęku, wiedział, że na pewno skrywają go pod pewnymi siebie minami. Wiedzieli, jakie podejmują ryzyko, i musieli się bać. Ich postaci na ekranie przypominały pracownikom personelu naziemnego, że siedmioro ludzi liczy, iż nie spieprzą roboty.

Oderwał wzrok od ekranu i ponownie skupił uwagę na siedzących przy konsolach szesnastu kontrolerach lotu. Choć znał każdego członka zespołu z imienia, zwracał się do nich, używając nazwy stanowiska, skróconego do jedno- lub dwusylabowych sygnałów wywoławczych. Kontroler naprowadzania ochrzczony został mianem GUIDO, kontroler łączności — CAPCOM, inżynier zespołów napędowych — PROP, kontroler trajektorii — TRAJ. Lekarz lotu otrzymał dźwięczny kryptonim SURGEON, a sam Carpenter występował pod kryptonimem FLIGHT.

Odliczanie weszło w fazę T minus 3 godziny. Misja nadal nie miała opóźnienia.

Carpenter włożył dłoń do kieszeni i potrząsnął kluczami. Był to jego prywatny rytuał, którym odczyniał urok. Nawet inżynierowie mają swoje przesądy.

Niech nic nie nawali, pomyślał. Nie na mojej zmianie.

Przylądek Canaveral

Jazda astrovanem z budynku procedur operacyjnych i kontrolnych na wyrzutnię 39B trwała równo kwadrans. W mikrobusie panowała dziwna cisza, nikt się nie odzywał. Jeszcze pół godziny temu, podczas zakładania kombinezonów, w żartach i śmiechu załogi brzmiał ten ostry elektryczny ton, który słychać, kiedy zjadają kogoś nerwy. Napięcie rosło od momentu, gdy obudzili się o wpół do trzeciej i zjedli na śniadanie tradycyjne jajka ze stekiem. Podczas odprawy, kiedy zapoznano ich z prognozą pogody, a potem w trakcie ubierania się i rytualnego pokerowego rozdania, gdy sprawdza się, kto dostał najlepsze karty, wszyscy byli trochę zbyt głośni i pogodni. Nadrabiając miną, jedni drugim starali się dodać otuchy.

Teraz jednak umilkli.

Mikrobus zatrzymał się.

— Nigdy nie myślałem, że rumień od pieluszki będzie należał do zagrożeń naszego zawodu — mruknął siedzący obok Emmy Chenoweth.

Emma nie mogła powstrzymać śmiechu. Pod workowatymi kombinezonami wszyscy mieli założone pieluchy dla dorosłych: do startu zostały im jeszcze trzy długie godziny.

Z pomocą pracowników wyrzutni wysiadła z mikrobusu

i przez chwilę stała w miejscu, wpatrując się w oświetlony reflektorami trzydziestopiętrowy prom. Kiedy ostatnim razem odwiedziła wyrzutnię, słyszała tylko szum wiatru i ptaki. Teraz ożył sam statek kosmiczny: pomrukiwał i zioł kłębami dymu, niczym obudzony ze snu smok.

Wjechali windą na poziom 195 i wyszli na metalową kratę pomostu. Wciąż trwała noc, ale mrok rozjaśniały reflektory wyrzutni i Emma prawie nie widziała nad głową gwiazd. Czekała na nich czarna przestrzeń.

Technicy w kombinezonach ze specjalnej, niestrzępiącej się tkaniny pomogli im przejść przez luk ze sterylnie białego pomieszczenia do środka wahadłowca. Pierwszych posadzono w fotelach dowódcę i pilota. Emma, której wyznaczono miejsce na dolnym pokładzie, weszła ostatnia. Siedząc na wyściełanym fotelu, w hełmie na głowie i zapięta pasami, podniosła w górę dwa kciuki.

Po chwili luk zamknął się, odcinając załogę od zewnętrznego świata.

Emma słyszała, jak bije jej serce. Słyszała jego uderzenia przez gwar rozbrzmiewających w słuchawkach głosów, poprzez pomruki i szmery budzącego się do życia promu. Jako pasażerka nie miała w ciągu następnych dwóch godzin zbyt dużo do roboty: mogła tylko czekać i medytować. Wszystkie czynności przedstartowe wykonywała załoga. Z miejsca na dolnym pokładzie Emma nie widziała nic poza przestrzenią ładunkową i spiżarnią.

Wzięła głęboki oddech, przygotowując się na długie czekanie.

Jack siedział na plaży i patrzył na wschodzące słońce w parku przy molu.

Nie był sam. Gapie gromadzili się tu od północy. Niekończący się sznur samochodów wlókł się Bee Line. Niektórzy skręcali na północ, w stronę rezerwatu dzikiej przyrody na Merritt Island, inni przejeżdżali Banana River, kierując się do miasteczka Cape Canaveral. Każde miejsce oferowało dobry widok. Tłum na plaży był w radosnym nastroju, rozkładano piknikowe ręczniki i kosze. Jack słyszał wybuchy śmiechu, muzykę z tranzystorów i marudzenie zaspanych dzieci. Otoczony świętującym tłumem, samotnie zmagał się z dręczącymi go obawami.

Kiedy słońce stanęło nad horyzontem, spojrzał na północ, w stronę wyrzutni. Emma była teraz na pokładzie Atlantis, przypięta pasami, i czekała na start. Podekscytowana, szczęśliwa i trochę wystraszona.

— To zły człowiek, mamo — usłyszał za plecami dziecinny głos.

Obejrzał się i zobaczył za sobą małą dziewczynkę. Przez chwilę mierzyli się wzrokiem, mała blond księżniczka i nieogolony, potargany mężczyzna. Potem matka złapała małą w ramiona i zabrała ją szybko w bezpieczniejsze miejsce.

Jack skrzywił się, potrząsnął głową i ponownie zwrócił wzrok na północ. Ku Emmie.

Houston

W sali kontroli lotu zapadła zdradliwa cisza. Do końca odliczania zostało dwadzieścia minut — nadszedł moment, by ostatecznie potwierdzić start. Wszyscy kontrolerzy na zapleczu zakończyli przegląd podzespołów i teraz decyzja należała do specjalistów siedzących w głównej sali.

Carpenter zaczął ich spokojnym głosem odpytywać.

— FIDO? — zapytał.

— Zgoda na lot — oświadczył kontroler dynamiki lotu.

— GUIDO?

— Zgoda na lot.

— SURGEON?

— Zgoda na lot.

— Przetwarzanie danych?

— Zgoda na lot.

Zadawszy wszystkim to samo pytanie i od wszystkich uzyskawszy pozytywną odpowiedź, Carpenter skinął głową.

— Czy mamy zgodę, Houston? — zapytał dyrektor startu z przylądka Canaveral.

— Kontrola misji daje zgodę — potwierdził Carpenter.

Obecni w centrum kontroli misji usłyszeli tradycyjny komunikat, przekazany załodze *Atlantis* przez dyrektora startu.

— *Atlantis*, macie zgodę. Wszyscy na Canaveral życzymy wam powodzenia. Szczęśliwego lotu.

— Kontrola startu, tu *Atlantis* — rozległ się głos komendanta Vance'a. — Dziękujemy, że przygotowaliście dla nas ten latawiec.

Przylądek Canaveral

Emma zamknęła osłonę hełmu i włączyła dopływ tlenu. Dwie minuty do startu. Odizolowana w kokonie kombinezonu, mogła tylko liczyć sekundy. Czuła drżenie głównych silników, ustawianych przez żyroskopy w pozycji startowej.

T minus trzydzieści sekund. Elektryczne połączenie z obsługą naziemną zostało odcięte i kontrolę przejęły komputery pokładowe.

Serce zaczęło jej bić szybciej, w żyłach huczała adrenalina. Słuchając odliczania, wiedziała, sekunda po sekundzie, czego się spodziewać, oczyma wyobraźni oglądała sekwencje rozgrywających się wydarzeń.

W punkcie T minus 8 sekund pod wyrzutnię popłynęły tysiące galonów wody, tłumiące ryk silników.

W punkcie T minus 5 sekund komputery pokładowe otworzyły zawory, którymi do głównych silników powędrowały płynny tlen i wodór.

Poczuła, jak prom dygoce i przechyla się na boki, szarpiąc mocowania, które wciąż wiązały go z wyrzutnią.

Cztery. Trzy. Dwa... Punkt, z którego nie ma powrotu.

Wstrzymała oddech i mocno zacisnęła dłonie. W tym samym momencie włączyły się wspomagające silniki na paliwo stałe. Turbulencja wytrząsała z niej wszystkie kości, huk był tak potężny, że nie słyszała głosów w słuchawkach. Musiała zacisnąć mocno szczęki, żeby nie dzwoniły jej zęby. Czuła, jak prom wchodzi w zaplanowaną trajektorię nad Atlantykiem.

Sięgające trzech G przyspieszenie wgniatało jej ciało w fotel. Ręce i nogi miała tak ciężkie, że prawie nie mogła nimi poruszać. Wibracje były tak silne, że wydawało się, iż wahadłowiec rozpadnie się zaraz na kawałki. Znajdowali się w punkcie Max Q, szczytowym momencie turbulencji, i Vance oznajmił, że zmniejsza ciąg głównych silników. Za niespełna minutę powinien ponownie włączyć główny ciąg.

Mijały kolejne sekundy, hełm grzechotał wokół jej głowy, siła wznoszenia dławiła ją niczym jakaś nieustępliwa dłoń i nagle poczuła, że ogarnia ją lęk. Dokładnie w tym momencie wznoszenia wybuchł *Challenger*.

Zamknęła oczy i przypomniała sobie symulację sprzed dwóch tygodni. Zbliżali się do punktu, w którym podczas ćwiczeń wszystko zaczęło się sypać, kiedy musieli wstrzymać misję i wracać do miejsca startu, a potem Kittredge stracił panowanie nad wahadłowcem. To był najbardziej krytyczny moment podczas całej procedury startowej. Mogła tylko mieć nadzieję, że rzeczywistość okaże się bardziej łaskawa od symulacji.

— Centrum kontroli, tu *Atlantis* — usłyszała w słuchawkach głos Vance'a. — Zwiększam ciąg.

— Przyjąłem, *Atlantis*. Zwiększacie ciąg.

Jack stał ze wzrokiem utkwionym w promie i sercem podchodzącym do gardła. Słyszał ryk rakiet stałopaliwowych, wypluwających z dysz dwie bliźniacze fontanny ognia. Rysowany przez lśniącą stalówkę promu strumień gazów wylotowych powoli wznosił się w górę. Otaczający go tłum bił brawo. Wszyscy uważali, że start był idealny. Jack wiedział jednak, że jest jeszcze mnóstwo rzeczy, które mogą nawalić.

Z przerażeniem uświadomił sobie, że przestał liczyć sekundy. Ile upłynęło czasu? Czy przeszli przez punkt Max Q? Osłonił oczy przed porannym słońcem, próbując dostrzec Atlantis, ale widział tylko gazy wylotowe.

Ludzie zaczęli rozchodzić się do samochodów.

Jack nie ruszał się z miejsca, czekając na najgorsze. Ale nie zobaczył straszliwej eksplozji ani czarnego dymu. Koszmar nie spełnił się.

Atlantis bezpiecznie oddalił się od ziemi i szybował teraz w przestrzeni.

Jack czuł, jak po jego policzkach płyną łzy, lecz nie chciało mu się ich otrzeć. Płacząc, wpatrywał się nadal w niebo, na którym tylko rozwiewający się ogon dymu świadczył o wniebowstąpieniu jego żony.

STACJA

Rozdział siódmy

Sullivan Obie obudził się z jękiem, słysząc terkot telefonu. W głowie dzwoniły mu cymbały, usta śmierdziały jak stara popielniczka. Sięgając po słuchawkę, zrzucił ją niechcący z widełek. Hałas sprawił, że skrzywił się z bólu.

Nieważne, pomyślał, odwracając się na drugi bok. Zobaczył przed sobą gęstwę splątanych włosów.

Kobieta?

Mrużąc oczy przed porannym światłem, odkrył, że istotnie w jego łóżku leży kobieta. Miała blond włosy. I chrapała. Zamknął oczy w nadziei, że gdy się powtórnie obudzi, już jej nie będzie.

Nie był jednak w stanie zasnąć. Nie pozwalał mu na to trzeszczący w upuszczonej słuchawce głos.

W końcu poddał się i odebrał telefon.

— Co jest, Bridget? — zapytał. — O co chodzi?

— Dlaczego cię tu nie ma? — zapytała groźnie.

— Bo leżę w łóżku.

— Jest wpół do jedenastej! Pamiętasz o spotkaniu z nowymi inwestorami? Chciałam cię ostrzec, że Casper waha się, czy cię udusić, czy ukrzyżować.

Inwestorzy. Cholera.

Usiadł i potrząsnął głową, czekając, aż ustąpią zawroty.

— Słuchaj, po prostu zostaw tę laskę i przyjeżdżaj do nas — powiedziała Bridget. — Casper już ich oprowadza po hangarze.

— Daj mi dziesięć minut — odparł.

Odłożył słuchawkę i potknął się o własne stopy. Dziewczyna nawet nie drgnęła. Nie wiedział, kim była, ale zostawił ją śpiącą w łóżku, mając nadzieję, że nie ma w domu nic, co warto by ukraść.

Nie było czasu na prysznic czy golenie. Połknął trzy aspiryny, popił je filiżanką mocnej kawy i odjechał z rykiem na swoim harleyu.

Bridget czekała na niego przed hangarem. Wysoka, ruda i wściekła jak osa, wyglądała dokładnie tak, jak sugerowało jej imię. Niestety czasami stereotypy okazują się prawdziwe, pomyślał.

— Chcą odjeżdżać — zasyczała. — Zasuwaj do nich w podskokach.

— Przypomnij mi, kim są ci faceci?

— Panowie Lucas i Rashad. Reprezentują konsorcjum dwunastu inwestorów. Jeśli dasz dupy, Sully, jesteśmy ugotowani — powiedziała i z niesmakiem zmierzyła go wzrokiem. — Właściwie już jesteśmy ugotowani. Spójrz na siebie. Nie mogłeś się przynajmniej ogolić?

— Mam wracać do domu? Po drodze mogę pożyczyć smoking.

— Nie musisz.

Wepchnęła mu do ręki złożoną gazetę.

— Co to jest?

— Casper prosił, żebyś mu ją dał. A teraz zasuwaj tam i przekonaj ich, że powinni wypisać nam czek. Na dużą sumę.

Z westchnieniem wszedł do hangaru. Po oślepiającym blasku półmrok przyniósł ulgę jego oczom. Dopiero po chwili zobaczył trzech mężczyzn, stojących przy pokrytym czarnymi termicznymi płytkami orbiterze *Apogee II*. Obaj ubrani w wizytowe garnitury goście wyraźnie nie pasowali do wypełnionego narzędziami i sprzętem lotniczego hangaru.

— Dzień dobry panom! — zawołał. — Przepraszam za spóźnienie, ale zatrzymała mnie konferencja telefoniczna. Wszyscy wiemy, jak takie sprawy mogą się przeciągnąć...

86

Napotkał spojrzenie Caspera Mulhollanda. Nie przeginaj pały, mówiły jego oczy. Przełknął ślinę.

— Nazywam się Sullivan Obie — przedstawił się. — Jestem wspólnikiem pana Mulhollanda.

— Pan Obie zna każdą śrubkę i nakrętkę w tej rakiecie — wtrącił Casper. — W Kalifornii pracował osobiście ze starym mistrzem, Bobem Truaxem. Potrafi wytłumaczyć działanie tego systemu lepiej ode mnie. Nazywamy go tutaj Obie-Wan.

Goście prawie nie zareagowali. To zły znak, jeśli uniwersalny język *Gwiezdnych wojen* nie przywołuje na usta uśmiechu.

Sullivan uścisnął dłoń najpierw Lucasowi, potem Rashadowi. Uśmiechał się szeroko, mimo że jego nadzieje powoli gasły. Czuł instynktowną niechęć do tych dwóch elegantów, których pieniędzy Casper tak rozpaczliwie potrzebował. Firma Apogee Engineering, ich dziecko, ich marzenie, które hołubili przez ostatnie trzynaście lat, właśnie szła na dno i uratować ją mógł tylko świeży zastrzyk gotówki od nowej grupy inwestorów. On i Casper musieli teraz stanąć na głowie. Jeśli im się nie uda, mogą spakować swoje zabawki i przerobić rakietę na karuzelę w wesołym miasteczku.

Sullivan wskazał ręką *Apogee II*, która przypominała bardziej potężny hydrant z okienkami niż statek kosmiczny.

— Wiem, że nie wygląda zbyt imponująco — rozpoczął — lecz jest najtańszym i najbardziej praktycznym spośród istniejących pojazdów kosmicznych wielokrotnego użytku. Wykorzystuje wspomagany system startu SSTO. Zasilane ciśnieniowo silniki już na wysokości dwunastu kilometrów rozpędzają pojazd do prędkości czterech machów. Orbiter nadaje się w całości do powtórnego użytku i waży tylko osiem i pół tony. Spełnia wszelkie warunki, od których, naszym zdaniem, zależy przyszłość komercyjnych podróży kosmicznych. Jest mniejszy od innych statków. Szybszy. Tańszy.

— Jakiego rodzaju silników używacie? — zapytał Rashad.

— Rybinsk RD-38, importowanych z Rosji.

— Dlaczego właśnie rosyjskich?

— Ponieważ, panie Rashad, mówiąc między nami, Rosjanie znają się na przemyśle rakietowym lepiej niż ktokolwiek inny na świecie. Skonstruowali tuziny silników rakietowych z napędem na paliwo płynne, stosując zaawansowane materiały, które sprawdzają się w warunkach wysokiego ciśnienia. Mówię to z przykrością, ale w naszym kraju zbudowano tylko jeden taki silnik od czasów *Apolla*. Teraz jest to przemysł międzynarodowy. Uważamy, że nasz produkt powinien być skonstruowany z najlepszych komponentów... bez względu na to, skąd pochodzą.

— W jaki sposób... ta rzecz ląduje? — zapytał Lucas, spoglądając podejrzliwie na podobną do hydrantu rakietę.

— To właśnie jest w niej najpiękniejsze. Jak panowie pewnie widzą, *Apogee II* nie ma skrzydeł. Nie potrzebuje pasa do lądowania, ponieważ opada prosto w dół. Spadochrony zmniejszają szybkość spadania, poduszki powietrzne amortyzują lądowanie. Może lądować gdziekolwiek, nawet w oceanie. Ponownie musimy uchylić kapelusza przed Rosjanami, gdyż skopiowaliśmy to rozwiązanie ze starej kapsuły *Sojuza*. To był ich niezawodny patent przez dziesięciolecia.

— Lubi pan tę starą ruską technologię, prawda? — mruknął z przekąsem Lucas.

Sullivan zjeżył się.

— Podziwiam technologię, która się sprawdza. Niech pan mówi o Rosjanach, co chce, ale wiedzieli, co robią.

— Więc to, co tutaj mamy — podsumował Lucas — jest czymś w rodzaju hybrydy. Rosyjski *Sojuz* połączony z promem kosmicznym.

— Z bardzo małym promem kosmicznym. Ten projekt zabrał nam trzynaście lat pracy. Wydaliśmy tylko sześćdziesiąt pięć milionów dolarów: to bardzo mało, jeśli porównają to panowie z kosztami normalnego promu. Oceniamy, że zwrot kosztów inwestycji wyniesie trzydzieści procent w skali roku, jeśli uda się ją wystrzelić dwieście razy. Koszt jednego lotu wyniesie osiemdziesiąt tysięcy dolarów, a w przeliczeniu na kilogram ładunku tylko trzysta. Mniejszy, szybszy, tańszy. To nasza mantra.

— O jak małym pojeździe mówimy, panie Obie? I jaka jest jego pełna ładowność?

Sullivan zawahał się. Teraz wszystko zawisło na włosku.

— Możemy wysłać na niską orbitę okołoziemską ładunek trzystu kilogramów plus pilota.

Zapadła długa cisza.

— Tylko tyle? — zapytał Rashad.

— To prawie siedemset funtów. Można przeprowadzić mnóstwo eksperymentów naukowych...

— Wiem, ile to jest trzysta kilogramów. Niewiele.

— Możemy to nadrobić poprzez częstsze starty. Możemy potraktować *Apogee* jako kosmiczny samolot.

— Prawdę mówiąc, naszym projektem zainteresowała się już NASA — wtrącił Casper z nutką desperacji w głosie. — To dokładnie taki rodzaj pojazdu kosmicznego, jaki chcieliby zakupić do szybkich wypadów na stację kosmiczną.

— NASA jest zainteresowana? — zapytał ze zdziwieniem Lucaas.

— Potwierdzają to nasze wewnętrzne źródła.

Cholera, teraz to już naprawdę przesadziłeś, Casper, pomyślał Sullivan.

— Pokaż im gazetę, Sully.

— Co?

— Pokaż im „Los Angeles Times". Drugą stronę.

Sullivan spojrzał na gazetę, którą Bridget wcisnęła mu wcześniej do ręki. Otworzył ją na drugiej stronie i zobaczył tytuł artykułu: „NASA wysyła na orbitę zmiennika". Obok zamieszczono fotografię z konferencji prasowej w Centrum Kosmicznym Johnsona. Rozpoznał skromnego, źle ostrzyżonego faceta z wielkimi uszami. Gordona Obiego.

Casper chwycił gazetę i podetknął ją po nos gościom.

— Widzą panowie tego faceta, który stoi przy Leroyu Cornellu? To dyrektor Operacji Lotów Załogowych, brat pana Obiego.

Obaj mężczyźni, na których słowa Caspera wywarły wyraźne wrażenie, przyjrzeli się Sullivanowi.

— Więc jak? — spytał Casper. — Chcecie panowie porozmawiać o interesach?

— Równie dobrze możemy powiedzieć to panom od razu — oznajmił Lucas. — Wraz z panem Rashadem obejrzeliśmy wcześniej, co produkują inne kosmiczne firmy. Zapoznaliśmy się z ofertami Kelly Astrolinera, Rotona oraz Kistlera. Wszystkie, a zwłaszcza model K-1 Kistlera, bardzo nam się spodobały. Doszliśmy jednak do wniosku, że powinniśmy dać szansę również waszej małej spółce.

Waszej małej spółce.

Mam to w dupie, pomyślał Sullivan. Nienawidził żebrać, nienawidził padać na twarz przed nadętymi ważniakami. To była beznadziejna walka. Bolała go głowa i burczało mu w brzuchu, a ci dwaj palanci marnowali tylko jego czas.

— Przekonajcie nas, dlaczego mamy postawić akurat na waszego konia — kontynuował Lucas. — Dlaczego powinniśmy wybrać *Apogee*?

— Prawdę mówiąc, panowie, wcale nie jestem pewien, czy powinniście nas wybrać — burknął Sullivan, po czym odwrócił się i ruszył ku wyjściu.

— Och! Proszę mi wybaczyć — wyjąkał Casper i pobiegł za wspólnikiem.

— Sully! — wyszeptał. — Co ty, do ciężkiej cholery, wyprawiasz?

— Ci faceci nie są nami zainteresowani. Sam słyszałeś. Spodobał im się K-1. Chcą mieć wielkie rakiety. Żeby pasowały rozmiarami do ich kutasów.

— Nie schrzań tego! Wróć tam i zabajtluj ich.

— Po co? I tak nie wypiszą nam czeku.

— Jeśli ich stracimy, stracimy wszystko.

— I tak już ich straciliśmy.

— Nieprawda. Musisz tylko tam wrócić i powiedzieć prawdę. Powiedzieć im to, w co naprawdę wierzymy. Przecież obaj wiemy, że nasza oferta jest najlepsza.

Sullivan przetarł oczy. Aspiryna przestawała działać i łupało go w głowie. Miał dość tej żebraniny. Był pilotem i inżynierem i nie miał nic przeciwko temu, by resztę życia spędzić z rękoma umazanymi smarem. Było to jednak niemożliwe bez nowych inwestorów. Bez napływu świeżej gotówki.

Wrócił do gości. Ku jego zaskoczeniu zaczęli go traktować z ostrożnym szacunkiem. Może dlatego, że powiedział im prawdę.

— W porządku — mruknął. W końcu nie miał nic do stracenia. Równie dobrze mógł zginąć z honorem. — Oto moja propozycja. Możemy udowodnić wszystko, o czym była tu mowa, organizując jeden prosty pokaz. Czy inne firmy są gotowe odpalić rakietę na każde żądanie? Bynajmniej. Potrzebują czasu na przygotowania — stwierdził, uśmiechając się szyderczo. — Co najmniej kilku miesięcy. My możemy to zrobić w każdej chwili. Musimy tylko zaopatrzyć to cudo w pomocniczy silnik i możemy umieścić je na niskiej orbicie okołoziemskiej. Do diabła, jesteśmy w stanie wysłać je na spotkanie ze stacją kosmiczną. Podajcie nam dokładną datę. Powiedzcie, kiedy chcecie odpalić, a my to zrobimy.

Casper zrobił się blady jak upiór. Sullivan zagalopował się. Stąpali po zbyt cienkim lodzie. Nie testowali jeszcze *Apogee II*. Stała w hangarze przez ponad czternaście miesięcy, obrastając kurzem, podczas gdy oni starali się zorganizować pieniądze. Czyżby Sully chciał wysłać ją na orbitę już w trakcie dziewiczego lotu?

— Nie mam wątpliwości, że sprosta wymaganiom — mówił dalej Sullivan — i dlatego sam usiądę za sterami.

Caspera coś ścisnęło w żołądku.

— To tylko figura retoryczna, panowie — dodał szybko. — Rakieta równie dobrze może być wystrzelona bez załogi...

— Ale w takim starcie nie ma prawdziwego dramatyzmu — oświadczył Sullivan. — Pozwólcie mi ją poprowadzić. Dzięki temu cały pokaz będzie bardziej interesujący. Co na to powiecie, panowie?

Ja powiem, że odbiła ci szajba, mówiły mu oczy Caspera.

Dwóch biznesmenów wymieniło spojrzenia. Przez chwilę rozmawiali półgłosem.

— Taki pokaz bardzo nas interesuje — powiedział po chwili Lucas. — Ale zgromadzenie wszystkich wspólników zajmie nam trochę czasu. I ustalenie terminu, który będzie nam wszystkim odpowiadał. Powiedzmy... za miesiąc. Czy to możliwe?

Dali się nabrać. Sullivan o mało się nie roześmiał.

— Za miesiąc? Żaden problem.

Popatrzył na Caspera, który zamknął oczy, jakby chwycił go nagły atak bólu.

— Będziemy w kontakcie — powiedział Lucas i ruszył w stronę drzwi.

— Jeszcze ostatnie pytanie, jeśli można — odezwał się Rashad, wskazując rakietę. — Nazwa waszego prototypu brzmi *Apogee II*. Czy istnieje jakaś *Apogee I*?

Casper i Sullivan popatrzyli na siebie.

— Tak — powiedział Casper. — Istniała...

— I co się z nią stało?

Casper milczał.

Niech ich diabli, pomyślał Sullivan. Na tych facetów najlepiej działa szczera prawda, więc równie dobrze mógł im ją powiedzieć jeszcze raz.

— Rozbiła się i spłonęła — odrzekł i wymaszerował z hangaru.

Rozbiła się i spłonęła. Tylko tak można było opisać to, co wydarzyło się tamtego zimnego jasnego poranka przed półtora rokiem. Razem z nią rozbiły się i spłonęły jego marzenia. Siedząc przy poobijanym biurku i lecząc kaca kubkiem kawy, Sullivan wspominał mimo woli każdy bolesny szczegół owego dnia. Podjeżdżający pod wyrzutnię autobus pełen oficjeli z NASA. Dumny jak paw jego brat, Gordie. Kilkunastu pracowników Apogee oraz paru inwestorów, którzy popijali w świątecznym nastroju kawę i pojadali pączki w prowizorycznym namiocie.

Odliczanie. Start. Wszyscy zapatrzeni w niebo, po którym mknęła nie większa od główki szpilki *Apogee I*.

A potem nagły błysk światła. Tak to się skończyło.

Od brata usłyszał tylko kilka słów współczucia. Gordon zawsze reagował w ten sposób. Za każdym razem, gdy Sullivan coś schrzanił — a zdarzało się to aż nazbyt często — Gordie potrząsał tylko ze smutkiem i rozczarowaniem głową. Był starszym bratem, rozsądnym i odpowiedzialnym człowiekiem, który odznaczył się jako dowódca promu kosmicznego.

Sullivan nie wszedł nawet w skład korpusu astronautów. Mimo że podobnie jak Gordon był pilotem i inżynierem rakietowym, nigdy mu nic nie wychodziło. Kiedy siadał za sterami, na ogół dokładnie w tym momencie wysiadała łączność albo przepalał się jakiś kabel. Często myślał, że powinien wytatuować sobie na czole napis „To nie moja wina", ponieważ w większości przypadków naprawdę nie ponosił odpowiedzialności za to, że coś poszło nie tak. Ale Gordon uważał inaczej. Jemu wszystko szło jak po maśle. Sądził, że pojęcie pecha zostało wymyślone, żeby ukryć brak kompetencji.

— Może byś do niego zadzwonił? — spytała Bridget.

Podniósł wzrok. Stała przy jego biurku, z rękoma skrzyżowanymi na piersi, niczym niezadowolona nauczycielka.

— Do kogo?

— Do swojego brata. Powiedz mu, że odpalamy drugi prototyp. Zaproś go na pokaz. Może przyjedzie razem z innymi facetami z NASA.

— Nie chcę tu nikogo z NASA.

— Sully, jeżeli zrobimy na nich wrażenie, firma złapie wiatr w żagle.

— Tak jak ostatnim razem?

— To był niefart. Naprawiliśmy usterkę.

— Może pojawić się następna.

— Chcesz chyba zapeszyć. — Popchnęła telefon w jego kierunku. — Zadzwoń do Gordona. Jeżeli mamy zamiar ryzykować, możemy równie dobrze podwyższyć stawkę.

Patrząc na telefon, myślał o *Apogee I*. O tym, jak w jednej chwili może wyparować marzenie całego życia.

— Sully...?

— Daj spokój. Mój brat ma lepsze rzeczy do roboty niż zadawać się z nieudacznikami — powiedział i wyrzucił gazetę do kosza.

26 lipca
Na pokładzie *Atlantis*

— Hej, Watson! — zawołał Vance w stronę dolnego pokładu. — Chodź tu i rzuć okiem na swój nowy dom.

Emma wdrapała się po drabince i wynurzyła w kokpicie tuż

za fotelem Vance'a. Jeden rzut oka na zewnątrz sprawił, że westchnęła z podziwu. Nigdy przedtem nie znajdowała się tak blisko stacji. Kiedy przed dwoma laty po raz pierwszy poleciała w kosmos, nie przycumowali do ISS, lecz tylko obserwowali ją z daleka.

— Jest wspaniała, prawda? — powiedział Vance.

— To najpiękniejsza rzecz, jaką w życiu widziałam — odparła cicho Emma.

Stacja rzeczywiście była piękna. Z przymocowanymi do głównej kratownicy olbrzymimi bateriami słonecznymi wyglądała niczym wzbijający się w niebo morski okręt. Zbudowane przez szesnaście różnych krajów części składowe dostarczono na orbitę w trakcie czterdziestu pięciu osobnych misji. Pięć lat zajęło złożenie ich w kosmosie, kawałek po kawałku. Była czymś więcej niż tylko cudem techniki: stała się symbolem tego, co może osiągnąć człowiek, gdy tylko odłoży na bok broń i obróci wzrok ku niebu.

— Całkiem fajna nieruchomość — stwierdził Vance. — Apartament z dużym widokiem, tak bym ją chyba określił.

— Jesteśmy dokładnie w pozycji R — oznajmił pilot De-Witt. — Na razie idzie nieźle.

Vance uniósł się ze swojego fotela i wyjrzał przez okno, żeby wizualnie kontrolować podchodzenie do modułu cumowniczego ISS. Była to najbardziej delikatna faza skomplikowanego procesu połączenia. *Atlantis* został wystrzelony na niższą orbitę niż ISS i przez ostatnie dwa dni bawił się w berka ze stale umykającą stacją kosmiczną. Mieli zbliżyć się do niej od spodu, zajmując przy pomocy silników manewrowych najlepszą pozycję do cumowania. Emma słyszała ich huk i poczuła drżenie, które przebiegło przez kadłub.

— Spójrz, to jest właśnie ta uszkodzona w zeszłym miesiącu bateria słoneczna — powiedział DeWitt, wskazując na panel, w którym ziała wielka dziura.

Jednym z wielu zagrożeń, których nie sposób uniknąć w kosmosie, są deszcze meteorytów. Nawet niewielki odłamek może spowodować duże straty, jeśli statek pędzi z prędkością tysięcy mil na godzinę.

Przysunęli się bliżej; widzieli teraz stację we wszystkich oknach. Podziw i duma, które ogarnęły Emmę, były tak silne, że łzy napłynęły jej do oczu. Jestem w domu, pomyślała. Wracam do domu.

Właz do śluzy powietrznej otworzył się i w drugim końcu korytarza, łączącego *Atlantis* z ISS, zobaczyli uśmiechniętą, szeroką brązową twarz.

— Przywieźli pomarańcze! — zawołał Luther Ames do kolegów ze stacji. — Już je czuję!

— Dom handlowy NASA poleca szybką dostawę do domu. Przywozimy zamówione przez państwa artykuły — ogłosił ze śmiertelną powagą Vance, po czym przepłynął przez dzielącą *Atlantis* i stację śluzę, dźwigając nylonowy worek pełen świeżych owoców.

Cumowanie przebiegło idealnie. Przy prędkości obu statków kosmicznych wynoszącej 17 500 mil na godzinę Vance zbliżył się do ISS w tempie dwóch cali na sekundę, solidnie i mocno łącząc człon cumujący *Atlantis* ze śluzą stacji.

Teraz otwarto luki i załoga *Atlantis* przeprawiła się na stację kosmiczną, gdzie powitali ją ludzie, którzy od ponad miesiąca nie widzieli nowych twarzy. Węzeł numer 2 był zbyt mały, by pomieścić trzynaście osób, i przybysze szybko przenieśli się do sąsiednich członów stacji.

Emma była piąta z kolei. Pokonawszy luk, poczuła specyficzną mieszankę zapachów: lekko kwaśny, surowy odór ludzi, którzy przebywali zbyt długo w zamkniętym pomieszczeniu. Luther Ames, stary znajomy ze szkolenia astronautów, przywitał ją jako pierwszy.

— Doktor Watson, jak przypuszczam! — huknął, miażdżąc ją w uścisku. — Witaj na pokładzie. Każdą damę witamy tu z radością.

— Wiesz przecież, że nie jestem damą.

— To będzie nasza słodka tajemnica — odparł, puszczając do niej oko.

Luther zawsze brał się z życiem za bary. Potrafił każdego

zarazić swoim dobrym humorem. Wszyscy go lubili, ponieważ on też wszystkich lubił. Emma cieszyła się, że jest z nim na pokładzie — zwłaszcza gdy przyjrzała się innym członkom załogi.

Uścisnęła dłoń Michaelowi Grigssowi, dowódcy ISS. Przywitał ją grzecznie, lecz niemal w wojskowym stylu. Tak samo mało serdeczna była przysłana przez Europejską Agencję Kosmiczną Angielka, Diana Estes. Uśmiechała się, ale jej oczy, błękitne niczym lodowiec, były chłodne i odległe.

Potem Emma przywitała się z Rosjaninem, Nikołajem Rudenko, który przebywał na ISS najdłużej — prawie pięć miesięcy. Miała wrażenie, że panele oświetleniowe zmyły wszystkie kolory z jego twarzy, czyniąc ją tak samo bezbarwną, jak pasemka siwizny na jego brodzie. Gdy podawali sobie ręce, ledwie musnął ją spojrzeniem. Ten człowiek musi czym prędzej wracać do domu, pomyślała. Jest w depresji. Kompletnie wyczerpany.

Jako następny powitał ją astronauta z NASDA, Kenichi Hirai. On przynajmniej się uśmiechał i miał mocny uścisk dłoni. Wyjąkał pozdrowienie i szybko się wycofał.

Moduł powoli opustoszał. Reszta załogi przeniosła się do innych części stacji. Emma została sam na sam z Billem Haningiem.

Debbie Haning zmarła przed trzema dniami. Bill wracał na ziemię na pokładzie *Atlantis* nie po to, by czuwać przy łóżku swojej żony, lecz by zdążyć na jej pogrzeb. Emma przysunęła się bliżej.

— Przykro mi — wyszeptała. — Tak bardzo mi przykro.

Bill kiwnął głową i uciekł spojrzeniem w bok.

— To dziwne — powiedział. — Zawsze myśleliśmy, że jeśli komuś z nas coś się stanie, to tą osobą będę ja. Bo to przecież ja gram rolę bohatera. Ja podejmuję wielkie ryzyko. Nigdy nie przyszło mi do głowy, że to będzie ona...

Wziął głęboki oddech. Widziała, że za wszelką cenę starał się zachować spokój, i zdawała sobie sprawę, że to nie najlepsza pora na słowa współczucia. Nawet delikatny dotyk mógł sprawić, że Bil przestanie nad sobą panować.

— Cóż, Watson — odezwał się w końcu. — Powinienem cię chyba zaznajomić z wszystkimi szczegółami. Przejmujesz w końcu moje obowiązki.

Emma pokiwała głową.

— Możemy zacząć, kiedy tylko będziesz gotów, Bill.

— Zróbmy to od razu. Mam ci dużo do powiedzenia. I mało czasu do odjazdu.

Mimo że Emma znała dobrze rozkład stacji, pierwszy widok jej wnętrza przyprawił ją o zawrót głowy. Stan nieważkości oznaczał, że nie było tu góry ani dołu, podłogi ani sufitu. Zagospodarowana była każda powierzchnia i jeśli obróciła się zbyt szybko, momentalnie traciła orientację. To oraz narastające mdłości sprawiały, że poruszała się powoli, koncentrując wzrok w jednym punkcie przy każdej zmianie miejsca.

Wiedziała, że ISS ma taką samą kubaturę jak dwa boeingi 747, tu jednak dzieliła się ona na dwanaście modułów, każdy wielkości autobusu, połączonych ze sobą w specjalnych punktach zwanych węzłami. Prom przycumował przy Węźle numer 2, do którego przylegało również laboratorium Europejskiej Agencji Kosmicznej, laboratorium japońskie i laboratorium amerykańskie. Z tego ostatniego przechodziło się do dalszej części stacji.

Bill ruszył wraz z nią przez laboratorium amerykańskie w stronę Węzła numer 1. Zatrzymali się na chwilę, żeby popatrzeć przez okna kopuły obserwacyjnej. Pod ich stopami obracała się powoli Ziemia. Nad oceanami wirowały mleczne chmury.

— Spędzam w tym miejscu każdą wolną chwilę — powiedział Bill. — Po prostu patrzę przez te okna. To dla mnie coś w rodzaju sanktuarium. Nazywam to kościołem Matki Ziemi. — Oderwał wzrok od widoku i wskazał kolejne włazy. — Dokładnie naprzeciwko znajduje się śluza EVA. Można przez nią wyjść na kosmiczny spacer — wyjaśnił. — Luk pod nami prowadzi do modułu mieszkalnego. Tam będziesz spać. Po drugiej stronie modułu przycumowany jest ratunkowy statek załogowy, na wypadek, gdyby trzeba się było szybko ewakuować.

— W module mieszkalnym śpi trzech członków załogi?

Bill przytaknął.

— Trzech innych śpi w RSM, czyli rosyjskim module służbowym. Droga do niego prowadzi przez ten luk. Chodźmy.

Opuścili Węzeł numer 1 i płynąc labiryntem tuneli dotarli do rosyjskiej połowy stacji. Była to najstarsza część ISS, sekcja najdłużej krążąca po orbicie. Lata zrobiły swoje. Gdy mijali *Zarię*, w której znajdowały się zespoły energetyczne i napędowe, Emma zauważyła na ścianach smugi, liczne zadrapania i odpryski. To, co przedtem było tylko zbiorem zarejestrowanych w jej umyśle technicznych planów, nabierało realności, wypełniało się szczegółami. Stacja była czymś więcej niż tylko labiryntem lśniących laboratoriów, stanowiła również dom dla wielu istot ludzkich i wszędzie widać było ślady ich bytności.

Gdy wpłynęli do modułu rosyjskiego, oczom Emmy ukazał się dezorientujący widok: wiszący do góry nogami Griggs i Vance. A może to ja jestem odwrócona do góry nogami, pomyślała, rozbawiona tym nierealnym światem nieważkości. Podobnie jak amerykański moduł mieszkalny, RSM składał się z kuchni, toalety oraz stanowisk sypialnych dla trzech członków załogi. Na końcu członu zauważyła kolejny właz.

— Czy to wejście do starego *Sojuza*? — spytała.

Bill przytaknął.

— Używamy go teraz jako rupieciarni. Tylko do tego się nadaje.

Kapsuła *Sojuza*, która służyła kiedyś jako statek ratunkowy, była już przestarzała. Jej baterie dawno się wyczerpały.

Do RSM wsadził głowę Luther Ames.

— Uwaga, pora na przedstawienie! Zbiorowy uścisk dłoni w centrum konferencyjnym. NASA chce, żeby podatnicy ujrzeli na własne oczy nasz międzynarodowy festiwal miłości.

Bill westchnął ze znużeniem.

— Jesteśmy jak zwierzęta w zoo. Każdego dnia musimy się uśmiechać do pieprzonych kamer.

Emma jako ostatnia wpłynęła do modułu mieszkalnego. Tłoczyło się w nim dwanaście osób: plątanina rąk i nóg, których właściciele unosili się w powietrzu, starając się przez cały czas uniknąć zderzenia z kimś innym.

Podczas gdy Griggs usiłował zaprowadzić tam jaki taki porządek, Emma wróciła do Węzła numer 1. Dryfując w powietrzu, dotarła powoli do kopuły obserwacyjnej. Widok za oknami zaparł jej dech w piersiach.

Widziała przed sobą Ziemię w całej okazałości. Gwiazdy wieńczyły niczym korona delikatny owal horyzontu. Na dole zapadał zmierzch i widziała, jak w mroku nikną znajome punkty krajobrazu. Houston. To było ich pierwsze wejście w strefę nocy.

Przysunęła się do okna i przycisnęła rękę do szyby. Och, Jack, pomyślała. Chciałabym, żebyś tu był i żebyś mógł to zobaczyć.

Pomachała ręką. Nie miała najmniejszej wątpliwości, że gdzieś tam w ciemnościach na dole Jack odwzajemnia jej gest.

Rozdział ósmy

30 lipca

Osobisty e-mail
Do: dr Emmy Watson (ISS)
Nadawca: Jack McCallum
Jak diament na niebie. Tak wyglądacie tutaj z dołu.
Zeszłej nocy poszedłem później spać, żeby zobaczyć, jak
przelatujesz. Pomachałem ci.

Dziś rano w CNN określili cię mianem „Pani Mucha-Nie-
-Siada". „Ta dziewczyna ma nerwy ze stali" czy coś
równie bzdurnego. Rozmawiali z Woodym Ellisem i Le-
royem Cornellem, którzy szczerzyli obaj zęby niczym
dumni tatusiowie. Moje gratulacje. Jesteś ulubienicą
Ameryki.

Vance i jego załoga wykonali pokazowe lądowanie. Żądni
krwi reporterzy rzucili się na biednego Billa, kiedy tylko
pojawił się w Houston. Widziałem go w telewizji — wygląda,
jakby przybyło mu dwadzieścia lat. Pogrzeb Debbie wyznaczono na jutro. Wybieram się tam również.

Następnego dnia będę żeglował po Zatoce.

Dostałem dziś dokumenty rozwodowe, Em, i będę z tobą
szczery. Wcale mi się to nie podoba. Ale z drugiej strony
byłoby dziwne, gdyby mi się podobało.

Tak czy owak, papiery są gotowe do podpisu przez ciebie

i przeze mnie. Może teraz, kiedy przez to przebrnęliśmy, zostaniemy z powrotem przyjaciółmi. Takimi, jakimi kiedyś byliśmy.

Jack

PS: Humphrey to mały sukinsyn. Masz mi kupić nową kanapę.

Osobisty e-mail
Do: Jacka McCalluma
Nadawca: Emma Watson
Ulubienica Ameryki? Trele-morele. Zmieniło się to w cyrkowy numer na wysoko zawieszonej linie. Wszyscy na Ziemi obserwują mnie i czekają, aż powinie mi się noga. A kiedy to się stanie, będą mieli najlepszy dowód, że powinni wysłać mężczyznę. Wkurza mnie to.

Z drugiej strony ogromnie mi się tutaj podoba. Tak bardzo żałuję, że nie możesz obejrzeć tych widoków! Kiedy patrzę na Ziemię i widzę, jaka jest niewiarygodnie piękna, chciałabym nauczyć trochę rozsądku tych, którzy na niej żyją. Gdyby zobaczyli, jaka jest mała i krucha, jaka samotna, zawieszona w zimnej czarnej przestrzeni, może zaczęliby o nią bardziej dbać.

(No i proszę, znowu zaczyna tę łzawą gadkę o ojczystej planecie. Powinni byli wysłać mężczyznę).

Mdłości ustąpiły i mogę już bez trudu śmigać z modułu do modułu. Ale nadal kręci mi się trochę w głowie, kiedy w oknie zobaczę nieoczekiwanie Ziemię. Tracę wtedy poczucie, gdzie jest góra, a gdzie dół, i dopiero po kilku sekundach odzyskuję orientację. Staram się nie zaniedbywać ćwiczeń fizycznych, jednak dwie godziny dziennie to mnóstwo czasu, zwłaszcza że mam tyle roboty. Tuziny eksperymentów, które muszę nadzorować, tryliony dotyczących frachtu listów, na które muszę odpowiadać. Każdy naukowiec uważa, że jego badania są najważniejsze. Wkrótce dostosuję się do panującego tutaj tempa. Ale dziś rano byłam taka zmęczona, że przespałam nadawaną przez Houston muzykę na dzień dobry. (Luther powiedział, że bombardowali nas Walkiriami Wagnera!).

Co do rozwodu, mnie też to się nie podoba. Ale przeżyliśmy przynajmniej siedem dobrych lat, Jack. Nie każda para może to o sobie powiedzieć. Wiem, że bardzo ci zależy na zakończeniu tej sprawy. Obiecuję, że podpiszę dokumenty, jak tylko wrócę do domu.

Machaj dalej.

Em

PS: Humphrey nigdy nie dobierał się do moich mebli. Czym go tak zdenerwowałeś?

Wyłączyła laptopa i złożyła go. Odpowiedź na osobistą korespondencję stanowiła ostatnią rzecz, jaką miała do wykonania tego dnia. Czekała na wiadomość z domu, ale wzmianka na temat rozwodu zabolała ją. Więc Jack chce mieć to już za sobą, pomyślała. Chce, żebyśmy z powrotem stali się „przyjaciółmi".

Zapinając śpiwór, była na niego wściekła. Jak łatwo przyjął do wiadomości koniec ich małżeństwa. W pierwszej fazie rozwodu, gdy wybuchały między nimi gwałtowne sprzeczki, ich temperatura w dziwny sposób dodawała jej otuchy. Teraz jednak konflikt wygasł i Jack wszedł w stadium cichej akceptacji. Nie widać było, żeby cierpiał i żeby czegoś żałował.

A ja wciąż za tobą tęsknię. I nienawidzę siebie za to, pomyślała.

Kenichi wahał się, czy budzić Emmę. Czekał przy zasłonie jej stanowiska sypialnego, zastanawiając się, czy powinien ją jeszcze raz zawołać. Sprawa była w końcu raczej błaha i nie chciał zawracać jej niepotrzebnie głowy. Przy kolacji wydawała się taka zmęczona, prawie drzemała, trzymając w ręku widelec. W warunkach nieważkości ciało nie osuwa się, gdy człowiek zapada w sen, nie ma ostrzegawczego opadnięcia głowy, które pozwala się obudzić. Zdarzało się, że astronauci zasypiali w trakcie napraw, wciąż trzymając w dłoni narzędzia.

Postanowił, że nie będzie jej budził, i powrócił samotnie do amerykańskiego modułu laboratoryjnego.

Nie potrzebował więcej aniżeli pięciu godzin nocnego odpoczynku i kiedy inni spali, często włóczył się po labiryncie stacji kosmicznej, zaglądając w różne kąty i kontrolując swoje liczne eksperymenty. Wydawało się, że dopiero podczas snu załogi stacja naprawdę budziła się do życia. Stawała się autonomiczną istotą, pomrukującą i tykającą; jej komputery nadzorowały tysiące różnych czynności, elektroniczne komendy płynęły systemem nerwowym kabli i obwodów. Dryfując tunelami ISS, Kenichi myślał o wszystkich tych ludzkich rękach, które kształtowały każdy kwadratowy cal jej powierzchni. O elektronikach, szlifierzach i formierzach. O szklarzach. Dzięki ich mozołowi chłopski syn, który dorastał w górskiej wiosce w Japonii, unosił się teraz dwieście dwadzieścia mil nad ziemią.

Kenichi był już na pokładzie stacji od miesiąca i nadal nie przestawał się nią zachwycać.

Wiedział, że jego pobyt tutaj jest ograniczony. Znał cenę, jaką płaciło jego ciało: stały ubytek wapnia z kości, osłabienie mięśni, zmniejszająca się sprawność tętnic i serca, które pompując krew, nie musiały się już zmagać z grawitacją. Każdy moment spędzony na pokładzie ISS był na wagę złota i nie chciał stracić nawet minuty. Dlatego w porze przeznaczonej na sen zwiedzał stację, przystając przy oknach i zaglądając do zwierząt w laboratorium.

Tak właśnie odkrył martwą mysz.

Unosiła się w powietrzu ze znieruchomiałymi łapkami i otwartym szeroko różowym pyszczkiem. Kolejny samiec. Czwarta mysz, która zdechła w ciągu szesnastu dni.

Upewnił się, czy w klatce panują odpowiednie warunki. Temperatura nie przekroczyła wartości progowych, powietrze wymieniane było dwanaście razy na godzinę. Dlaczego myszy zdychały? Czyżby uległa skażeniu woda albo pożywienie? Przed kilkoma miesiącami stacja straciła dwanaście szczurów, kiedy toksyczne chemikalia przeciekły do zbiornika z wodą dla zwierząt.

Mysz unosiła się w rogu klatki. Inne samce zbiły się w gromadkę w drugim rogu, jakby widok zdechłego współtowarzysza napawał ich nieopisanym wstrętem. Starały się od niego za wszelką cenę oddalić, drapiąc pazurkami siatkę klatki. Po drugiej stronie drucianej przegrody samice również tłoczyły się razem. Wszystkie prócz jednej, która, wstrząsana drgawkami, obracała się powoli w powietrzu.

Kolejna mysz była chora.

Samica wydała ostatnie udręczone tchnienie i nagle znieruchomiała.

Jej spanikowane towarzyszki zbiły się w jeszcze ciaśniejszą ruchomą masę białego futra. Musiał usunąć martwe gryzonie, zanim zaraza — jeśli to była zaraza — przeniesie się na inne myszy.

Przystawił klatkę do komory rękawicowej, założył lateksowe rękawiczki i wsunął ręce w gumowe otwory. Najpierw sięgnął po martwego samca i wsunął go do plastikowej torby. Potem otworzył przegrodę i sięgnął po samicę. Kiedy ją wyjmował, biała kulka śmignęła tuż koło jego palców.

Jedna z myszy uciekła do komory rękawicowej.

Złapał ją i prawie natychmiast wypuścił, czując ostre ukłucie bólu. Ugryzła go przez rękawiczkę.

Wysunął dłonie z komory, szybko zdjął rękawiczki i spojrzał na palec. Widok krwi tak go zaskoczył, że zrobiło mu się niedobrze. Strofując się w myśli, zamknął oczy. Przecież nic się nie stało: to tylko lekkie zadrapanie. Usprawiedliwiona zemsta za te wszystkie zastrzyki, którymi je dręczył. Otworzył oczy, ale mdłości nie ustąpiły.

Muszę odpocząć, pomyślał.

Złapał ponownie wierzgającą samicę i wrzucił ją do klatki. Potem wyjął dwie torebki z martwymi myszami i włożył je do lodówki. Jutro zajmie się tą sprawą. Jutro, kiedy poczuje się lepiej.

31 lipca

— Znalazłem ją dzisiaj — powiedział Kenichi. — To już szósta nieżywa mysz.

Emma przyjrzała się uważnie gryzoniom w klatce. Samce dzieliła od samic tylko przegroda z siatki. Oddychały tym samym powietrzem, jadły to samo pożywienie, piły tę samą wodę. Po stronie samców unosiła się kolejna martwa mysz ze sztywnymi, wyprostowanymi łapkami. Inne samce tłoczyły się w drugim rogu, szarpiąc pazurkami siatkę, jakby chciały za wszelką cenę uciec.

— Straciłeś sześć myszy w ciągu siedemnastu dni? — zapytała.

— Pięć samców. I jedną samicę.

Obserwowała pozostałe zwierzęta, szukając jakichś oznak choroby. Wszystkie były ożywione, miały błyszczące oczy, z ich nozdrzy nie wydzielał się śluz.

— Przede wszystkim musimy usunąć tę martwą — powiedziała. — Potem przyjrzymy się pozostałym.

Sięgnęła poprzez komorę rękawicową do klatki i zabrała mysz. Była już w stanie stężenia pośmiertnego, miała sztywne łapki i kręgosłup. Z otwartego pyszczka wystawał różowy język. Fakt, że zwierzęta laboratoryjne zdychały w kosmosie, nie był niczym niezwykłym. Podczas jednego z lotów promu w 1998 roku śmiertelność wśród nowo narodzonych szczurów sięgnęła prawie stu procent. Mikrograwitacja stanowiła obce środowisko i nie wszystkie gatunki dobrze się do niej adaptowały.

Przed startem sprawdzono te myszy na obecność różnych bakterii, grzybów i wirusów. Jeśli to była infekcja, złapały ją na pokładzie ISS.

Włożyła ciało zwierzęcia do plastikowej torebki, po czym zmieniła rękawiczki i sięgnęła do klatki po jedną z żywych myszy. Gryzoń wił się energicznie w jej uścisku, nie zdradzając żadnych objawów choroby. Jedyną odbiegającą od normy rzeczą było nadgryzione przez inne myszy ucho. Przekręciła zwierzę, żeby zbadać jego brzuch, i krzyknęła zaskoczona.

— To samica!

— Co?

— Masz samicę w zagrodzie dla samców.

Kenichi pochylił się i przyjrzał przez szybkę genitaliom myszy. Jej płeć nie ulegała kwestii. Twarz Japończyka oblała się rumieńcem.

— Zeszłej nocy ugryzła mnie — wyjaśnił. — Wrzuciłem ją szybko z powrotem.

Emma spojrzała na niego z uśmiechem.

— Najgorsze, czego możemy oczekiwać, to nagły przyrost naturalny.

Kenichi założył rękawiczki i wsunął dłonie w drugą parę otworów.

— Popełniłem błąd — oznajmił. — Muszę go naprawić.

Wspólnie zbadali pozostałe myszy, ale nie znaleźli żadnych zamienionych okazów. Wszystkie wydawały się zdrowe.

— To bardzo dziwne — powiedziała Emma. — Jeśli mamy do czynienia z zakaźną chorobą, powinny być jakieś oznaki infekcji...

— Watson? — odezwał się głos w interkomie.

— Jestem w laboratorium, Griggs — odparła Emma.

— Masz pilną pocztę z centrum frachtowego.

— Zaraz odbiorę. Pójdę zobaczyć, o co chodzi — powiedziała do Japończyka i zamknęła klatkę. — Tymczasem możesz wyjąć z lodówki te martwe myszy. Przyjrzymy się im.

Kenichi pokiwał głową i podryfował do lodówki.

Na komputerze stanowiska roboczego Emma odczytała wiadomość.

Do: dr Emmy Watson
Nadawca: Helen Koenig, Prowadząca badanie.
Dotyczy: eksperymentu CCU23 (kultura komórkowa archaeonów)

Proszę natychmiast przerwać eksperyment. Ostatnie okazy przywiezione przez Atlantis wykazują skażenie grzybicze. Wszystkie kultury archaeonów razem z zawierającymi je pojemnikami powinny zostać spalone w pokładowym tyglu, a popioły wyrzucone w przestrzeń.

Emma przeczytała kilkakrotnie wiadomość. Nigdy przedtem nie spotkała się z tak dziwnym żądaniem. Skażenie grzybicze nie było niebezpieczne. Spalenie kultur w tyglu wydawało się zdecydowanie zbyt przesadną reakcją. Dziwny list zaabsorbował ją do tego stopnia, że nie zwracała uwagi na Kenichiego, który właśnie wyjmował martwą mysz z lodówki. Dopiero słysząc stłumione stęknięcie Japończyka, obróciła się w jego stronę.

W pierwszej chwili zobaczyła tylko jego przerażoną twarz, ochlapaną wnętrznościami. A potem spojrzała na plastikową torbę, która pękła mu w rękach. Zszokowany, wypuścił ją i unosiła się teraz w powietrzu między nimi.

— Co to jest? — zapytała.

— Martwa mysz — odparł z niedowierzaniem.

Ale to nie martwą mysz ujrzała we wnętrzu torby. Widziała masę rozpadających się tkanek, gnijącą miazgę mięsa i futra, z której na jej oczach wydzielały się bąble cuchnącej cieczy.

Zagrożenie biologiczne!

Przepłynęła przez cały moduł do panelu awaryjnego i wcisnęła przycisk zamykający przepływ powietrza między modułami. W tym czasie Kenichi otworzył szafkę i wyciągnął dwie maski. Jedną rzucił Emmie, która zakryła nią usta i nos. Nie musieli nic mówić: oboje wiedzieli, co trzeba robić.

Szybko zamknęli luki po obu stronach modułu, oddzielając laboratorium od reszty stacji. Emma wyjęła z szafki większą plastikową torbę i ostrożnie ruszyła ku pękniętemu pojemnikowi. Napięcie powierzchniowe ściągnęło wyciekającą ciecz w jedną bańkę; jeśli nie poruszy za bardzo powietrza, może zdoła złapać ją w całości, nie rozbijając na drobniejsze krople. Delikatnie podsunęła torbę pod dryfującą swobodnie bańkę i szybko ją zamknęła. Usłyszała, jak Kenichi oddycha z ulgą. Zagrożenie zostało usunięte.

— Czy wyciek nastąpił w lodówce? — zapytała.

— Nie. Dopiero kiedy ją wyjąłem. Torba była... spuchnięta jak balon.

Zawartość torebki była pod ciśnieniem, bo proces rozkładu uwolnił gazy. Przez przezroczystą ściankę torby widziała datę śmierci zwierzęcia. To niemożliwe, pomyślała. W ciągu zaledwie pięciu dni ciało myszy zmieniło się w czarną miazgę zgniłego mięsa. Torba była zimna w dotyku, więc lodówka funkcjonowała prawidłowo. Mimo że ciało przechowywane było w niskiej temperaturze, coś przyspieszyło jego rozkład. Mięsożerny paciorkowiec? Czy jakaś inna, równie destrukcyjna bakteria?

Spojrzała na Kenichiego. Ta miazga chlapnęła mu w oko, pomyślała.

— Musimy porozmawiać z prowadzącym badanie — powiedziała. — Tym, który przysłał tu te myszy.

Na wybrzeżu Pacyfiku dochodziła dopiero piąta rano, lecz głos doktora Michaela Loomisa, prowadzącego badanie „Zapłodnienie i przebieg ciąży u myszy w trakcie lotu kosmicznego", był dźwięczny i brzmiała w nim autentyczna troska. Rozmawiał z Emmą z centrum badawczego Amesa w Kalifornii. Nie widziała go, lecz mogła sobie wyobrazić wysokiego i energicznego mężczyznę, podłączonego do tego gromkiego głosu. Faceta, dla którego normalny dzień pracy zaczynał się przed piątą rano.

— Obserwowaliśmy te zwierzęta przez ponad miesiąc — oświadczył Loomis. — Eksperyment jest dla nich stosunkowo mało stresujący. W przyszłym tygodniu planowaliśmy połączyć samce i samice w nadziei, że dojdzie do udanej kopulacji i zapłodnienia. Wyniki badania mają duże znaczenie dla długich lotów kosmicznych oraz kolonizacji planetarnej. Zdaje pani sobie z pewnością sprawę, że śmierć tych myszy bardzo nas martwi.

— Doszło już do inkubacji drobnoustrojów — powiedziała Emma. — Ciała wszystkich zdechłych myszy rozkładają się szybciej, niż powinny. Obawiam się, czy nie mamy do czynienia z paciorkowcem albo *clostridium*.

— Takie groźne zarazki na pokładzie stacji? To stanowiłoby poważny problem.

— Zgadzam się. Zwłaszcza w tak zamkniętym środowisku jak nasze. Wszyscy narażeni bylibyśmy na niebezpieczeństwo.

— Czy nie zamierza pani przeprowadzić sekcji martwych myszy?

Emma zawahała się.

— Jesteśmy tu przygotowani tylko na drugi stopień skażenia. Jeśli to jakiś groźny patogen, nie mogę ryzykować zainfekowania innych zwierząt. A tym bardziej ludzi.

Loomis przez chwilę milczał.

— Rozumiem — powiedział w końcu. — I muszę się chyba

z panią zgodzić. Zamierza się więc pani bezpiecznie pozbyć wszystkich zdechłych myszy?

— Niezwłocznie — odparła.

1 sierpnia

Po raz pierwszy od przybycia na stację Kenichi nie mógł spać. Już przed kilkoma godzinami wsunął się do śpiwora, lecz nadal nie mógł zmrużyć oka, zastanawiając się nad zagadką zdechłych myszy. Choć nikt nie robił mu wymówek, czuł się w pewien sposób odpowiedzialny za fiasko eksperymentu. Próbował zgadnąć, co zrobił źle. Może pobierając krew, użył skażonej igły? A może nieprawidłowo ustawił parametry zwierzęcego habitatu? Wszystkie możliwe błędy, które mógł popełnić, nie pozwalały mu zasnąć.

Poza tym bolała go głowa.

Po raz pierwszy zdał sobie z tego sprawę rano: zaczęło się to od słabego pulsowania wokół oka. W miarę jak mijał dzień, pulsowanie zmieniło się w rwanie, a teraz bolała go cała lewa połowa głowy. Ból nie był zbyt silny, lecz irytował go.

Rozpiął śpiwór. I tak nie zdoła zasnąć, więc może równie dobrze zajrzeć ponownie do klatki z myszami.

Minął zasłonę, za którą spał Nikołaj, i podryfował przez kolejne moduły do amerykańskiej części stacji. Kiedy znalazł się w laboratorium, zorientował się, że nie jego jednego dręczy bezsenność.

W sąsiednim pomieszczeniu NASDA słychać było jakieś głosy. Kenichi wpłynął cicho do Węzła numer 2 i zajrzał tam przez otwarty luk. Zobaczył Dianę Estes i Michaela Griggsa, ze splecionymi nogami i ustami zwartymi w chciwym pocałunku. Natychmiast wycofał się, czując, jak twarz płonie mu ze wstydu. I co teraz? Czy powinien pozwolić im na chwilę intymności i wrócić do siebie? To nie w porządku, pomyślał z nagłą złością. Jestem tutaj, żeby pracować, żeby wykonywać swoje obowiązki.

Podryfował w stronę klatek dla zwierząt i celowo zaczął głośno otwierać i zamykać szuflady. Chwilę później, tak jak oczekiwał, pojawili się nagle Diana i Griggs, oboje mocno zaczerwienieni.

— Mieliśmy problem z wirówką — oświadczyła Diana. — Ale chyba udało nam się ją naprawić.

Kenichi kiwnął tylko głową, nie dając po sobie poznać, że zna prawdę. Diana była zimna jak lód i to jednocześnie przerażało go i gniewało. Griggs miał przynajmniej dość przyzwoitości, żeby spuścić oczy w poczuciu winy. Przez chwilę Kenichi patrzył, jak znikają w luku, a potem ponownie skupił uwagę na zwierzętach. Zajrzał do klatki.

Kolejna mysz była martwa. Samica.

2 sierpnia

Diana Estes wyciągnęła rękę, by można jej było założyć stazę, i zacisnęła kilka razy pięść, żeby krew napłynęła do żyły odłokciowej. Nie mrugnęła nawet okiem ani nie odwróciła wzroku, gdy igła przebiła jej skórę; była tak opanowana, jakby oglądała pobieranie krwi od kogoś innego. Każdy astronauta jest opukiwany i kłuty setki razy w ciągu swojej kariery. Podczas procesu selekcji pobiera się im wielokrotnie krew, poddaje testom fizycznym i zadaje najbardziej dziwne pytania. Biochemia ich krwi, wyniki EKG oraz morfologia są pod stałą obserwacją fizjologów lotów kosmicznych. Z przymocowanymi do piersi elektrodami dyszą i pocą się na bieżniach; z ich płynów ustrojowych są wykonywane liczne posiewy; sonduje się ich jelita, bada każdy cal kwadratowy skóry. Astronauci są nie tylko wysoko wykwalifikowanymi specjalistami; są także przedmiotem badań. Przebywając na orbicie, spełniają rolę królików doświadczalnych i są poddawani seriom często bolesnych testów.

Tego dnia pobierana była krew. Jako pokładowy lekarz, to Emma dzierżyła w ręku strzykawkę. Nic dziwnego, że członkowie załogi witali jej pojawienie się głośnym jękiem.

Ale Diana wyciągnęła po prostu rękę i dała się ukłuć. Czekając, aż strzykawka wypełni się krwią, Emma wyczuła, że Angielka docenia jej fachowość. Jeśli księżniczka Diana była różą Anglii, powtarzano sobie żartem w Centrum Kosmicznym Johnsona, to Diana Estes była angielską kostką lodu, astronautką, która nie traciła panowania nad sobą nawet w obliczu realnego niebezpieczeństwa.

Przed czterema laty była na pokładzie *Atlantis*, kiedy podczas startu nawalił główny silnik. Mikrofony pokładowe zarejestrowały podniesione głosy dowódcy i pilota starających się poprowadzić wahadłowiec nad Atlantykiem. W głosie Diany Estes nie sposób było jednak doszukać się śladu zdenerwowania. Spokojnie czytała wykaz zalecanych czynności, gdy prom mknął ku niepewnemu lądowisku w Afryce Północnej. Jej reputację lodowej damy ugruntowały odczyty biotelemetryczne. W trakcie tego startu cała załoga podłączona była do aparatów mierzących puls i ciśnienie krwi. W momencie, gdy pozostałym serce waliło jak oszalałe, puls Diany podniósł się zaledwie do marnych 96 uderzeń na minutę.

— To dlatego, że ona nie jest istotą ludzką — żartował Jack. — W rzeczywistości to android. Pierwszy egzemplarz nowej linii astronautów NASA.

Emma musiała przyznać, że w tej kobiecie było coś nieludzkiego.

Diana zerknęła na rękę, zobaczyła, że krew przestała płynąć, i wróciła do swoich eksperymentów dotyczących wzrostu kryształów proteinowych. Długonoga i szczupła, z nieskazitelną skórą pobladłą nieco po spędzonym w kosmosie miesiącu, rzeczywiście miała w sobie coś z androida. Jack trenował z nią przed misją, w której ostatecznie nie wziął udziału, i jego zdaniem miała również bardzo wysoki iloraz inteligencji.

Diana zrobiła doktorat z materiałoznawstwa i przed przyjęciem w skład zespołu astronautów opublikowała kilkanaście prac na temat zeolitów — krystalicznych materiałów używanych przy rafinacji ropy. Teraz jako naukowiec misji nadzorowała badania kryształów, zarówno organicznych, jak i nieorganicznych. Na ziemi grawitacja zakłóca formowanie się kryształów. Te, które powstają w kosmosie, są większe i bardziej skomplikowane, dzięki czemu można dokładniej zbadać ich strukturę. Na pokładzie ISS wyhodowano w formie kryształów setki ludzkich protein, poczynając od angiotensyny po gonadotropinę kosmówkową. Tego rodzaju badania mogły doprowadzić do odkrycia nowych leków.

Uporawszy z Dianą, Emma opuściła laboratorium Europejskiej Agencji Kosmicznej i podryfowała do części mieszkalnej, gdzie znalazła Mike'a Griggsa.

— Jesteś następny — oznajmiła.

Griggs jęknął i niechętnie wyciągnął rękę.

— Czego się nie robi dla dobra nauki — mruknął.

— Tym razem tylko jedna próbówka — uspokoiła go Emma, zaciskając stazę.

— Mamy tyle nakłuć, że wyglądamy jak ćpuny.

Klepnęła go kilka razy lekko po skórze i niebieska, podobna do sznurka żyła odłokciowa zarysowała się wyraźniej na umięśnionym ramieniu. Griggs miał obsesję na punkcie zachowania tężyzny fizycznej. Ludzkie ciało płaci cenę za pobyt w przestrzeni. Twarze astronautów puchną w wyniku zmian poziomu płynów ustrojowych. Mięśnie ud i łydek kurczą się i w końcu z nogawek szortów wystają białe i kościste „kurze nóżki". Ich obowiązki są wyczerpujące, a powody do irytacji zbyt liczne, by je zliczyć. Dochodzi do tego obciążenie emocjonalne wynikające z faktu, iż przebywa się przez kilka miesięcy w zamkniętym pomieszczeniu wraz z innymi zestresowanymi członkami załogi, rzadko się myjącymi i noszącymi brudne ubrania.

Emma przetarła skórę alkoholem i nakłuła żyłę. Do strzykawki zaczęła napływać krew. Zobaczyła, że Griggs odwrócił wzrok.

— Wszystko w porządku?

— Tak. Nie ma to jak być obsługiwanym przez fachowego wampira.

Rozluźniła stazę i kiedy wyjmowała igłę, usłyszała westchnienie ulgi.

— Możesz teraz zjeść śniadanie. Pobrałam krew wszystkim oprócz Kenichiego. — Rozejrzała się po module mieszkalnym — Gdzie on jest?

— Nie widziałem go dziś rano.

— Mam nadzieję, że nic nie jadł. To podniosłoby poziom glukozy.

— Wciąż śpi — powiedział Nikołaj, który unosił się w kącie, w milczeniu pałaszując śniadanie.

— To dziwne — mruknął Griggs. — Zawsze pierwszy się budzi.

— Jego sen niezbyt dobry — wyjaśnił Nikołaj. — Zeszłej nocy ja słyszał, jak Kenichi wymiotuje. Ja zapytał, czy nie potrzebuje pomocy, ale on odparł, że nie.

— Zajrzę do niego — powiedziała Emma.

Opuściła moduł mieszkalny i popłynęła długim tunelem do RSM, gdzie spał Kenichi. Zasłona jego stanowiska sypialnego była zasunięta.

— Kenichi! — zawołała. Nie odpowiedział. — Kenichi?

Przez chwilę się wahała, a potem odsunęła zasłonę i zobaczyła jego twarz.

Oczy miał podbiegłe jasnoczerwoną krwią.

— O Boże — jęknęła.

CHOROBA

Rozdział dziewiąty

Lekarzem dyżurującym w centrum kontroli lotu ISS był doktor Todd Cutler, człowiek o twarzy tak młodzieńczej i świeżej, że astronauci przezwali go „Doogie Howser", na cześć lekarza-nastolatka z telewizyjnego serialu. W rzeczywistości Cutler miał trzydzieści dwa lata i cieszył się opinią świetnego fachowca. Pełnił funkcję osobistego lekarza Emmy podczas jej pobytu na orbicie i raz w tygodniu odbywał z nią prywatną konferencję na zamkniętym kanale łączności, wysłuchując najbardziej intymnych szczegółów na temat jej zdrowia. Emma miała zaufanie do jego wiedzy medycznej i cieszyła się, że to właśnie on pełni w tym momencie dyżur w centrum kontroli misji w Houston.

— Ma wybroczyny twardówkowe w obu gałkach — powiedziała. — W pierwszej chwili piekielnie mnie to wystraszyło. Myślę, że nabawił się ich, wymiotując ostro w nocy. W wyniku nagłych zmian ciśnienia pękło kilka naczyń w oczach.

— W tej chwili to stosunkowo najmniejsze zmartwienie. Krew powinna się zresorbować — odparł Todd. — Co więcej stwierdziłaś?

— Ma gorączkę. Trzydzieści osiem i sześć. Puls sto dwadzieścia, ciśnienie krwi sto na sześćdziesiąt. Serce i płuca wydają się w porządku. Skarży się na ból głowy, ale nie stwierdziłam żadnych zmian neurologicznych. To, co mnie

117

naprawdę niepokoi, to brak perystaltyki i tkliwy brzuch. Tylko w ciągu ostatniej godziny kilkakrotnie wymiotował... jak dotąd nie stwierdziłam obecności krwi. — Przez chwilę milczała. — Todd, on sprawia wrażenie poważnie chorego. I mam kolejną złą wiadomość. Jego poziom amylazy wynosi sześćset jednostek.

— Cholera. Sądzisz, że ma zapalenie trzustki?

— Przy wzrastającym poziomie amylazy to możliwe.

Amylaza jest enzymem produkowanym przez trzustkę i jej poziom na ogół skacze ostro w górę, kiedy zaatakowany jest ten organ. Ale wysoki poziom amylazy może również wskazywać na inne ostre schorzenia jamy brzusznej, na przykład na perforację jelita albo wrzód dwunastnicy.

— Ma poza tym wysoki poziom leukocytów — dodała Emma. — Na wszelki wypadek zrobiłam posiew krwi.

— Jest jeszcze coś, o czym chciałabyś wspomnieć?

— Dwie rzeczy. Po pierwsze, jest w silnym emocjonalnym stresie. Jeden z nadzorowanych przez niego eksperymentów zakończył się fiaskiem i czuje się za to odpowiedzialny.

— A po drugie?

— Dwa dni temu wpadło mu w oko kilka kropel płynu ustrojowego martwej laboratoryjnej myszy.

— Powiedz mi o tym coś więcej — poprosił Todd.

— Myszy biorące udział w jego eksperymencie umierają z nieznanych przyczyn, a ich ciała rozkładają się w zdumiewająco szybkim tempie. Pomyślałam, że mamy do czynienia z jakąś patogenną bakterią, i wzięłam do posiewu próbki płynów ustrojowych. Niestety wszystkie kultury trafił szlag.

— Jak to?

— Myślę, że doszło do skażenia grzybiczego. Wszystkie szalki zazieleniły się. Nie udało mi się zidentyfikować żadnych znanych patogenów. Musiałam wyrzucić szalki. To samo stało się z innym eksperymentem, kulturą komórkową organizmów morskich. Musieliśmy zakończyć ten projekt, ponieważ grzyby dostały się do próbówki z pożywką.

Mimo stałej cyrkulacji powietrza zagrzybienie przysparza niestety częstych kłopotów w zamkniętym środowisku stacji kosmicznej. Na pokładzie *Mira* okna pokrywał czasem gęsty nalot grzyba. Kiedy te organizmy dostaną się do wnętrza statku kosmicznego, nie sposób się ich pozbyć. Na szczęście są raczej nieszkodliwe dla ludzi i zwierząt.

— Nie wiemy więc, czy miał styczność z jakimiś patogenami... — podsumował Todd.

— Nie. W tej chwili wygląda to bardziej na zapalenie trzustki niż na infekcję bakteryjną. Podłączyłam go do kroplówki i myślę, że pora założyć sondę żołądkową. — Zawahała się, a potem niechętnie dodała: — Powinniśmy pomyśleć o awaryjnej ewakuacji.

Zapadło długie milczenie. To był scenariusz, którego wszyscy się obawiali, decyzja, której nikt nie chciał podjąć. Załogowy statek ratowniczy, przycumowany do ISS w czasie, gdy na jej pokładzie przebywała załoga, był dość duży, by ewakuować całą szóstkę astronautów. Ponieważ nie funkcjonowały już kapsuły *Sojuza*, CRV był jedynym pojazdem ratunkowym na stacji. W razie ewakuacji wszyscy musieli znaleźć się na jego pokładzie. Z powodu choroby jednego członka załogi zmuszeni bylibyśmy opuścić ISS, kończąc przedwcześnie setki eksperymentów. Stanowiłoby to poważny cios dla stacji.

Istniała jednak inna możliwość. Mogli poczekać na następny lot promu i ewakuować nim Kenichiego. Wszystko sprowadzało się do decyzji medycznej. Czy Japończyk mógł poczekać? Emma wiedziała, że NASA polega na jej klinicznym doświadczeniu i czuła ciężkie brzemię spoczywającej na niej odpowiedzialności.

— Co powiecie na ewakuację promem? — zapytała.

Todd Cutler wiedział, na czym polega dylemat.

— *Discovery* stoi na wyrzutni. Start do lotu sto sześćdziesiąt jeden ma nastąpić za piętnaście dni. Ale to ściśle wojskowa misja. Załogi lotu sto sześćdziesiąt jeden nie przygotowywano do cumowania do stacji i kosmicznego rendez-vous.

— Więc może posłać zamiast nich zespół Kittredge'a? Moją starą załogę z lotu sto sześćdziesiąt dwa? Mieli tutaj cumować za siedem tygodni. Są świetnie przygotowani.

Zerknęła na Mike'a Griggsa, który przysłuchiwał się ich

rozmowie. Jako dowódca ISS, za swój główny cel uważał utrzymanie stacji w ruchu i stanowczo sprzeciwiał się ewakuacji.

— Cutler, tu Griggs — powiedział, włączając się do rozmowy. — Jeśli moja załoga się ewakuuje, diabli wezmą wszystkie eksperymenty. Cały miesiąc pracy pójdzie na marne. Bardziej sensowne jest przysłanie promu. Skoro Kenichi musi wracać do domu, przylećcie tu i zabierzcie go. Pozwólcie pozostałym zostać tutaj i robić, co do nich należy.

— Czy możemy czekać tak długo?

— Jak szybko możecie przysłać do nas prom?

— To zależy od logistyki. Od tego, kiedy otwiera się okno startowe...

— Po prostu powiedz, kiedy.

— Jest przy mnie dyrektor lotu, Ellis — powiedział po chwili Cutler. — Mów, FLIGHT.

W rozmowę, która zaczęła się jako prowadzona na zamkniętym kanale prywatna wymiana zdań dwojga lekarzy, włączył się nagle dyrektor lotu.

— Trzydzieści sześć godzin — usłyszeli jego głos. — Tyle co najmniej potrwa przygotowanie do startu.

W ciągu trzydziestu sześciu godzin wiele się może zdarzyć, pomyślała Emma. Wrzód może pęknąć albo zacząć krwawić. Zapalenie trzustki może doprowadzić do wstrząsu albo niewydolności krążenia.

Kenichi może także w tym czasie całkowicie wrócić do zdrowia, a cała jego choroba może okazać się tylko zwykłą infekcją jelitową.

— To doktor Watson badała pacjenta — powiedział Ellis.

— Polegamy na jej osądzie. Jaka jest diagnoza kliniczna?

Emma przez chwilę się namyślała.

— Chory nie wymaga natychmiastowej interwencji chirurgicznej — stwierdziła. — Ale jego stan może się szybko pogorszyć.

— To znaczy, że nie jesteś pewna?

— Nie, nie jestem pewna.

— Od momentu, gdy dasz nam znać, będziemy potrzebowali dwudziestu czterech godzin na napełnienie zbiorników.

Od wezwania o pomoc do startu miała upłynąć cała doba, plus czas potrzebny na dotarcie do stacji. Czy zdoła utrzymać Kenichiego przy życiu, jeśli jego stan gwałtownie się pogorszy? Cała sytuacja stawała się coraz bardziej denerwująca. Była lekarką, nie wróżką. Nie miała do dyspozycji rentgena i sali operacyjnej. Badanie fizykalne i podstawowe oznaczenia biochemiczne nie pozwalały postawić dokładnej diagnozy. Jeśli każe wstrzymać ekspedycję ratunkową, Kenichi może umrzeć. Jeśli wezwie pomoc zbyt pochopnie, NASA wyda miliony dolarów na niepotrzebny start.

Jedna i druga decyzja, gdyby okazały się błędne, mogły zakończyć jej karierę w Agencji.

To był ów spacer na linie, o którym pisała w liście do Jacka. Kiedy nawalę, dowie się o tym cały świat, pomyślała. Chcą się przekonać, czy rzeczywiście jestem taka dobra.

Spojrzała na wydruk z wynikami krwi Kenichiego. Nic, co tu widziała, nie usprawiedliwiało wpadania w panikę. Na razie.

— Mam zamiar pozostawić go na kroplówkach i odsysać regularnie treść żołądkową — powiedziała. — W tej chwili jego oznaki życia wydają się stabilne. Ale chciałabym wiedzieć, co dzieje się w jego brzuchu.

— Zatem twoim zdaniem awaryjny start promu nie jest jeszcze wskazany?

Emma głęboko odetchnęła.

— Nie. Jeszcze nie.

— Niezależnie od tego będziemy w pełnej gotowości i zapalimy świeczkę, kiedy tylko okaże się to konieczne.

— Doceniam to. Skontaktuję się z wami później, żeby przekazać najnowsze wyniki badań. — Emma rozłączyła się i spojrzała na Griggsa. — Mam nadzieję, że podjęłam właściwą decyzję — mruknęła.

— Po prostu go wylecz.

Wróciła do Kenichiego. Trzeba się było nim zajmować przez całą noc, więc nie chcąc zakłócać snu innym członkom załogi, przeniosła go do laboratorium amerykańskiego. Leżał zapięty w śpiworze. Pompa infuzyjna tłoczyła roztwór soli fizjologicznej do jego żył. Nie spał i było oczywiste, że nie czuje się dobrze.

Luther i Diana, którzy pilnowali pacjenta, z wyraźną ulgą powitali powrót Emmy.

— Znowu wymiotował — powiedziała Diana.

Emma wsunęła stopy w specjalne strzemiona, założyła stetoskop na uszy i przystawiła słuchawkę do brzucha Japończyka. Nadal brak było perystaltyki. Przewód pokarmowy Kenichiego zatkał się i coraz więcej płynnej treści zbierało się w żołądku. Tę treść trzeba było odessać.

— Kenichi, mam zamiar wprowadzić rurkę do twojego żołądka — oświadczyła. — To uśmierzy ból i powstrzyma torsje.

— Jaką... jaką rurkę?

— Sondę żołądkową.

Otworzyła zestaw medyczny ALSP. Wewnątrz znajdował się bogaty asortyment materiałów i leków, nie odbiegający w zasadzie od wyposażenia nowoczesnego ambulansu. W szufladzie z napisem „Drogi oddechowe" były różne rurki, końcówki ssaków, plastikowe torby oraz laryngoskop. Rozdarła opakowanie z sondą żołądkową, długą, cienką rurką z giętkiego plastiku, zaopatrzoną w perforowaną końcówkę.

Podbiegłe krwią oczy Kenichiego otworzyły się szeroko.

— Postaram się zrobić to najdelikatniej, jak mogę — powiedziała Emma. — Możesz przyspieszyć wsuwanie, połykając wodę, kiedy ci powiem. Wsunę ci tę końcówkę do nozdrza. Rurka przesunie się wzdłuż tylnej ściany gardła, a kiedy przełkniesz wodę, trafi prosto do żołądka. Nieprzyjemny będzie tylko sam początek, kiedy włożę ją do nosa. Tkwiąc w żołądku, nie będzie ci prawie przeszkadzać.

— Jak długo będę ją miał?

— Co najmniej przez jeden dzień. Do momentu, kiedy twoje jelita znowu zaczną pracować. To naprawdę konieczne, Kenichi — dodała łagodnie.

Japończyk westchnął i skinął głową.

Emma spojrzała na Luthera, który wydawał się coraz bardziej przerażony perspektywą założenia sondy.

— Kenichi będzie potrzebował wody do popijania. Możesz ją przynieść? — zapytała, po czym zerknęła na Dianę, która jak zwykle najwyraźniej nie przejmowała się całą sytuacją. — Potrzebuję ssaka — oświadczyła.

Diana sięgnęła do zestawu ALSP i wyjęła urządzenie do odsysania.

Emma rozwinęła sondę żołądkową i zanurzyła jej końcówkę w specjalnym żelu, żeby ułatwić jej przejście przez nos i gardło. Potem wręczyła Kenichiemu torbę z wodą, którą przyniósł Luther, i ścisnęła go za ramię, dodając mu otuchy.

Choć w oczach Japończyka czaił się lęk, skinął głową.

Perforowana końcówka sondy lśniła od żelu. Włożyła ją w prawe nozdrze i delikatnie pchnęła głębiej, do nosogardła. Kenichi zakrztusił się, łzy napłynęły mu do oczu i zaczął kaszleć. Wiercąc się w śpiworze, walczył z przemożnym pragnieniem odepchnięcia Emmy i wyrwania z nosa sondy, która przez cały czas przesuwała się w dół wzdłuż tylnej ścianki gardła.

— Połknij trochę wody — powiedziała Emma.

Zacharczał i drżącą dłonią przysunął słomkę do ust.

— Połykaj, Kenichi — poleciła.

Gdy woda płynie z gardła do przełyku, nagłośnia odruchowo zamyka się nad tchawicą, nie pozwalając, by choć jedna kropla wpadła do płuc, i kierując jednocześnie sondę tam, gdzie trzeba. Kiedy tylko Emma zobaczyła, że Kenichi przełyka, szybko wsunęła rurkę głębiej. Po chwili zostało jej tak mało, że końcówka musiała już tkwić w żołądku.

— Już po wszystkim — oznajmiła, przylepiając rurkę do jego nosa. — Byłeś bardzo dzielny.

— Ssak gotowy — odezwała się Diana.

Emma podłączyła sondę do końcówki ssaka. Usłyszeli bulgot, a potem w sondzie pojawiła się ciecz, która wypłynęła z żołądka Kenichiego. Była zielona; Emma nie zauważyła w niej krwi i odetchnęła z ulgą. Może tego tylko potrzebował; odpoczynku dla jelit, odessania treści żołądkowej i kroplówki. Jeśli rzeczywiście miał zapalenie trzustki, podjęte przez nią działania powinny pozwolić mu przetrwać następne kilka dni do przybycia promu.

— Boli mnie... boli mnie głowa — mruknął Kenichi, zamykając oczy.

— Dam ci środki przeciwbólowe — powiedziała.

— No i co twoim zdaniem? Kryzys minął?

To był głos Griggsa. Obserwował cały zabieg z otworu luku i choć sonda była już założona, nadal się nie zbliżał, jakby sam widok choroby napawał go wstrętem.

— Musimy poczekać — odparła.

— Co mam powiedzieć Houston?

— Założyłam dopiero sondę. Jest zbyt wcześnie.

— Muszę szybko wiedzieć.

— Ale ja jeszcze nic nie wiem — odpaliła. — Czy możemy przedyskutować to w module mieszkalnym? — zapytała po chwili, powściągając gniew.

Zostawiła pacjenta pod opieką Luthera i ruszyła w stronę luku.

W module mieszkalnym dołączył do nich Nikołaj. Zasiedli w trójkę przy stole. Tym razem jednak nie łączył ich wspólny posiłek, lecz frustracja spowodowana niepewnością.

— To ty skończyłaś medycynę — stwierdził Griggs. — Nie możesz podjąć decyzji?

— Wciąż próbuję go ustabilizować — odpowiedziała. — W tym momencie nie wiem, z czym mam do czynienia. Jego stan może się polepszyć w ciągu jednego, dwóch dni. Ale może się też gwałtownie pogorszyć.

— Więc nie potrafisz powiedzieć nam, co się stanie...

— Bez rentgena i sali operacyjnej nie mogę zgadnąć, co się dzieje we wnętrzu jego organizmu. Nie mogę przewidzieć, jaki będzie jutro jego stan.

— Wspaniale.

— Uważam, że powinien wracać do domu. Moim zdaniem powinni wystartować najszybciej, jak to możliwe.

— A ewakuacja na pokładzie CRV? — zapytał Nikołaj.

— Promem zawsze lepiej transportować chorego — stwierdziła Emma. — Lot w CRV jest bardzo uciążliwy, a warunki pogodowe na ziemi mogą sprawić, że nie wybiorą na lądowanie miejsca, z którego można zapewnić natychmiastowy transport medyczny.

— Zapomnijcie o CRV — oświadczył kategorycznym tonem Griggs. — Nie opuścimy tej stacji.

— Jeśli jego stan będzie krytyczny... — zaczął Nikołaj.

— Emma będzie musiała utrzymać go przy życiu, dopóki nie dotrze do nas *Discovery*. Do diabła, ta stacja to prawdziwy, krążący po orbicie ambulans! Emma powinna być w stanie mu pomóc.

— A jeśli nie będzie w stanie? — upierał się Nikołaj. — Życie ludzkie jest warte więcej niż wszystkie eksperymenty.

— To ostateczność — mruknął Griggs. — Wchodząc na pokład CRV, zaprzepaścimy kilka miesięcy pracy.

— Posłuchaj, Griggs — powiedziała Emma. — Tak samo jak ty nie mam ochoty opuszczać tej stacji. Bardzo chciałam znaleźć się na jej pokładzie, i nie mam zamiaru skracać swojego pobytu. Ale jeśli mój pacjent będzie wymagał natychmiastowej ewakuacji, decyzja należy do mnie.

— Przepraszam, Emmo — przerwała im Diana, wpływając do modułu. — Właśnie wydrukowałam wyniki krwi Kenichiego. Myślę, że powinnaś to zobaczyć.

Wręczyła jej komputerowy wydruk. „Kinaza kreatynowa: 20,6 (norma 0-3,08)", przeczytała Emma.

Ta choroba okazała się czymś gorszym niż zapalenie trzustki, czymś gorszym aniżeli banalne kłopoty żołądkowe. Wysoki poziom kinazy kreatynowej wskazywał na uszkodzenie mięśni. Na przykład mięśnia sercowego.

Wymioty mogą być także objawem ataku serca.

Emma spojrzała na Griggsa.

— Właśnie podjęłam decyzję — powiedziała. — Powiedz Houston, żeby wysyłali prom. Kenichi musi wracać do domu.

3 sierpnia

Jack ściągnął fok. Jego opalone ramiona lśniły od potu, kiedy kręcił korbą. Żagiel napiął się z miłym dla ucha łopotem i *Sanneke* przechyliła się na zawietrzną, tnąc dziobem błotniste wody zatoki Galveston. Wcześniej tego popołudnia zostawił za sobą Zatokę Meksykańską i opłynął Point Bolivar, umykając przed płynącym z Galveston Island promem. Teraz mijał rafinerie na brzegu Texas City, żeglując na północ w stronę jeziora Clear. Do domu.

Po siedmiu dniach na morzu był zarośnięty i opalony na brąz. Nie poinformował nikogo o swoich planach, załadował po prostu jedzenie na łódź i postawił żagle, kierując się na otwarte morze, tam, gdzie nie widać najmniejszego skrawka lądu, a noce są tak czarne, że oczy bolą od blasku gwiazd. Leżąc na plecach na rozkołysanym pokładzie łodzi, wpatrywał się godzinami w nocne niebo. Otoczony ze wszystkich stron przez migoczące gwiazdy, mógł wyobrażać sobie, że szybuje w kosmosie, że każda fala popycha go coraz głębiej w kolejną galaktykę. Oczyścił umysł ze wszystkiego prócz gwiazd i morza. A potem niebo przeciął nagle jasny błysk spadającego meteoru i pomyślał o Emmie. Nie potrafił wznieść muru dość wysokiego, by się od niej odgrodzić. Kryła się stale gdzieś na obrzeżach, czekając, by zawładnąć jego myślami, kiedy się tego najmniej spodziewał. Kiedy najmniej tego pragnął. Zesztywniał cały, wbijając oczy w gasnący ślad meteoru i chociaż wokół niego nic się nie zmieniło — ani kierunek wiatru, ani opadające i wznoszące się fale — poczuł się nagle głęboko samotny.

Nie rozjaśniło się jeszcze, kiedy podniósł żagle i zawrócił do domu.

Wpływając na silniku na jezioro Clear i patrząc na rysujące się na tle zachodzącego słońca dachy, żałował swojej decyzji. Na Zatoce bez przerwy wiała bryza, tutaj jednak w wilgotnym dławiącym powietrzu wisiał martwy upał.

Przycumował łódź przy swojej pochylni i skoczył na pomost, lekko zataczając się po tygodniu spędzonym na morzu. Przede wszystkim musiał wziąć zimny prysznic. Czyszczenie łodzi zostawił sobie na wieczór, kiedy zrobi się chłodniej. Co się tyczy Humphreya, kolejna noc w pensjonacie dla kotów na pewno mu nie zaszkodzi. Kiedy z marynarskim workiem na plecach mijał mały sklepik spożywczy i rzucił okiem na stojak z gazetami, worek wyślizgnął mu się z rąk i rąbnął o ziemię.

„Zaczyna się odliczanie przed ratowniczą misją promu. Start jutro" — głosił nagłówek porannego wydania „Houston Chronicle".

Co się stało, pomyślał. Co poszło nie tak?

Drżącą dłonią wyciągnął z kieszeni monety, wsunął je w otwór automatu i złapał egzemplarz gazety. Artykuł ilustrowały dwa zdjęcia; jedno przedstawiało Kenichiego Hirai, japońskiego astronautę z NASDA, drugie Emmę.

Złapał worek i pobiegł do telefonu.

W spotkaniu brało udział trzech lekarzy lotu — nieomylny znak, że kryzys, z jakim mieli do czynienia, był natury medycznej. Kiedy wszedł na salę, wszyscy odwrócili ze zdumieniem głowy w jego stronę. Co tutaj robi McCallum, przeczytał w oczach dyrektora lotu stacji, Woody'ego Ellisa.

— Jack pomagał w opracowywaniu awaryjnych procedur medycznych dla pierwszej załogi stacji. Moim zdaniem, powinien uczestniczyć w naszym spotkaniu — udzielił za niego odpowiedzi doktor Todd Cutler.

— Sytuację komplikują powiązania rodzinne — mruknął Ellis. Miał na myśli Emmę.

— Wszyscy astronauci są dla nas niczym jedna wielka rodzina — odparł Todd. — Więc w pewnym sensie tak czy owak to problem osobisty.

Jack zajął miejsce obok Todda. Przy stole siedzieli zastępca dyrektora Narodowego Systemu Transportu Kosmicznego (NSTS), dyrektor operacyjny misji ISS, lekarze lotu oraz kilku kierowników programu. Dział public relations NASA reprezentowała Gretchen Liu. Z wyjątkiem startów promu media na ogół ignorowały to, co działo się w Centrum Kosmicznym Johnsona. Dzisiaj jednak w małym biurze prasowym NASA na pojawienie się Gretchen czekali dziennikarze wszystkich agencji. Jak dużo może się zmienić w ciągu jednego dnia, pomyślał Jack. Opinia publiczna jest niestała. Domaga się eksplozji, tragedii. Katastrofy. Cud, polegający na tym, że wszystko idzie jak po maśle, nie przyciąga niczyjej uwagi.

Todd podał mu plik kartek z dopisaną odręcznie na górze notatką: „Wyniki badań laboratoryjnych i klinicznych Hiraiego z ostatnich 24 godzin. Witaj z powrotem".

Jack przejrzał wyniki, słuchając równocześnie jednym uchem wypowiedzi uczestników zebrania. Miał jednodniowe zaległości i kilka chwil trwało, nim przyswoił sobie podstawowe fakty. Astronauta Kenichi Hirai był poważnie chory, jego wyniki badań stanowiły dla wszystkich zagadkę. Start promu *Discovery* wyznaczono na godzinę szóstą rano. Załogą, do której dołączono lekarza, dowodził Kittredge. Trwało planowe odliczanie.

— Czy wasze zalecenia nie uległy zmianie? — zapytał lekarzy zastępca dyrektora NSTS. — Nadal uważacie, że Hirai może zaczekać na ewakuację promem?

— Nadal twierdzimy, że ewakuacja na pokładzie promu stanowi najbezpieczniejszą opcję — odparł Todd Cutler. — Pod tym względem nie zmieniamy naszych zaleceń. Stacja jest stosunkowo dobrze wyposażonym punktem medycznym. Są tam leki i sprzęt potrzebny do reanimacji.

— Zatem w dalszym ciągu uważacie, że to atak serca?

Tedd spojrzał na swoich kolegów.

— Szczerze mówiąc, nie jesteśmy tego do końca pewni — przyznał. — Ale wiele wskazuje na zawał mięśnia sercowego... przede wszystkim wzrastający poziom enzymów sercowych w jego krwi.

— W takim razie dlaczego się wahacie?

— Zapis EKG nie pozwala na wysunięcie jednoznacznych wniosków. Wykazuje jedynie zmiany niespecyficzne: odwrócenie załamków T. Poza tym przed przyjęciem Kenichiego Hirai w poczet astronautów dokładnie oceniono stan jego układu krążenia. Nie ma czynników ryzyka. Prawdę mówiąc, nie wiemy, co się dzieje. Musimy jednak zakładać, że ma atak serca. W takim przypadku ewakuacja na pokładzie *Discovery* wydaje się najlepszym wyjściem. Prom łagodniej wchodzi w atmosferę, lądowanie jest kontrolowane. Pacjent narażony jest na o wiele mniejszy stres niż na pokładzie CRV. Na ISS powinni sobie tymczasem poradzić z każdą arytmią, która może u niego wystąpić.

Jack uniósł wzrok znad wyników badań.

— Bez odpowiedniego sprzętu laboratoryjnego, którego nie ma na stacji, nie sposób oznaczyć frakcji sercowej kinazy

128

kreatynowej. Skąd więc możemy być pewni, że ten enzym pochodzi rzeczywiście z serca?

Wszyscy odwrócili się w jego stronę.

— Co masz na myśli, mówiąc o frakcji sercowej? — zapytał Woody Ellis.

— Kinaza kreatynowa jest enzymem, który pomaga komórkom mięśniowym spożytkować nagromadzoną energię. Można ją znaleźć zarówno w mięśniu sercowym, jak i mięśniach prążkowanych. Kiedy uszkodzeniu ulegają komórki serca, we krwi wzrasta poziom kinazy. Dlatego przyjmujemy, że Kinai ma atak serca. Ale może to wcale nie jest serce?

— Co mogłoby być innego?

— Jakiś inny rodzaj uszkodzenia mięśnia. Na przykład uraz albo drgawki. Zapalenie. Nawet zwykły zastrzyk domięśniowy może spowodować podniesienie poziomu kinazy. Żeby stwierdzić, czy enzym pochodzi z serca, trzeba oznaczyć jego frakcje. Na stacji jest to niemożliwe.

— Więc Hirai może wcale nie mieć ataku serca?

— Owszem. Poza tym mamy tu do czynienia z jeszcze jednym zagadkowym szczegółem. Po ostrym uszkodzeniu mięśnia poziom kinazy powinien powrócić do normy. Zwróćcie jednak uwagę na te wyniki. — Jack przerzucił kartki i przeczytał kilka cyfr. — W ciągu ostatnich dwudziestu czterech godzin poziom kinazy nadal rósł, co wskazuje na wciąż istniejące uszkodzenie.

— To tylko fragment większej zagadki — stwierdził Todd. — Wszędzie mamy odbiegające od normy wyniki. Nie układają się w żaden sensowny wzór. Mówię o enzymach wątrobowych, nieprawidłowościach nerkowych, podwyższonym OB, poziomie białych krwinek. Pewne wskaźniki idą w górę, podczas gdy inne spadają. Wygląda to tak, jakby przez cały czas atakowane były kolejne organy.

Jack posłał mu badawcze spojrzenie.

— Atakowane?

— To tylko figura stylistyczna, Jack. Nie mam pojęcia, z jakim procesem chorobowym mamy tu do czynienia. Ale wiem, że można wykluczyć błąd laboratoryjny. Badaliśmy kontrolnie innych członków załogi i ich wyniki są absolutnie w normie.

— Czy stan Hiraiego uzasadnia ewakuację?

Pytanie to zadał dyrektor operacyjny misji promu. Cała ta historia wcale mu się nie podobała. Pierwotnie misją *Discovery* miała być naprawa tajnego satelity szpiegowskiego CAPRICORN.

— Waszyngton jest bardzo niezadowolony z powodu odłożenia naprawy satelity. Zarekwirowaliście prom, żeby zamienić go w latający ambulans. Czy to naprawdę konieczne? Czy Hirai nie może wyzdrowieć na stacji?

— Nie sposób tego przewidzieć. Nie wiemy, co mu dolega.

— Macie tam przecież, na litość boską, lekarkę. Czy ona nie może tego stwierdzić?

Jack zjeżył się. To był bezpośredni atak na Emmę.

— Nie dysponuje rentgenem — powiedział.

— Ale ma do swojej dyspozycji prawie wszystko poza tym. Jak pan nazwał tę stację, doktorze Cutler? „Dobrze wyposażonym punktem medycznym"?

— Astronauta Hirai musi wrócić do domu najszybciej, jak to tylko możliwe — oświadczył Todd. — Takie przynajmniej jest nasze stanowisko. Jeśli chcecie być mądrzejsi od waszych lekarzy lotu, proszę bardzo. Mogę tylko powiedzieć, że nigdy nie podważałbym opinii inżyniera na temat systemów napędowych.

To skutecznie zakończyło spór.

— Czy mamy jakieś inne problemy? — zapytał zastępca dyrektora NSTS.

— Owszem, z pogodą — oznajmił synoptyk NASA. — Muszę zaznaczyć, że rozbudowujący się na zachód od Gwadelupy front burzowy przesuwa się szybko w kierunku zachodnim. Nie przeszkodzi nam w starcie, ale może stworzyć pewne problemy w Centrum Kennedy'ego mniej więcej w połowie przyszłego tygodnia.

— Dziękuję za uwagę — powiedział zastępca dyrektora. Rozejrzał się po sali i stwierdził, że nie ma dalszych pytań. — W takim razie start nadal jest przewidziany na godzinę piątą rano czasu wschodniego. Wtedy zobaczymy się wszyscy ponownie.

Rozdział dziesiąty

Punta Arena, Meksyk

Morze Corteza lśniło niczym kute srebro w gasnącym świetle dnia. Ze swojego miejsca w ogródku kawiarni Las Tres Virgenes Helen Koenig widziała rybackie kutry wracające do Punta Colorado. To była pora dnia, którą lubiła najbardziej. Wieczorna bryza chłodziła jej zaróżowioną od słońca skórę, mięśnie przyjemnie ćmiły po wieczornym pływaniu. Kelner przyniósł zamówioną przez nią margaritę i postawił szklankę na stole.

— *Gracias, señor* — mruknęła.

Ich oczy spotkały się przez krótką chwilę. Był spokojnym, dystyngowanym mężczyzną o zmęczonych oczach i przetykanych nitkami siwizny włosach i patrząc na niego poczuła się nagle nieswojo. Jankeskie poczucie winy, pomyślała, patrząc, jak wraca do baru. Przyjeżdżając do Baja, zawsze go doświadczała. Popijając margaritę i spoglądając na fale, słyszała przenikliwe dźwięki trąbek. Gdzieś dalej przy plaży grał zespół *mariachi*.

To był udany dzień; prawie cały spędziła w morzu. Najpierw rano nurkowała z aparatem, potem po południu na mniejszej głębokości. Na koniec, tuż przed kolacją, pływała w ozłoconych przez zachód słońca wodach. Morze było jej ratunkiem, jej sanktuarium. W przeciwieństwie do mężczyzn odznaczało się stałością i nigdy jej nie rozczarowało. Zawsze było gotowe ją objąć i odkryła, że w krytycznych sytuacjach zawsze szuka w nim ukojenia.

Dlatego właśnie przyjechała do Baja. Żeby popływać w ciepłej wodzie i uciec w miejsce, gdzie nikt jej nie znajdzie. Nawet Palmer.

Usta spuchły jej lekko od margarity. Wypiła ją do dna i zamówiła następną. Zaczynała mieć wrażenie, że unosi się lekko w powietrzu. Nieważne: była teraz wolną kobietą. Eksperyment został zakończony, zamknięty. Kultury zniszczone. Palmer był na nią wściekły, ale ona wiedziała, że postąpiła słusznie. Postąpiła bezpiecznie. Jutro będzie spała do późna i zamówi na śniadanie gorącą czekoladę i *huevos rancheros*. A potem zanurkuje głęboko i znowu znajdzie się w objęciach swego morskiego kochanka.

Gdzieś obok zaśmiała się kobieta i Helen zerknęła w tę stronę. Przy barze flirtowała jakaś para, szczupła, opalona kobieta i mężczyzna z mięśniami niczym stalowe liny. Kolejny wakacyjny romans. Zjedzą prawdopodobnie razem kolację i trzymając się za ręce pójdą na spacer po plaży. Potem będą pocałunki, przytulanie się i wszystkie ociekające hormonami godowe rytuały. Helen obserwowała ich z ciekawością naukowca i zarazem z kobiecą zazdrością. Wiedziała, że to dla niej zamknięta karta. Miała czterdzieści dziewięć lat i wyglądała na swój wiek. Tęga w talii, miała gęsto przetykane siwizną włosy i banalną — z wyjątkiem inteligentnych oczu — twarz. Nie należała do kobiet, za którymi oglądaliby się opaleni na brąz adonisi.

Wypiła drugą margaritę. Wrażenie, że się unosi, objęło całe ciało, i zdała sobie sprawę, że powinna coś przekąsić. Otworzyła menu. *Restaurante de Las Tres Virgenes*, głosił napis na samej górze. Restauracja pod Trzema Dziewicami. Odpowiednie dla niej miejsce. W głębi duszy czuła się dziewicą.

Kelner podszedł, żeby przyjąć zamówienie. Poprosiła o *dorado* z grilla i jej wzrok przyciągnął nagle ekran zawieszonego nad barem telewizora. Pokazywali właśnie stojący na wyrzutni prom kosmiczny.

— Co się stało? — zapytała, wskazując telewizor.

Kelner wzruszył ramionami.

— Niech pan zrobi głośniej! — zawołała do barmana. — Proszę, ja muszę to usłyszeć!

Meksykanin przekręcił gałkę i w głośnikach zabrzmiał język angielski. To był amerykański kanał. Helen podeszła do baru, nie odrywając wzroku od telewizora.

— ...medyczną ewakuację astronauty Kenichiego Hirai. NASA nie podała więcej informacji, ale z raportów wynika, że lekarze nie bardzo wiedzą, co sądzić o jego chorobie. W oparciu o dzisiejsze wyniki krwi zalecili jak najszybszą ewakuację promem. *Discovery* ma wystartować jutro o godzinie piątej rano czasu wschodniego.

— *Señora?* — zapytał kelner.

Helen odwróciła się i zobaczyła, że wciąż trzyma w ręku bloczek z zamówieniami.

— Czy pani życzy sobie jeszcze jednego drinka?

— Nie. Nie, muszę wyjść.

— Ale pani kolacja...

— Niech pan skasuje zamówienie. Proszę.

Otworzyła torebkę, wręczyła mu piętnaście dolarów i wybiegła z restauracji.

W hotelowym pokoju próbowała dodzwonić się do Palmera Gabriela w San Diego. Sześć razy wystukała numer, nim uzyskała połączenie przez centralę międzynarodową, ale w słuchawce i tak odezwała się tylko automatyczna sekretarka.

— Mają na stacji chorego astronautę — powiedziała. — Tego się właśnie obawiałam, Palmer. Przed tym cię ostrzegałam. Jeśli sprawa się potwierdzi, musimy szybko działać...

Przerwała i zerknęła na zegar. Niech to wszyscy diabli, pomyślała i odłożyła słuchawkę. Muszę wracać do San Diego. Tylko ja wiem, jak sobie z tym poradzić. Będę im potrzebna.

Wrzuciła ubrania do walizki, wymeldowała się z hotelu i wskoczyła do taksówki, która ruszyła w stronę odległego o piętnaście mil małego lotniska w Buena Vista. Czekająca tam awionetka miała odwieźć ją do La Paz; stamtąd mogła polecieć rejsowym samolotem do San Diego.

Jazda taksówką była uciążliwa, droga wyboista i kręta, przez otwarte okno wpadały do środka tumany kurzu. O wiele bardziej obawiała się jednak tego, co ją dopiero czekało. Małe samoloty zawsze budziły w niej strach. Gdyby nie to, że tak bardzo jej się spieszyło, wolałaby pojechać w górę półwyspu Baja własnym samochodem, który w tej chwili stał zaparkowany w Punta Arena. Zaciskając spoconą dłoń na podłokietniku, wyobrażała sobie wszelkie czyhające na nią w powietrzu niebezpieczeństwa.

Potem spojrzała na nocne niebo, bezchmurne i aksamitnie czarne, i pomyślała o ludziach przebywających na stacji kosmicznej. To pomogło jej się opanować, odnaleźć właściwą perspektywę. Lot małym samolotem jest niczym w porównaniu z niebezpieczeństwami, którym musi stawić czoła astronauta.

Nie pora teraz bać się o własną skórę, powiedziała sobie. Stawką było życie wielu ludzi. A ona była jedyną osobą, która wiedziała, co robić.

Wytrząsające kości wertepy nagle się skończyły. Jechali teraz, chwała Bogu, po asfalcie. Do Buena Vista zostało tylko kilka mil.

Wyczuwając, że pasażerce się spieszy, kierowca dodał gazu. Wiatr wiał przez otwarte okna, smagając twarz Helen pyłem. Sięgnęła w dół, żeby podkręcić korbkę szyby, i nagle zorientowała się, że taksówka skręca w lewo, żeby wyprzedzić wolniej jadący samochód. Podniosła wzrok i ujrzała ku swojemu przerażeniu, że wchodzą właśnie w zakręt.

— *Señor! Mas despacio!* — zawołała. — Niech pan zwolni! Jechali teraz łeb w łeb z drugim samochodem, taksówka wysuwała się powoli do przodu, kierowca nie chciał dać za wygraną.

Droga skręcała w lewo, ginąc z pola widzenia.

— Niech pan nie wyprzedza! — zawołała znowu. — Proszę, niech pan...

Spojrzała do przodu i otworzyła szeroko oczy, oślepiona reflektorami nadjeżdżającego z przeciwka samochodu.

Podniosła ręce, żeby ochronić twarz, schować się przed tym blaskiem, nie mogła jednak zatkać uszu. Usłyszała pisk opon i własny krzyk, gdy światła skoczyły wprost na nich.

Ze swego miejsca za szklaną szybą zatłoczonej galerii dla gości Jack miał świetny widok na salę kontroli lotu, gdzie przy konsolach siedzieli teraz wystrojeni na użytek kamer kontrolerzy. Choć wszyscy skoncentrowani byli na swoich zadaniach, żaden nie zapominał, że są obserwowani, że zwrócony jest na nich wzrok całego społeczeństwa, a każdy gest, każdy nerwowy ruch głowy widać przez umieszczoną za plecami szybę. Przed rokiem Jack również siedział podczas startu przy konsoli lekarza lotu i czuł na plecach wzrok obcych ludzi, wywołujący słabe, lecz niezbyt przyjemne mrowienie.

Wiedział, że ludzie na dole czują teraz dokładnie to samo.

Atmosfera panująca na sali wydawała się lodowato spokojna, podobnie jak głosy na łączach. Taki właśnie wizerunek chciała przekazać NASA: obraz profesjonalistów wykonujących swoją robotę i wykonujących ją dobrze. Opinia publiczna rzadko ogląda pandemonium w pomieszczeniach na zapleczu, sytuacje, gdy grozi katastrofa, gdy wszystko wymyka się z rąk i powstaje chaos.

Dzisiaj się to nie zdarzy, pomyślał Jack. Dziś u steru jest Carpenter. Dziś wszystko pójdzie dobrze.

Zespołem startowym kierował dyrektor lotu Randy Carpenter, stary i doświadczony specjalista, który był w swoim życiu świadkiem wielu kryzysowych sytuacji. Uważał, że do katastrof kosmicznych nie dochodzi w wyniku jednej dużej awarii, lecz raczej całej serii drobnych usterek, które, kumulując się, prowadzą do tragedii. Był więc wyjątkowym pedantem, człowiekiem, dla którego każdy niedopracowany szczegół stanowił źródło potencjalnego zagrożenia. Jego podwładni czuli przed nim mores — także dlatego, że Carpenter był wielkim mężczyzną: sześć stóp cztery cale wzrostu i prawie trzysta funtów wagi.

Jack zobaczył, że siedząca przy ostatniej tylnej konsoli z lewej strony rzeczniczka NASA, Gretchen Liu, obraca się i posyła widzom na galerii uśmiech oznaczający, że wszystko jest w porządku. Była dziś ubrana w swoje najlepsze „telewizyjne" ciuchy: granatowy kostium, ozdobiony szarą jedwabną apaszką. Misja przyciągnęła uwagę całego świata i chociaż większość prasy zgromadziła się na przylądku Canaveral, w Centrum Johnsona było dość reporterów, żeby szczelnie wypełnić galerię dla widzów.

Skończyła się dziesięciominutowa przerwa w odliczaniu. Usłyszeli najświeższą prognozę pogody, po czym odliczanie wznowiono. Jack z zaciśniętymi ustami pochylił się do przodu. Wróciła dawna startowa gorączka. Przed rokiem, kiedy odchodził z NASA, wydawało mu się, że zostawił to wszystko za sobą. Teraz jednak znowu dał się porwać emocjom. Dał się porwać marzeniu. Wyobrażał sobie przypiętych pasami członków załogi, prom, który cały dygocze, gdy w komorach z płynnym tlenem i wodorem zwiększa się ciśnienie. Klaustrofobię, która dawała o sobie znać, kiedy zamykali osłony hełmów. Syk tlenu. Coraz szybszy puls.

— Włączyły się rakiety na paliwo stałe — poinformował rzecznik prasowy w Centrum Kennedy'ego. — Prom startuje! Startuje! Przekazujemy kontrolę do Centrum Johnsona...

Na centralnym ekranie prom zataczał łuk, lecąc na wschód zgodnie z zaplanowanym kursem. Jack był wciąż spięty, serce waliło mu jak młotem. Na zawieszonych w galerii dla widzów telewizorach widać było obraz promu przekazywany z Centrum Kennedy'ego. W głośnikach słyszeli wymianę zdań między CAPCOM-em i dowódcą promu Kittredge'em. *Discovery* wszedł w przechył i wspinał się w górne warstwy atmosfery, gdzie błękitne niebo miało wkrótce przejść w czerń kosmosu.

— Wszystko wygląda świetnie — oznajmiła Gretchen.

W jej głosie słychać było triumfalną nutę. I na razie rzeczywiście wszystko szło idealnie. Mieli już za sobą punkt Max Q i odłączenie rakiet stałopaliwowych, wyłączony też został główny silnik.

W sali kontroli lotu Randy Carpenter stał bez ruchu ze wzrokiem utkwionym w wielkim ekranie.

— *Discovery*, macie zgodę na odłączenie głównego zbiornika paliwa — oznajmił CAPCOM.

— Przyjąłem, Houston — odparł Kittredge. — Zbiornik odłączony.

Nagłe drgnięcie wielkiej głowy Carpentera powiedziało Jackowi, że nastąpiła jakaś zmiana. Wśród kontrolerów na sali natychmiast dało się zauważyć wyraźne ożywienie. Kilku z nich zerknęło na Carpentera, którego zazwyczaj zgarbione ramiona wyprostowały się na baczność. Gretchen przyciskała dłonią słuchawkę, przysłuchując się wymianie zdań na łączach.

Coś poszło nie tak, pomyślał Jack.

Na galerii nadal słyszeli wymianę zdań między promem i Ziemią.

— *Discovery* — powiedział CAPCOM. — Inżynier obsługi technicznej informuje, że nie zamknęły się klapy startowe. Potwierdźcie to.

— Przyjąłem i potwierdzam. Klapy się nie zamykają.

— Proponuję przejść na ręczne sterowanie.

Przez chwilę trwała złowroga cisza.

— Wszystko w porządku, Houston — usłyszeli w końcu głos Kittredge'a. — Klapy właśnie się zamknęły.

Dopiero wypuszczając z ust powietrze, Jack zdał sobie sprawę, że przez dłuższą chwilę wstrzymywał oddech. Póki co, była to jedyna usterka. Poza tym wszystko grało. Mimo to nadal czuł efekty nagłego wzrostu poziomu adrenaliny i pociły mu się ręce. Awaria klap przypomniała mu, ile rzeczy może jeszcze nawalić, i nie mógł opanować na nowo zrodzonego uczucia niepokoju.

Patrząc w głąb sali, zastanawiał się, czy Randy'ego Carpentera, najlepszego z najlepszych, również dręczą złe przeczucia.

4 sierpnia

Zegar w jego mózgu jakby sam się przestroił, zmieniając rytm snu i czuwania. O pierwszej w nocy leżał w łóżku z szeroko otwartymi oczyma, wpatrując się w jasne cyfry stojącego na nocnej szafce budzika. Podobnie jak *Discovery*, pomyślał, nie mogę się doczekać połączenia ze stacją. Połączenia z Emmą. Rytm jego ciała dostosował się do jej rytmu. Za godzinę Emma zbudzi się i zacznie się dla niej nowy dzień pracy. On był już teraz zupełnie rozbudzony.

Nie próbując z powrotem zasnąć, wstał i ubrał się.

O pierwszej trzydzieści budynek kontroli misji tętnił życiem. Jack najpierw zajrzał do sali, gdzie siedzieli kontrolerzy promu. Jak na razie, lot *Discovery* przebiegał zgodnie z planem.

Przeszedł korytarzem do sali, gdzie nadzorowano lot stacji. O wiele mniejsza od sali kontroli promu, miała swoje własne konsole oraz własny personel. Jack ruszył prosto do stanowiska lekarza lotu i usiadł obok pełniącego dyżur Roya Bloomfelda.

— Cześć, Jack. Widzę, że naprawdę do nas wróciłeś.

— Nie mogłem bez was wytrzymać.

— Cóż, na pewno nie przyciągnęły cię pieniądze. Chodzi pewnie o te emocje. — Roy odchylił się do tyłu i ziewnął. — Dzisiaj nie ma ich zbyt wiele.

— Stan pacjenta jest stabilny?

— Od jakichś dwunastu godzin. — Bloomfeld wskazał głową biotelemetryczne odczyty na swojej konsoli. Na ekranie widać było zapis EKG i ciśnienia krwi Kenichiego Hirai. — Rytm ma stały jak skała.

— Żadnych nowych objawów?

— Ostatni raport medyczny pochodzi sprzed czterech godzin. Coraz bardziej boli go głowa i nadal ma gorączkę. Antybiotyki najwyraźniej mało mu pomagają. Wszyscy zachodzimy w głowę, co mu jest.

— Czy Emma ma jakieś pomysły?

— W tym momencie jest prawdopodobnie zbyt wyczerpana, żeby w ogóle myśleć. Powiedziałem, żeby się chwilkę zdrzemnęła, bo i tak obserwujemy monitor. Na razie nie dzieje się nic ciekawego. — Bloomfeld ponownie ziewnął. — Słuchaj, muszę się odlać. Nie mógłbyś przez kilka minut popatrzeć na ekran?

— Nie ma sprawy.

Bloomfeld wyszedł z sali, a Jack nasunął na głowę słuchawki. Dobrze było ponownie usiąść przy konsoli, usłyszeć stłumione głosy innych kontrolerów, widzieć główny ekran, na którym mapę świata przecinała sinusoida toru stacji. Nie mogło się to równać z pobytem na promie, ale było wszystkim, na co mógł sobie teraz pozwolić. Nigdy już nie polecę do gwiazd, ale mogę przynajmniej patrzeć, ja robią to inni, pomyślał. Trochę zaskoczyło go, że w końcu zaakceptował tę gorzką prawdę. Że stojąc na peryferiach swego dawnego marzenia, zadowala się jedynie widokiem przez szybę.

Nagle rzucił okiem na EKG Kenichiego Hirai i pochylił się do przodu. Zapis kilkakrotnie skoczył gwałtownie w górę i w dół, a potem w górnej części ekranu pojawiła się całkowicie prosta linia.

Jack odetchnął z ulgą. Nie było powodów do obaw: rozpoznał zakłócenia zapisu EKG. Prawdopodobnie obluzował się jeden z przewodów. Na ekranie nadal widniał niezmieniony wykres ciśnienia krwi. Być może pacjent poruszył się i przypadkowo wyrwał przewód z gniazdka. Albo Emma wyłączyła monitor, żeby pozwolić mu skorzystać z toalety. Po chwili urwał się również gwałtownie zapis ciśnienia krwi — kolejny znak, że Kenichi nie jest podłączony do monitora. Jack przez jakiś czas obserwował ekran, czekając na ponowne pojawienie się zapisów, a kiedy się to nie stało, wziął do ręki mikrofon.

— CAPCOM, tu SURGEON. Widzę odłączony przewód na elektrokardiogramie pacjenta.

— Odłączony przewód...?

— Wygląda na to, że jest odłączony od aparatury. Nie dociera do nas zapis pracy serca. Czy moglibyście skontaktować się z Emmą, żeby to potwierdziła?

— Przyjąłem, SURGEON. Zaraz zrobię jej pobudkę.

Cichy gwizd wyrwał Emmę ze snu. Poczuła na twarzy chłodny dotyk czegoś mokrego. Nie miała zamiaru zasnąć. Chociaż w kontroli misji bez przerwy monitorowali EKG Kenichiego i zaalarmowaliby ją, gdyby w wykresie zaszła jakakolwiek zmiana, w czasie przeznaczonym na sen chciała czuwać przy pacjencie. Ale w ciągu ostatnich dwóch dni miała okazję tylko kilka razy się zdrzemnąć; ustawicznie budzili ją koledzy, pragnący dowiedzieć się, jaki jest stan pacjenta. Zmęczenie i spowodowane nieważkością zwiotczenie mięśni okazały się w końcu silniejsze. Ostatnią rzeczą, jaką zapamiętała przed zapadnięciem w sen, był hipnotycznie pulsujący na ekranie wykres rytmu serca Kenichiego. Linia, która zlała się z zielonym tłem, a potem zgasła w czerni.

Czując wodę na policzku, otworzyła oczy i ujrzała opalizującą wszystkimi kolorami tęczy kroplę, która sunęła w jej kierunku. Kilka sekund trwało, zanim uświadomiła sobie oszołomiona, na co patrzy, kilka dalszych, zanim dostrzegła kilkanaście innych kropel tańczących wokół niej niczym bożonarodzeniowe bombki.

W słuchawkach słyszała szum. A potem nagle odezwał się głos z Ziemi:

— Watson, tu CAPCOM. Przykro nam, że cię budzimy, ale musimy wiedzieć, co się dzieje z przewodami EKG pacjenta.

— Już nie śpię, CAPCOM. Tak mi się przynajmniej wydaje — odparła ochrypłym ze zmęczenia głosem.

— Odczyty wykazują anomalię w EKG twojego pacjenta. Lekarz twierdzi, że odłączył się przewód.

Dryfując podczas snu, obróciła się dookoła i teraz, odzyskawszy orientację, spojrzała tam, gdzie powinien leżeć pacjent.

Jego śpiwór był pusty. Odłączona kroplówka unosiła się w powietrzu, z końcówki cewnika sączyły się błyszczące krople soli fizjologicznej. Luźne przewody EKG splątały się ze sobą.

Natychmiast wyłączyła pompę infuzyjną i rozejrzała się szybko dookoła.

— CAPCOM, tutaj go nie ma. Opuścił moduł! Nie rozłączajcie się.

Odepchnęła się od ściany i wpłynęła do Węzła numer 2, z którego można było wejść do laboratoriów NASDA i ESA. Jeden rzut oka przez luki powiedział jej, że Japończyka też tam nie ma.

— Odnalazłaś go? — zapytał CAPCOM.

— Nie. Nadal szukam.

Czyżby Kenichi stracił orientację i zabłądził? Zawróciła do laboratorium amerykańskiego i przepłynęła przez następny węzeł. Na jej twarzy osiadła kolejna kropla. Starła ją i zaskoczona zorientowała się, że ma zabrudzony krwią palec.

— CAPCOM, Kenichi minął Węzeł numer jeden. Krwawi z miejsca wkłucia kroplówki.

— Zalecamy zamknięcie przepływu powietrza między modułami.

— Przyjęłam.

Wpłynęła przez luk do modułu mieszkalnego. Światła były tu przyćmione. W półmroku zobaczyła Griggsa i Luthera, obu zapiętych po szyję w śpiworach i pogrążonych w głębokim śnie. Ani śladu Kenichiego.

Nie wpadaj w panikę, powiedziała sobie, zamykając przepływ powietrza między modułami. Pomyśl. Dokąd mógł pójść?

Z powrotem do swojego stanowiska sypialnego, w rosyjskiej części stacji.

Nie budząc Griggsa ani Luthera, opuściła część mieszkalną i sunąc szybko przez labirynt węzłów i modułów, rozglądała się na lewo i prawo w poszukiwaniu uciekiniera.

— Nadal go nie odnalazłam, CAPCOM. Mijam *Zarię* i kieruję się do RSM.

Wpłynęła do modułu rosyjskiego, gdzie zwykle spał Kenichi. W półmroku zobaczyła Dianę i Nikołaja, którzy unosili się w powietrzu niczym topielcy, z wysuniętymi ze śpiworów rękoma. Stanowisko Kenichiego było puste.

Jej niepokój zmienił się w strach.

Potrząsnęła Nikołaja za ramię. Nie obudził się od razu i chociaż w końcu otworzył oczy, dopiero po kilku chwilach zrozumiał, co do niego mówi.

— Nie mogę znaleźć Kenichiego — powtórzyła. — Musimy przeszukać wszystkie moduły.

— Watson — odezwał się w jej słuchawkach CAPCOM. — Dział techniczny wykrył powtarzającą się anomalię w śluzie powietrznej przy Węźle numer jeden. Proszę, sprawdź, co tam się dzieje.

— Co to za anomalia?

— Odczyty wskazują, że właz między śluzą załogową i wyposażeniową nie jest szczelnie zamknięty.

To Kenichi! Jest w śluzie powietrznej!

Razem z Nikołajem, który sunął tuż za nią, przefrunęła niczym ptak przez stację i dała nurka do Węzła numer 1. Gdy zajrzała przez luk do śluzy, w pierwszej chwili wydawało jej się, że widzi trzy ciała. Ale dwa były tylko kombinezonami EVA ze sztywnymi torsami, zawieszonymi na ścianach śluzy, by można je było łatwiej włożyć.

Pośrodku śluzy, z plecami wygiętymi w łuk, unosił się wstrząsany drgawkami Kenichi.

— Pomóż mi go stąd wydostać! — zawołała Emma do Nikołaja.

Ustawiła się za Japończykiem i opierając stopy o zewnętrzny właz pchnęła go w stronę Rosjanina, który wydobył go ze śluzy. Razem zaciągnęli go do modułu laboratoryjnego, gdzie czekał sprzęt medyczny.

— Zlokalizowaliśmy pacjenta, CAPCOM — powiedziała. — Ma chyba napad... grand mal. Chcę się skonsultować z lekarzem.

— Nie rozłączaj się, Watson. Mów, SURGEON.

Zaskoczona Emma usłyszała w słuchawkach znajomy głos.

— Cześć, Em. Słyszałem, że masz tam na górze problemy.

— Jack? Co ty tam robisz...?

— Jaki jest stan twojego pacjenta?

Wciąż zszokowana, skupiła uwagę na Kenichim. Podłączając go z powrotem do kroplówki i zakładając przewody EKG, zastanawiała się, co Jack robi w kontroli misji. Od roku nie dyżurował już przy konsoli lekarza — a teraz słyszała jego głos, spokojny, prawie nonszalancki.

— Czy wciąż ma drgawki?

— Nie. W tej chwili wykonuje celowe ruchy... walczy z nami.

— Parametry życiowe?

— Puls jest przyspieszony: sto dwadzieścia, sto trzydzieści. Gwałtownie łapie powietrze.

— Dobrze. To znaczy, że oddycha.

— Właśnie podłączyliśmy go do EKG. — Zerknęła na monitor, na którym widać było zapis rytmu serca. — Tachykardia zatokowa, puls sto dwadzieścia cztery. Przedwczesne pobudzenia komorowe.

— Widzę to na ekranie.

— Mierzę teraz ciśnienie krwi... — Napompowała mankiet

i słuchała tętna, zmniejszając powoli ciśnienie. — Dziewięćdziesiąt pięć na sześćdziesiąt. Nieznacznie...

Nagle krzyknęła głośno z bólu. Dłoń Kenichiego trafiła ją prosto w usta. Pod wpływem siły uderzenia przepłynęła przez cały moduł i zderzyła się z przeciwległą ścianą.

— Emma? — odezwał się Jack. — Emma?

Oszołomiona, dotknęła dłonią obolałej wargi.

— Leci ci krew! — zawołał Nikołaj.

— Co się tam, do diabła, dzieje? — dopytywał się nerwowo Jack.

— Nic mi nie jest — mruknęła. — Nic mi nie jest — powtórzyła poirytowana. — Nie żołądkuj się.

Ale w głowie wciąż huczało jej od uderzenia. Nikołaj przywiązał Kenichiego pasami do noszy, a ona zaczekała, aż minie jej zawrót głowy. Z początku nie usłyszała, co Rosjanin do niej mówi.

A potem zobaczyła niedowierzanie w jego oczach.

— Popatrz na jego brzuch — szepnął. — Patrz!

Emma przysunęła się bliżej.

— Co to jest? — wymamrotała.

— Mów do mnie — odezwał się Jack. — Mów, co się dzieje.

Patrzyła na podbrzusze Kenichiego, na którym falowała i marszczyła się skóra.

— Coś się porusza... coś pod jego skórą...

— Co to znaczy „porusza się"?

— Wygląda to na drżenia włókienkowe mięśni. Ale przesuwa się po jego brzuchu.

— To nie jest perystaltyka?

— Nie. Nie, to przesuwa się w górę. Nie przechodzi wzdłuż jelit....

Przerwała. Falowanie nagle ustało i znów widziała przed sobą gładką, nieruchomą skórę brzucha Kenichiego.

Drżenia włókienkowe, pomyślała. Byłoby to najbardziej prawdopodobne wytłumaczenie, gdyby nie jeden mały szczegół: drżenia włókienkowe nie wędrują falami.

Kenichi otworzył nagle oczy i spojrzał na nią. Zabrzęczał alarm kardiomonitora. Emma odwróciła się. Zapis EKG na ekranie przypominał teraz zęby piły.

— Częstoskurcz komorowy! — zawołał Jack.

— Widzę, widzę!

Włączyła ładowanie defibrylatora i poszukała tętna na tętnicy szyjnej pacjenta.

Było słabe, ledwie wyczuwalne.

Kenichi wywrócił oczy w słup i widać było tylko podbiegłe krwią twardówki. Nadal jednak oddychał.

Emma przyłożyła łyżki defibrylatora do jego piersi i włączyła prąd. Ładunek elektryczny o mocy stu dżuli przepłynął przez ciało Japończyka.

Jego mięśnie zwarły się w nagłym skurczu. Nogi uderzyły o nosze. Tylko dzięki pasom, którymi był skrępowany, nie fruwał po całym module.

— W dalszym ciągu częstoskurcz komorowy — stwierdziła Emma.

Do modułu wpłynęła Diana.

— Co mam robić? — zapytała.

— Przygotuj lidokainę — rzuciła szybko Emma. — Jest w szufladzie po prawej stronie!

— Mam ją.

— On nie oddycha! — zawołał Nikołaj.

— Przytrzymaj mnie — poprosiła go Emma, łapiąc worek ambu.

Zaczęła zakładać pacjentowi maskę tlenową. Nikołaj oparł nogi o przeciwległą ścianę, a plecy o plecy Emmy, żeby zapewnić jej stabilną pozycję. Reanimacja jest wystarczająco trudna na Ziemi; w stanie nieważkości staje się skomplikowanym akrobatycznym wyczynem, z dryfującym sprzętem, plączącymi się w powietrzu przewodami i umykającymi spod ręki strzykawkami z drogocennym lekiem. Prosta czynność naciśnięcia oburącz klatki piersiowej może sprawić, że wykonujący masaż wywróci koziołka. Chociaż załoga przerabiała ten scenariusz, żadna próba generalna nie mogła się równać z autentycznym chaosem ciał gorączkowo manewrujących w ograniczonej przestrzeni, ścigających się z zegarem umierającego serca.

Kiedy maska znalazła się na ustach i nosie Kenichiego, Emma

nacisnęła worek ambu, wtłaczając tlen w jego płuca. Linia EKG w dalszym ciągu skakała po ekranie.

— Podałam jedną ampułkę lidokainy — poinformowała ją Diana.

— Nikołaj, defibryluj go jeszcze raz! — zawołała Emma.

Rosjanin zawahał się przez ułamek sekundy, a potem sięgnął po łyżki defibrylatora, umieścił je na klatce piersiowej i nacisnął przyciski. Tym razem przez serce Kenichiego przepłynęło dwieście dżuli.

Emma zerknęła na monitor.

— Ma migotanie komór! Nikołaj, zacznij masaż serca. Zaraz go zaintubuję!

Nikołaj puścił łyżki, które odpłynęły, dyndając na końcach przewodów. Opierając nogi o drugą ścianę, zbliżył dłonie do mostka Kenichiego i nagle gwałtownie je cofnął.

Emma posłała mu zdziwione spojrzenie.

— Co jest?

— Jego pierś! Popatrz na jego pierś!

Skóra na piersi Kenichiego marszczyła się i falowała. W miejscach, gdzie zetknęły się z nią łyżki defibrylatora, utworzyły się dwa koła, które rozchodziły się niczym kręgi na wodzie.

— Asystolia! — usłyszała w słuchawkach głos Jacka.

Nikołaj nadal wpatrywał się jak zahipnotyzowany w pierś Kenichiego. W końcu Emma sama ustawiła się w odpowiedniej pozycji, opierając plecy o plecy Rosjanina.

Asystolia. Serce przestało bić. Kenichi umrze, jeśli nie zaczną masażu serca.

Nie poczuła żadnych ruchów, nic niezwykłego — pod dłońmi miała normalną skórę napiętą na mostku. Drżenia włókienkowe, pomyślała. To muszą być drżenia włókienkowe. Nie ma innego wytłumaczenia. Jej ręce rozpoczęły masaż, wykonując to, co powinno robić serce Kenichiego, pompując krew do najważniejszych organów.

— Diana, jedna ampułka adrenaliny! — zawołała.

Diana wstrzyknęła lek do kroplówki.

Wszyscy patrzyli z nadzieją na monitor, modląc się, żeby na ekranie pojawiła się falista linia.

Rozdział jedenasty

— Trzeba będzie przeprowadzić sekcję — powiedział Todd Cutler.

Dyrektor Operacji Lotów Załogowych, Gordon Obie, posłał mu poirytowane spojrzenie. Kilka innych obecnych w sali konferencyjnej osób również spojrzało z niechęcią na Cutlera, ponieważ stwierdził rzecz oczywistą. To jasne, że trzeba będzie przeprowadzić sekcję.

W posiedzeniu sztabu kryzysowego brało udział kilkanaście osób. Sekcja zwłok była dla nich w tej chwili najmniejszym zmartwieniem. Obie miał na głowie ważniejsze sprawy. Będąc zazwyczaj człowiekiem mało rozmownym, musiał nagle radzić sobie z tabunami reporterów, którzy podtykali mu pod nos mikrofony, kiedy tylko pojawił się publicznie. Rozpoczęło się szukanie kozła ofiarnego.

Obie musiał przyjąć na siebie część odpowiedzialności za tragedię, ponieważ to on zatwierdzał kandydaturę każdego członka załogi. Jeśli któryś z nich nawalił, oznaczało to, że w gruncie rzeczy nawalił on sam. A dokooptowanie do załogi stacji Emmy Watson wydawało się w tej chwili poważnym błędem.

Tego rodzaju opinia przeważała w każdym razie na tej sali. Jako jedyny lekarz na pokładzie ISS, Emma Watson powinna była zorientować się, że Hirai umiera. Natychmiastowa ewakuacja na pokładzie CRV mogła go uratować. Teraz wysłano prom i kosztująca grube miliony misja ratownicza ograniczyła się do transportu nieboszczyka do kostnicy. Waszyngton szukał na gwałt winnych, a zagraniczna prasa zadawała brzemienne w polityczne konteksty pytanie: czy pozwolono by umrzeć na orbicie amerykańskiemu astronaucie?

Problem, jak wyjść z tego z twarzą, był w istocie głównym tematem dyskusji.

— Senator Parish wydał publiczne oświadczenie — poinformowała ich Gretchen Liu.

— Boję się pytać dalej — jęknął dyrektor Centrum Johnsona, Ken Blankenship.

— Z CNN przysłali nam faksem jego treść. Zacytuję wam kawałek: „Miliony dolarów podatników wydano na projekt załogowego statku ratowniczego. Mimo to NASA wolała go nie użyć. Mieli tam na górze ciężko chorego człowieka, którego życie można było uratować. Teraz ten dzielny astronauta nie żyje i jest oczywiste dla każdego, że popełniono straszliwy błąd. Jedna śmierć w kosmosie jest o jedną śmiercią za dużo. Kongres powinien przeprowadzić w tej sprawie dochodzenie". — Gretchen podniosła wzrok. — Oto słowa naszego ulubionego senatora.

— Ciekawe, ilu ludzi pamięta, że to właśnie on próbował zastopować nasz projekt załogowego statku ratowniczego — mruknął Blankenship. — Chciałbym rzucić mu to teraz w twarz.

— Nie zrobisz tego — odparł Leroy Cornell. Jako administrator NASA, każde posunięcie rozpatrywał w kontekście politycznym. Był ich łącznikiem z Kongresem i Białym Domem i nigdy nie tracił z oczu tego, jak dana sprawa zostanie rozegrana w Waszyngtonie. — Kiedy przypuścimy bezpośredni atak na senatora, rozpęta się piekło — dodał.

— To on nas atakuje.

— To nic nowego. Wszyscy o tym wiedzą.

— Opinia publiczna nie wie — powiedziała Gretchen. — Jego ataki znajdą się na pierwszych stronach gazet.

— I o to właśnie chodzi. Senator chce się znaleźć na pierwszych stronach gazet — stwierdził Cornell. — Jeśli wdamy się z nim w spór, media nie zostawią na nas suchej nitki. Parish nigdy nie był naszym przyjacielem. Sprzeciwiał się każdej naszej prośbie o zwiększenie budżetu. Chce kupować krążowniki, a nie statki kosmiczne, i nigdy nie zmienimy jego poglądów. — Cornell wziął głęboki oddech i rozejrzał się po sali. — W związku z czym może lepiej będzie, jeśli przeanalizujemy dokładnie jego krytyczne uwagi. I zapytamy samych siebie, czy nie są usprawiedliwione.

Na krótki moment na sali zapadła cisza.

— To oczywiste, że popełnione zostały błędy — oznajmił Blankenship. — Błędy w diagnozie medycznej. Dlaczego nie wiedzieliśmy, że ten człowiek jest ciężko chory?

Obie zobaczył spłoszone spojrzenia, jakie wymienili między sobą dwaj lekarze lotu. Uwaga wszystkich skupiła się teraz na zespole medycznym. I na Emmie Watson.

Nie było jej tutaj i nie mogła się bronić. Obie musiał mówić za nią.

Wyprzedził go Todd Cutler.

— Watson miała tam na górze bardzo utrudnione zadanie. Każdy lekarz miałby — powiedział. — Nie dysponuje rentgenem ani salą operacyjną. Prawdę mówiąc, nikt z nas nie wie, dlaczego Hirai zmarł. Dlatego właśnie musimy przeprowadzić sekcję. Musimy dowiedzieć się, co poszło nie tak. I czy miał na to wpływ stan nieważkości.

— Nie ma żadnych wątpliwości co do sekcji — oświadczył Blankenship. — Wszyscy zgadzają się w tym punkcie.

— Wspomniałem o tym z powodu... — Cutler na chwilę urwał. — Z powodu trudności z przechowaniem...

Zapadła cisza. Obie zobaczył, jak obecni spuszczają wzrok, uświadamiając sobie naturę problemu.

— Doktorowi Cutlerowi chodzi o to, że na stacji nie ma wystarczająco dużej lodówki, by zmieściło się w niej ludzkie ciało — wyjaśnił.

— Spotkanie z wahadłowcem nastąpi za siedemnaście godzin — stwierdził dyrektor lotu ISS, Woody Ellis. — Jak bardzo ludzkie ciało może zepsuć się w tym czasie?

— Na promie również nie ma lodówki — powiedział Cutler.
— Zgon nastąpił przed siedmiu godzinami. Dodajmy do tego czas, który pozostał do cumowania, przeniesienie zwłok i pozostałego ładunku oraz odcumowanie. Mówimy o przynajmniej trzech dniach, podczas których ciało będzie się znajdowało w temperaturze pokojowej. Pod warunkiem, że wszystko pójdzie jak w zegarku. Co, jak wszyscy wiemy, nie jest wcale takie oczywiste.

Trzy dni. Obie myślał o tym, co może się stać z martwym ciałem w ciągu trzech dni. O tym, jak paskudnie śmierdziały kawałki surowego kurczaka, kiedy zostawił je w pojemniku na śmieci tylko na jedną noc...

— Chcesz powiedzieć, że *Discovery* nie może opóźnić swojego powrotu na ziemię nawet o jeden dzień? — zapytał Ellis.
— Mieliśmy nadzieję, że zostanie nam trochę czasu na inne zadania. Na pokładzie ISS prowadzonych jest wiele eksperymentów, które zostały zakończone. Naukowcy czekają na nie...

— Sekcja niewiele da, jeśli ciało ulegnie zepsuciu — mruknął Cutler.

— Nie można go w jakiś sposób zakonserwować? Zabalsamować?

— To pociągnęłoby za sobą zmiany w jego biochemii. Potrzebne nam są niezabalsamowane zwłoki. I potrzebne nam są szybko.

Ellis westchnął.

— Musimy znaleźć jakiś kompromis, dzięki któremu będziemy mogli wykonać inne zadania w czasie, gdy prom będzie przycumowany do stacji.

— Z propagandowego punktu widzenia nie będzie wyglądało najlepiej, jeśli zajmiecie się normalnymi sprawami, mając na pokładzie nieboszczyka — powiedziała Gretchen. — Poza tym, czy nie istnieje pewne zagrożenie zdrowotne? No i jest jeszcze... ten odór.

— Ciało znajduje się w szczelnym plastikowym całunie — oświadczył Cutler. — Mogą je umieścić za zasłoną w jednym ze stanowisk sypialnych.

Rozmowa zeszła na tak przykre tematy, że większość obecnych pobladła. Mogli dyskutować o politycznym kryzysie i kłopotach z prasą. O atakujących ich senatorach i mechanicznych usterkach. Ale nie o takich rzeczach jak brzydkie zapachy i psujące się zwłoki.

Ciszę przerwał w końcu Leroy Cornell.

— Rozumiem, dlaczego chce pan jak najszybciej sprowadzić ciało na ziemię i przeprowadzić sekcję, doktorze Cutler — powiedział. — Rozumiem również propagandowy aspekt sprawy. Pozorny brak wrażliwości, jaki okażemy, wykonując rutynowe działania. Są jednak rzeczy, które musimy zrobić, bez względu na poniesione straty. — Rozejrzał się dookoła. — To przecież nasz główny cel, prawda? Na tym chyba polega nasza siła jako organizacji. Nie bacząc na to, co poszło źle, nie bacząc na to, co czujemy, zawsze staramy się dobrze wykonać naszą robotę.

Obie poczuł, jak nagle zmienia się panujący na sali nastrój. Aż do tej chwili uginali się pod brzemieniem tragedii, pod presją mediów. Na twarzach kolegów widział przygnębienie, poczucie klęski, syndrom oblężonej twierdzy. Teraz jakby się otrząsnęli. Napotkał wzrok Cornella i poczuł, że wygasa stara niechęć, jaką do niego żywił. Dotąd nigdy nie ufał wyszczekanym facetom w rodzaju Cornella. Uważał administratorów NASA za zło konieczne i tolerował ich, dopóki nie wtrącali się do decyzji operacyjnych.

Czasami Cornell przekraczał tę granicę. Dzisiaj jednak wyświadczył im przysługę, sprawił, że dali krok do tyłu i spojrzeli na to, co się stało, z szerszej perspektywy. Każdy przybył na to spotkanie, pamiętając przede wszystkim o swoich priorytetach. Cutler chciał mieć świeże ciało, żeby móc przeprowadzić sekcję. Gretchen Liu nie chciała narazić się mediom. Kierownictwo lotu wahadłowca chciało maksymalnie wykorzystać misję *Discovery*.

Cornell przypomniał im właśnie, że powinni przestać myśleć o swoich indywidualnych problemach i skupić się na tym, co najważniejsze dla programu lotów kosmicznych.

Obie kiwnął głową na znak zgody, co natychmiast zauważyli wszyscy obecni. Sfinks postanowił w końcu powiedzieć, co myśli.

— Każdy udany start jest darem niebios — oznajmił. — Postarajmy się go nie zmarnować.

5 sierpnia

Kenichi nie żyje.

Tenisówki Emmy uderzały rytmicznie w bieżnię. Każde zetknięcie się podeszwy z ruchomym taśmociągiem, każde ukłucie bólu, które przeszywało jej kości, stawy i mięśnie, było kolejnym fragmentem wymierzanej samej sobie kary.

Nie żyje.

Straciłam go, myślała. Nie udało mi się go uratować.

Powinnam się zorientować, jak bardzo jest chory. Powinnam domagać się ewakuacji na pokładzie CRV. Zamiast tego zwlekałam, bo wydawało mi się, że dam sobie radę. Wydawało mi się, że utrzymam go przy życiu.

Z obolałymi mięśniami i spoconym czołem katowała się dalej, rozwścieczona własną porażką. Nie ćwiczyła na bieżni od trzech dni, ponieważ była zbyt zajęta Kenichim. Teraz odrabiała zaległości: zapięła boczne pasy, włączyła bieżnię i wystartowała do biegu.

Na Ziemi bardzo lubiła biegać. Nie była specjalnie szybka, lecz rozwinęła w sobie wytrwałość i nauczyła się wpadać w ten hipnotyczny trans, który ogarnia długodystansowców, gdy spod stóp umykają kolejne mile, a płonący w mięśniach ból zmienia się w euforię. Ćwiczyła dzień po dniu, żeby wyrobić w sobie ten hart, zmuszając się, by pobiec dłużej, dalej, zawsze lepiej niż poprzednim razem, nigdy sobie nie odpuszczając. Tak było od czasów, gdy była małą dziewczynką, drobniejszą od innych, ale bardziej zawziętą. Przez całe życie była zawzięta, przede wszystkim w stosunku do samej siebie.

Pomyliłam się. A teraz mój pacjent nie żyje.

Na jej podkoszulku, między piersiami, rozszerzała się wielka mokra plama. Mięśnie ud i łydek przestały już płonąć: od pewnego momentu dygotały od stałego ucisku pasów.

Czyjaś ręka wyłączyła nagle bieżnię i taśma gwałtownie się zatrzymała. Emma podniosła oczy i napotkała wzrok Luthera.

— Myślę, że masz już zdecydowanie dosyć, Watson — powiedział cicho.

— Jeszcze nie.

— Ćwiczysz od przeszło trzech godzin.

— Dopiero zaczęłam — mruknęła ponuro.

Włączyła z powrotem bieżnię i jej podeszwy ponownie zaczęły walić o taśmę.

Luther przyglądał się jej przez chwilę. Jego ciało unosiło się na poziomie jej oczu, nie mogła uciec przed jego wzrokiem. Nie znosiła, kiedy ktoś ją obserwował, nienawidziła w tym momencie Luthera, bo wydawało jej się, że widzi jej ból, widzi odrazę, jaką żywiła do samej siebie.

— Czy nie łatwiej byłoby po prostu rozbić głowę o ścianę? — zapytał.

— Łatwiej. Ale mniej by bolało.

— Rozumiem. Żeby kara była odpowiednia, musi boleć?

— Zgadza się.

— Czy sprawi ci pewną ulgę, jeśli powiem, że to głupota? Bo to jest głupota. Strata energii. Kenichi zmarł, bo był chory.

— Właśnie w tym momencie powinnam była wkroczyć.

— Nie mogłaś go uratować. Więc teraz będziesz grała rolę kosmicznej ofermy?

— Zgadza się.

— Zdobyłem przed tobą ten tytuł.

— To mają być jakieś zawody?

Ponownie wyłączył bieżnię i ponownie taśma zatrzymała się pod jej stopami. Patrzył jej prosto w oczy, tak samo wściekły jak ona.

— Pamiętasz moją wpadkę? Na *Columbii*?

Nie odpowiedziała; nie musiała tego robić. Jego wpadkę pamiętali wszyscy w NASA. Zdarzyło się to przed czterema laty, w trakcie misji, której celem była naprawa krążącego po orbicie satelity. Luther miał umieścić naprawionego satelitę z powrotem na orbicie. Załoga wypchnęła go z kolebki w przegrodzie załadunkowej i patrzyła, jak się oddala. Silniki rakietowe włączyły się zgodnie z planem, posyłając satelitę na pożądaną wysokość.

Gdzie przestał reagować na jakiekolwiek komendy. Zawisł martwy na orbicie: kosztujący miliony dolarów kawał złomu krążący bezużytecznie wokół Ziemi. Kto był odpowiedzialny za tę klęskę?

Prawie natychmiast winą obciążono Luthera Amesa. W pośpiechu zapomniał wprowadzić ważne kody programowe — tak przynajmniej twierdził prywatny zleceniodawca. Luther upierał się, że wprowadził kody i robią z niego kozła ofiarnego, a błędy popełnił producent satelity. Opinia publiczna nie została o niczym poinformowana, ale w NASA wszyscy znali tę historię. Luther na próżno czekał na kolejny przydział. Posadzono go na ławce rezerwowych. Nadal należał do korpusu astronautów, lecz ludzie, którzy ustalali skład załóg, wciąż go nie dostrzegali.

Całą sprawę dodatkowo komplikował fakt, że Luther był czarny.

Przez trzy lata cierpiał w skrytości ducha, tłumiąc w sobie coraz większy gniew. Tylko dzięki duchowemu wsparciu bliskich przyjaciół — przede wszystkim Emmy — nie odszedł z korpusu. Wiedział, że nie popełnił błędu, ale w NASA wierzyło mu niewiele osób. Zdawał sobie sprawę, że ludzie gadają za jego plecami. Dla niektórych stał się żywym dowodem tego, że przedstawiciele mniejszości nie są ulepieni z właściwej gliny. Starał się zachować godność, lecz coraz częściej ogarniała go rozpacz.

A potem wyszła na jaw prawda. Satelita był wadliwy. Luthera oficjalnie rozgrzeszono. W ciągu tygodnia Gordon Obie zaproponował mu przydział: czteromiesięczną misję na pokładzie ISS.

Jednak nawet teraz Luther Ames nie czuł się do końca zrehabilitowany. I dlatego dobrze wiedział, co czuje Emma.

Przysunął twarz bliżej, nie pozwalając jej uciec w bok wzrokiem.

— Nie jesteś doskonała. Wszyscy jesteśmy ludźmi. Być może z wyjątkiem Diany Estes — dodał po krótkiej chwili i Emma roześmiała się wbrew woli. — Już wystarczająco siebie ukarałaś. Czas wziąć się w garść, Watson.

Przestała się pocić, lecz serce waliło jej w dalszym ciągu jak młotem. Była na siebie wściekła, ale Luther miał rację: musiała wziąć się w garść. Musiała stawić czoło konsekwencjom. Trzeba było wysłać do Houston ostateczny raport. Przedstawić historię choroby, przebieg leczenia, diagnozę. Określić przyczynę śmierci.

Pomyłka lekarza.

— *Discovery* cumuje za dwie godziny — powiedział Luther. — Masz robotę do wykonania.

Emma kiwnęła głową i rozpięła pasy. Czas zabrać się do pracy; karawan był w drodze.

7 sierpnia

Przymocowany pasami całun z ciałem obracał się powoli w półmroku. Zwłoki Kenichiego, otoczone ze wszystkich stron przez zbędny sprzęt oraz zużyte kanistry po licie, wydawały się jeszcze jednym rupieciem wstawionym do starej kapsuły *Sojuza*. Rosyjski statek nie funkcjonował już od ponad roku i astronauci wykorzystywali jego pomieszczenia jako dodatkową przestrzeń magazynową. Umieszczenie tutaj Kenichiego mogło się wydać komuś straszliwym poniżeniem, lecz jego zgon bardzo wstrząsnął załogą. Oglądanie bez przerwy zwłok unoszących się w jednym z modułów, w których pracowali i spali, byłoby zbyt denerwujące.

— Zamknęłam szczelnie ciało zaraz po śmierci — oznajmiła Emma, zwracając się do Kittredge'a i oficera medycznego promu, O'Leary'ego. — Od tego czasu nikt go nie dotykał.

Przez chwilę przyglądała się zwłokom. Czarny plastik całunu wybrzuszył się w kilku miejscach, utrudniając rozpoznanie konturów ciała.

— Rurki są w środku? — zapytał O'Leary.

— Tak. Dwie kroplówki, rurka dotchawiczna oraz sonda żołądkowa. — Niczego nie usuwała; wiedziała, że wykonujący sekcję patologowie będą chcieli mieć wszystko na miejscu. —

154

Zrobiłam posiew krwi i wszystkich tkanek, jakie od niego pobraliśmy.

Kittredge pokiwał ponuro głową.

— Zabierajmy się do dzieła — powiedział.

Emma odpięła pasy i sięgnęła po ciało. Wydawało się sztywne, spuchnięte, jakby jego tkanki uległy rozkładowi beztlenowemu. Nie chciała myśleć, jak wygląda Kenichi pod warstwą ciemnego plastiku.

Procesja była cicha i posępna niczym pogrzeb — z żałobnikami, którzy sunęli jak duchy w powietrzu, eskortując ciało przez długi tunel modułów. Orszak prowadzili Kittredge i O'Leary, ostrożnie przepychając ciało przez luki. Za nimi podążali w milczeniu Jill Hewitt i Andy Mercer. Prom przycumował do stacji przed trzydziestoma sześcioma godzinami. Kittredge i jego załoga przywieźli im uśmiechy, uściski, świeże jabłka, cytryny oraz długo oczekiwane niedzielne wydanie „New York Timesa". To była stara załoga Emmy, ludzie, z którymi przez cały rok trenowała, i spotkanie z nimi miało gorzkawo-słodki smak rodzinnego zjazdu. Teraz ten zjazd dobiegał końca i ostatni obiekt, który mieli zabrać na pokład *Discovery*, sunął powoli w stronę modułu cumowniczego.

Kittredge i O'Leary przepchnęli zwłoki przez właz i zabrali je na dolny pokład promu. Tutaj, w miejscu, gdzie astronauci spali i jedli, ciało miało pozostawać aż do lądowania. O'Leary manewrował nim tak, żeby zmieściło się na jednej z koi. Przed startem przerobiono ją na łóżko chorego. Teraz miała zostać wykorzystana jako tymczasowa trumna.

— Ciało nie mieści się — stwierdził po chwili. — Moim zdaniem jest za bardzo spuchnięte. Czy było przechowywane w wysokiej temperaturze? — zapytał, spoglądając na Emmę.

— Nie. W *Sojuzie* utrzymywana była normalna temperatura.

— Całun zaczepił o otwór wentylacyjny — stwierdziła Jill, po czym wyciągnęła rękę i oswobodziła plastik. — Spróbuj teraz.

Tym razem zwłoki zmieściły się. O'Leary zamknął panel, żeby nikt nie musiał oglądać lokatora koi.

Czekała ich jeszcze smutna ceremonia pożegnania. Kittredge objął Emmę.

— Przy następnej misji, Watson, wybiorę cię w pierwszej kolejności — szepnął.

Kiedy odsunęli się od siebie, płakała.

Na samym końcu uścisnęli sobie dłonie dwaj dowódcy, Kittredge i Griggs. Emma spojrzała po raz ostatni na załogę promu — swoją załogę — machającą na pożegnanie, a potem zamknięto włazy. Chociaż prom miał być przycumowany do stacji jeszcze przez dwanaście godzin — w tym czasie astronauci mieli odpocząć i przygotować się do odłączenia — zamknięcie hermetycznych włazów skutecznie zakończyło wszelki bezpośredni kontakt między nimi. Znajdowali się ponownie w osobnych pojazdach, tylko tymczasowo złączonych ze sobą, niczym dwie wielkie ważki sunące w godowym tańcu w przestrzeni.

Jill Hewitt miała problemy z zaśnięciem.

Bezsenność była dla niej czymś nowym. Nawet ostatniej nocy przed startem zdołała łatwo zapaść w głęboki sen, ufając, że towarzyszące jej przez całe życie szczęście nie zawiedzie jej również nazajutrz. Szczyciła się tym, że nigdy nie była jej potrzebna tabletka nasenna. Tabletki były dla nerwowych, którzy bez przerwy wyobrażali sobie tysiące zagrożeń. Dla neurotyków i ludzi ogarniętych obsesją. Jako morska pilotka, Jill wielokrotnie narażała się na śmiertelne niebezpieczeństwo. Latała nad Irakiem, lądowała niesprawnym myśliwcem na lotniskowcu, katapultowała się nad wzburzonym morzem i w końcu doszła do wniosku, że tyle razy oszukała śmierć, że ta z pewnością dała za wygraną i wróciła do domu. Dlatego na ogół dobrze spała w nocy.

Tym razem jednak sen nie nadchodził. Z powodu zwłok.

Nikt nie chciał przebywać w ich pobliżu. Chociaż panel, za którym się znajdowały, był zamknięty, wszyscy czuli ich obecność. Śmierć dzieliła z nimi ich przedział mieszkalny, jej cień padał na wieczorny posiłek, tłumił żarty.

Była niechcianym piątym członkiem załogi.

Jakby chcąc przed nią uciec, Kittredge, O'Leary i Mercer porzucili swoje koje i przenieśli się do kokpitu. Na dolnym pokładzie pozostała tylko Jill — być może chciała udowodnić mężczyznom, że jest od nich mniej przeczulona, że wcale nie przeszkadza jej obecność trupa.

Teraz jednak, w przyćmionym świetle kabiny, czuła, że coś spędza jej sen z powiek. Myślała o tym, co leżało za zamkniętym panelem. Myślała o Kenichim Hirai: jaki był, kiedy żył.

Pamiętała go całkiem wyraźnie: bladego, cichego, z włosami sztywnymi jak druty. Kiedyś, podczas ćwiczeń w stanie nieważkości, dotknęła przypadkiem jego czupryny i zdziwiła ją jej szczeciniastość. Nagle owładnęła nią chora ciekawość: zastanawiała się, jak wygląda teraz jego twarz, jakie zmiany wywołała śmierć. Powodowana tą samą ciekawością, jako mała dziewczynka dziobała patykiem ciała martwych zwierząt, które znajdowała czasem w lesie.

Postanowiła, że przeniesie się trochę dalej.

Przesunęła śpiwór na lewą stronę i przymocowała go tuż pod drabinką prowadzącą do kokpitu. Dalej już uciec nie mogła, nadal jednak przebywała w tym samym pomieszczeniu co zwłoki. Ponownie zapięła śpiwór. Jutro będzie potrzebować wypoczętych szarych komórek, żeby poradzić sobie ze skomplikowanymi operacjami wejścia w atmosferę i lądowania. Wysiłkiem woli zmusiła się do zapadnięcia w sen.

Zaczęło się od kilku lśniących kropel sączących się przez małą szparę w całunie, w miejscu, gdzie został rozerwany. Ciśnienie rosło przez długie godziny, plastik nadymał się, gdy puchła jego zawartość. Teraz szpara poszerzyła się i wyciekła z niej połyskliwa struga. Wydostawszy się na zewnątrz przez otwory wentylacyjne, struga rozpadła się na niebieskozielone kropelki, które zatańczyły w powietrzu i połączyły się z powrotem w większe krople, rozchodzące się falami w słabo oświetlonej kabinie. Opalizująca ciecz nadal wyciekała z całunu. Krople płynęły wraz z powietrznymi prądami. Dryfując przez kabinę, znalazły drogę do miękkiego ciała Jill Hewitt, która spała nieświadoma tego, iż otacza ją lśniąca chmura, nieświadoma mgiełki, którą wdychała przy każdym cichym oddechu, i kropelek, osiadających niczym rosa na jej twarzy. Tylko raz się poruszyła i podrapała w policzek, kiedy opalizujące krople zbliżyły się do jej oka.

Niesione prądami powietrza, tańczące krople minęły luk między pokładami i wpłynęły do kokpitu, gdzie unosiły się zwiotczałe wskutek braku ciążenia ciała trzech śpiących mężczyzn.

Rozdział dwunasty

8 sierpnia

Złowieszczy wir utworzył się nad wschodnimi Karaibami już kilka dni wcześniej. Wszystko zaczęło się od łagodnego falowania chmur unoszących się nad ogrzanymi słońcem wodami równikowego morza. Zderzając się z chłodniejszym frontem z północy, chmury zaczęły obracać się wokół spokojnego oka suchego powietrza. Obrazy przekazywane przez zawieszonego na geostacjonarnej orbicie satelitę potwierdzały, że spirala stale się powiększa. Służby meteorologiczne NOAA śledziły ją od samego początku, obserwowały, jak krąży niezdecydowana przy wschodnich wybrzeżach Kuby. Tymczasem napłynęły najświeższe dane na temat temperatury, szybkości i kierunku wiatru, które uprawomocniły to, co synoptycy widzieli na ekranach swoich komputerów.

To był tropikalny sztorm. I przesuwał się na północny zachód, ku koniuszkowi Florydy.

Właśnie tego rodzaju wiadomości najbardziej obawiał się dyrektor lotu wahadłowca, Randy Carpenter. Mogli poradzić sobie z problemami technicznymi, z awariami przeróżnych systemów, jednak w obliczu Matki Natury byli bezradni. Głównym tematem odbywającego się tego ranka spotkania kierownictwa misji było zatwierdzenie zgody na zejście promu z orbity. Planowali, że nastąpi ono sześć godzin po odcumowaniu, ale wszystko wzięło w łeb z powodu prognozy pogody.

— Zespół Meteorologii Lotów Kosmicznych Krajowego Urzędu do spraw Oceanu i Atmosfery informuje o tropikalnym sztormie przesuwającym się na północny północny-zachód w stronę Florydy — oznajmił synoptyk. — Według radaru bazy sił powietrznych Patrick oraz NexRad Doppler z Krajowej Służby Meteorologicznej w Melbourne * szybkość wiatru sięga sześćdziesięciu pięciu węzłów przy wzmagających się opadach deszczu. Potwierdzają to balony Rawinsonde i Jimsphere. Sieć Field Mill wokół Canaveral, a także LDAR donoszą o rosnącej liczbie wyładowań elektrycznych w powietrzu. Taka pogoda będzie się prawdopodobnie utrzymywać przez następne czterdzieści osiem godzin. Niewykluczone, że dłużej.

— Innymi słowy — mruknął Carpenter — nie lądujemy w Ośrodku Kennedy'ego.

— Kennedy absolutnie nie wchodzi w grę. Przynajmniej przez najbliższe trzy, cztery dni.

Carpenter westchnął.

— W porządku, powinniśmy się tego domyślić. Jaka jest sytuacja w Edwards?

Baza sił powietrznych Edwards, wciśnięta w górską dolinę na wschód od pasma Sierra Nevada, z pewnością nie była najlepszym rozwiązaniem. Lądowanie tam opóźniało następną misję, ponieważ prom musiał zostać przetransportowany z powrotem do Centrum Kennedy'ego na grzbiecie boeinga 747.

— W Edwards niestety też są pewne komplikacje — odparł synoptyk.

Żołądek Carpentera ścisnął się w węzeł. Miał przeczucie, że to początek całego łańcucha niefortunnych wydarzeń. Jako naczelny dyrektor lotów wahadłowca, uważał za swój osobisty obowiązek analizę każdego niepowodzenia i prześledzenie, co poszło źle. Patrząc ex post, potrafił na ogół odkryć, jak w wyniku

---

* Chodzi o miejscowość Melbourne na Florydzie.

serii błędnych, choć pozornie nieszkodliwych decyzji rodził się poważny problem. Czasem wszystko zaczynało się w fabryce, od roztargnionego technika i źle podłączonego panelu. Do diabła, nawet tak wielkie i kosztowne przedsięwzięcie jak teleskop Hubble'a zaczęło się od niedoróbek.

Wiedział, że będzie później wracał myślami do tego spotkania i pytał sam siebie: jak mogłem to inaczej rozwiązać? Co mogłem zrobić, żeby zapobiec katastrofie?

— Jakie są warunki w Edwards? — zapytał.

— Obecnie chmury znajdują się na pułapie siedmiu tysięcy stóp.

— To nie wyklucza jeszcze lądowania.

— Owszem. Ale istnieje możliwość poprawy pogody w ciągu następnych dwudziestu czterech albo trzydziestu sześciu godzin. Będziemy mieli stosunkowo niezłe warunki, jeśli trochę poczekamy. W przeciwnym wypadku pozostaje nam Nowy Meksyk. Pogoda w White Sands jest dobra. Czyste niebo, wiatr czołowy, pięć do siedmiu węzłów. Prognoza nie przewiduje większych zmian.

— Mamy więc do wyboru: czekać, aż przejaśni się w Edwards, albo lądować w White Sands — stwierdził Carpenter.

Potoczył wzrokiem po sali, zachęcając innych do wyrażenia swojej opinii.

— W tej chwili dobrze im tam, gdzie są — odezwał się jeden z kierowników programu. — Możemy zostawić ich przycumowanych do ISS tak długo, jak to będzie potrzebne. Do czasu, kiedy pogoda okaże się bardziej sprzyjająca. Dlaczego mielibyśmy kazać im lądować w miejscu, które nie jest optymalne?

Nieoptymalne miejsce, to było mało powiedziane. White Sands było położonym na bezludziu pasem startowym, wyposażonym jedynie w cylindry rozprowadzające.

— Nie zapominajmy, że powinniśmy sprowadzić zwłoki najszybciej, jak to możliwe — powiedział Todd Cutler. — Jeśli chcemy, żeby sekcja coś wykazała.

— Pamiętamy o tym. Ale rozważmy argumenty przeciw. W White Sands dysponujemy ograniczonymi możliwościami.

Jeśli będziemy mieli jakieś kłopoty przy lądowaniu, nie ma tam cywilnej służby medycznej. W gruncie rzeczy, biorąc to wszystko pod uwagę, sugeruję, żebyśmy poczekali nawet dłużej, aż poprawi się pogoda w Centrum Kennedy'ego. To najlepsze rozwiązanie. Wahadłowiec będzie szybciej gotów do następnej misji. Przez kilka następnych dni jego załoga może korzystać z ISS jako hotelu.

Kilku innych kierowników programu pokiwało głowami. Wszyscy prezentowali najbardziej konserwatywne podejście. Załoga była bezpieczna tam, gdzie się znajdowała; kwestia szybkiego sprowadzenia zwłok schodziła na dalszy plan w obliczu problemów wiążących się z White Sands. Carpenter pomyślał o wszystkich argumentach, które wytoczono by przeciwko niemu, gdyby, niech Bóg broni, przy lądowaniu w White Sands doszło do katastrofy. Pomyślał o pytaniach, które sam by zadał, oceniając decyzję innego dyrektora lotu. Dlaczego nie przeczekaliście złej pogody? Dlaczego tak się wam spieszyło?

Prawidłowa decyzja to taka, która, minimalizując ryzyko, nie narusza celów misji.

Postanowił wybrać pośrednie wyjście.

— Trzy dni to za dużo, Kennedy nie wchodzi więc w grę — stwierdził. — Spróbujmy w bazie Edwards. Może do jutra się tam przejaśni. Rozgoń jakoś te chmury — dodał, zwracając się do synoptyka.

— Jasne. Wykonam taniec zaklinający słońce.

Carpenter spojrzał na wiszący na ścianie zegar.

— W porządku, za cztery godziny budzimy załogę. Wtedy przekażemy im wiadomość. Muszą zaczekać chwilę, nim wrócą do domu.

9 sierpnia

Jill Hewitt zachłysnęła się i to ją obudziło. Jej pierwszą myślą było, że tonie, że przy każdym oddechu do jej płuc wlewa się woda.

Otworzyła oczy i z przerażeniem zobaczyła wokół siebie coś, co wyglądało jak rój meduz. Odkaszlnęła, odetchnęła głęboko, a potem znowu odkaszlnęła. Odegnane podmuchem powietrza meduzy odpłynęły.

Jill wygramoliła się ze śpiwora, zapaliła światło w kabinie i ze zdumieniem spojrzała na falujące powietrze.

— Bob! — wrzasnęła. — Mamy przeciek!

— Jezu, co to takiego? — usłyszała dochodzący z kokpitu głos O'Leary'ego.

— Załóżcie maski! — rozkazał Kittredge. — I nie zdejmujcie ich, dopóki nie sprawdzimy, czy to nie jest toksyczne.

Jill otworzyła schowek awaryjny, wyjęła zestaw ochrony przed skażeniem i rzuciła maski oraz gogle Kittredge'owi, O'Leary'emu i Mercerowi, którzy zeszli na dolny pokład. Nie mieli czasu się ubrać; wszyscy byli w bieliźnie i nadal otrząsali się ze snu.

Teraz, w założonych maskach, przypatrywali się dryfującym wokół nim niebieskozielonym kroplom. Mercer wyciągnął dłoń i złapał jedną z nich.

— Dziwne — mruknął, rozcierając ją między palcami. — Jest tłusta. I śliska. Jak śluz.

O'Leary, który pełnił funkcję lekarza lotu, również złapał jedną i przysunął do gogli, żeby móc się jej lepiej przyjrzeć.

— To nie jest nawet ciecz — powiedział.

— Wygląda jak ciecz — zaprotestowała Jill. — I zachowuje się jak ciecz.

— Ale jest bardziej galaretowata. Prawie jak...

Wszyscy wzdrygnęli się, słysząc nagle dźwięki muzyki. Elvis Presley śpiewał swoim aksamitnym głosem *Blue Suede Shoes*. Poranna pobudka z Centrum Kontroli.

— Dzień dobry, *Discovery* — odezwał się wesoły głos. — Jak dobrze wstać skoro świt!

— Już nie śpimy, CAPCOM — odparł Kittredge. — Mamy tutaj... eee... dziwną sytuację.

— Sytuację?

— Doszło do wycieku w kabinie. Próbujemy zidentyfikować, co to jest. To jakaś lepka substancja. Mlecznoniebieskozielona. Mamy wrażenie, jakby wokół nas pływały małe opale. Wyciek objął oba pokłady.

— Założyliście maski?

163

— Tak jest.

— Wiecie, skąd nastąpił wyciek?

— Nie mamy pojęcia.

— W porządku, skonsultujemy się zaraz z inżynierami środowiska pokładowego i systemów podtrzymywania życia. Może będą wiedzieli, co to takiego.

— Cokolwiek to jest, raczej nie ma właściwości toksycznych. Wszyscy spaliśmy, podczas gdy to świństwo unosiło się w powietrzu. Żadne z nas nie wydaje się chore.

Kittredge spojrzał na swoją odzianą w maski załogę i wszyscy potrząsnęli głowami.

— Czy ta substancja ma jakiś zapach? — zapytał CAPCOM. — Nasi inżynierowie chcą wiedzieć, czy wyciek nie nastąpił z systemu utylizacji odpadów.

Jill zrobiło się nagle niedobrze. Czyżby to świństwo, które wdychali i w którym teraz pływali, pochodziło z nieszczelnej toalety?

— Hm... rozumiem, że któreś z nas powinno to powąchać — mruknął Kittredge. Omiótł wzrokiem załogę, ale nikt nie przejawiał zbytniego entuzjazmu. — Jezu, kochani, nie zgłaszajcie się wszyscy naraz — mruknął i w końcu sam uniósł maskę. Rozgniótł kroplę między palcami i ostrożnie ją powąchał. — Nie sądzę, żeby to były ścieki. Nie pachnie to również chemikaliami. W każdym razie nie ropopochodnymi.

— Więc jak to pachnie? — zapytał CAPCOM.

— Jakby... rybą. Pstrągiem. Może to coś z kuchenki?

— To może być również wyciek z jednego z eksperymentów biologicznych. Odwozicie ich kilka na ziemię z ISS. Czy macie na pokładzie jakieś akwarium?

— Ta substancja przypomina mi żabi skrzek. Sprawdzimy pojemniki — powiedział Kittredge i spojrzał na błyszczące bryłki, które przywarły do ścian. — To świństwo osiada na wszystkim. Trochę czasu zajmą nam porządki. Chyba opóźni to nieco nasze zejście z orbity.

— Przykro mi to mówić, *Discovery*, ale wasze zejście z orbity opóźni się tak czy inaczej — oświadczył CAPCOM. — Musicie uzbroić się w cierpliwość.

164

— Co się stało?

— Mamy tu na dole nieciekawą pogodę. Na przylądku Canaveral wieją boczne wiatry o szybkości do czterdziestu węzłów i zaczyna błyskać. Z południowego wschodu przesuwa się tropikalny sztorm. Narobił już bałaganu w Republice Dominikany i kieruje się teraz na Keys.

— A Edwards?

— Z przekazanych nam informacji wynika, że pułap chmur wynosi tam siedem tysięcy stóp, więc jeśli nie macie ochoty lądować w White Sands, czeka was co najmniej trzydziestosześciogodzinne opóźnienie. Możecie otworzyć luki i dołączyć ponownie do załogi stacji.

Kittredge spojrzał na dryfujące w powietrzu krople.

— To chyba niezbyt dobry pomysł, CAPCOM. Zanieczyścimy stację tym wyciekiem. Musimy najpierw posprzątać.

— Przyjąłem. Stoi przy mnie lekarz. Chce, żebyście potwierdzili, że nie macie żadnych podejrzanych objawów. Zgadza się?

— Ta substancja nie wydaje się szkodliwa. Nikt nie zdradza symptomów chorobowych. — Kittredge zgarnął grono kropel, które rozsypały się jak perły. — Jest nawet ładna. Ale robi mi się słabo, kiedy pomyślę, jak oblepia naszą elektronikę, więc bierzemy się zaraz do roboty.

— Poinformujemy was, gdyby zmieniła się pogoda, *Discovery*. A teraz łapcie się za szczotki i wiadra.

— Jasne — roześmiał się Kittredge. — Możecie nas nazwać podniebną brygadą sprzątaczy. Umyjemy nawet okna. Myślę, że możemy zdjąć maski — stwierdził, ściągając swoją.

Jill zdjęła maskę oraz gogle i poszybowała do schowka awaryjnego. Chowając z powrotem sprzęt, zauważyła, że Mercer bacznie się jej przygląda

— Co jest? — zapytała.

— Twoje oko... co się z nim stało?

— Co jest złego z moim okiem?

— Lepiej sama zobacz.

Podryfowała do stanowiska higienicznego. To, co zobaczyła w lustrze, wstrząsnęło nią. Twardówka oka była krwistoczerwona. Nie pożyłkowana, ale cała szkarłatna.

— Jezu! — jęknęła, przerażona własnym odbiciem.

Jestem pilotem. Potrzebuję oczu. A jedno z nich wygląda jak kulka krwi.

O'Leary wziął ją za ramiona i przyjrzał się dokładnie gałce ocznej.

— Nie ma powodów do obaw — stwierdził w końcu. — To zwykła wybroczyna twardówkowa.

— Zwykła?

— Niewielki wyciek krwi do białkówki oka. Wydaje się groźniejszy, niż jest w rzeczywistości.

— Jak się tego nabawiłam?

— W wyniku nagłej zmiany ciśnienia wewnątrzczaszkowego. Czasem wystarczy gwałtowny kaszel albo intensywne torsje, żeby pękło małe naczynko.

Jill odetchnęła z ulgą.

— To musi być to. Budząc się, zakrztusiłam się tym fruwającym syfem.

— Widzisz? Nie ma czym się przejmować. — O'Leary poklepał ją po ramieniu. — Należy się pięćdziesiąt dolców. Następny!

Uspokojona Jill wróciła do lustra. To tylko mała wybroczyna, pocieszała się. Nie ma się czym przejmować. Własne odbicie nadal ją jednak przerażało. Jedno oko było normalne, drugie jaskrawoczerwone. Było w tym coś obcego. Coś szatańskiego.

10 sierpnia

— Prawdziwi goście z piekła rodem — stwierdził Luther. — Zamykamy przed nimi drzwi, ale oni trzymają się klamki.

Wszyscy w kuchence roześmieli się, nawet Emma. W ciągu kilku ostatnich dni na pokładzie stacji mało komu dopisywał humor i dobrze było usłyszeć, że ludzie znowu są skorzy do żartów. Odkąd przenieśli ciało Kenichiego na prom, wszyscy mieli lepszy nastrój. Zapieczętowane w całunie zwłoki przypominały im stale o jego śmierci i Emma czuła ulgę, że nie musi już oglądać dowodu własnej klęski. Mogła ponownie skupić się na swojej pracy.

Mogła się nawet śmiać z kpin Luthera, chociaż fakt, że wahadłowiec nie odcumował od stacji, nie był wcale zabawny. Skomplikował im cały dzień. Spodziewali się, że *Discovery* odłączy się od nich wczoraj rano. Minęła już cała doba, a prom miał pozostać przy ISS co najmniej przez następne dwanaście godzin. Niepewna godzina odlotu spowodowała, że niepewny był cały ich rozkład dnia. Operacja odcumowania nie polega na tym, że wahadłowiec po prostu odczepia się i odlatuje. To delikatny taniec dwóch potężnych obiektów pędzących z prędkością 17 500 mil na godzinę, taniec, który wymaga pełnej współpracy załogi promu i stacji. W jego trakcie oprogramowanie przyrządów stacji musi zostać tymczasowo zrekonfigurowane i przystosowane do operacji w bezpośredniej bliskości, a załoga wstrzymuje wiele prac badawczych.

Wszyscy muszą skoncentrować się na operacji odcumowania. Na tym, żeby uniknąć katastrofy.

A teraz wszystko skomplikowała pokrywa chmur nad bazą sił powietrznych w Kalifornii; zakłóceniu uległ cały plan pracy stacji. Taka jest już jednak natura lotu kosmicznego; jedyną przewidywalną rzeczą jest to, że niczego nie da się tu przewidzieć.

Tuż obok głowy Emmy przepłynęła nagle bańka soku grejpfrutowego. Oto kolejna rzecz, której nie sposób przewidzieć, pomyślała, śmiejąc się, gdy zakłopotany Luther pogonił za nią ze słomką. Człowiek zagapi się na krótką chwilę i zaraz ucieka mu spod ręki ważne narzędzie albo łyk soku. Przy braku grawitacji nieprzymocowane przedmioty mogą wylądować w każdym miejscu.

Z dokładnie czymś takim miała teraz do czynienia załoga *Discovery*.

— Ta breja zalała nam zegary cyfrowego autopilota — usłyszała głos Kittredge'a. Dowódca *Discovery* rozmawiał z Griggsem przez radio. — Nadal próbujemy oczyścić przełączniki, ale kiedy to świństwo wyschnie, przypomina gęsty śluz. Mam nadzieję, że nie zalepi nam gniazd w komputerach.

— Odkryliście już źródło wycieku? — zapytał Griggs.

— Znaleźliśmy małe pęknięcie w akwarium z antenicą. Ale nie wygląda na to, żeby dużo stamtąd wyciekło... na pewno nie tyle, ile fruwa teraz po kabinie.

— Skąd jeszcze mogło się to wydostać?

— Sprawdzamy teraz kuchenkę i toaletę. Byliśmy tak zajęci sprzątaniem, że nie mieliśmy czasu zidentyfikować źródła. Nie mam pojęcia, co to za substancja. Przypomina trochę żabi skrzek. Okrągłe bryłki w lepkiej zielonej masie. Powinieneś zobaczyć moich ludzi... upaćkani niczym *Pogromcy duchów*. A Hewitt ma oko czerwone jak czarownica. Człowieku, strach na nas patrzeć.

Czerwone oko? Emma odwróciła się do Griggsa.

— Co jej się stało w oko? — zapytała. — Nic o tym nie wiem.

Griggs przekazał to pytanie dowódcy *Discovery*.

— To zwykła wybroczyna twardówkowa — odparł Kittredge. — Według O'Leary'ego, nic poważnego.

— Daj mi porozmawiać z Kittredge'em — poprosiła Griggsa.

— Proszę bardzo.

— Bob, mówi Emma. Co spowodowało tę wybroczynę?

— Budząc się wczoraj, zaniosła się kaszlem. Naszym zdaniem, pękło jej wtedy naczynie krwionośne.

— Czy nie boli ją brzuch? Albo głowa?

— Niedawno skarżyła się na ból głowy. A wszystkich nas rwą mięśnie. Tyramy tu jak woły.

— Mdłości? Wymioty?

— Mercer ma biegunkę. Dlaczego pytasz?

— Kenichi również miał wybroczyny twardówkowe.

— Ale to nie jest nic poważnego — odparł Kittredge. — Tak twierdzi O'Leary.

— Niepokoi mnie połączenie tych wszystkich symptomów — powiedziała Emma. — Choroba Kenichiego zaczęła się od wymiotów i wybroczyn. Od bólów w jamie brzusznej. I bólu głowy.

— Uważasz, że to coś zaraźliwego? Więc dlaczego sama nie zachorowałaś? Opiekowałaś się nim.

Trafne pytanie. Nie potrafiła na nie odpowiedzieć.

— O jakiej chorobie mówimy? — zapytał Kittredge.

— Nie mam pojęcia. Wiem, że Kenichi poważnie się rozchorował dzień po pojawieniu się pierwszych symptomów. Musicie odcumować i wracać zaraz do domu. Zanim ktoś na *Discovery* zachoruje.

— To niemożliwe. Edwards jest wciąż pod chmurami.

— Więc lećcie do White Sands.

— To nie jest w tej chwili najlepsza opcja. Mają tam problemy z systemem nawigacyjnym. Słuchaj, nic nam nie jest. Musimy tylko przeczekać złą pogodę. To nie potrwa dłużej niż dwadzieścia cztery godziny.

Emma spojrzała na Griggsa.

— Chcę porozmawiać z Houston — oświadczyła.

— Nie skierują ich do White Sands tylko dlatego, że Hewitt ma czerwone oko.

— To może być coś więcej niż wybroczyna twardówkowa.

— Jak mogli zarazić się od Kenichiego? Nie mieli z nim styczności.

Zwłoki, pomyślała. Jego zwłoki są w wahadłowcu.

— Bob — powiedziała. — Tu znowu Emma. Chcę, żebyście sprawdzili całun.

— Co?

— Sprawdź, czy w całunie Kenichiego nie ma pęknięcia.

— Sama widziałaś, że był szczelnie zamknięty.

— Jesteś pewien, że nadal jest?

— W porządku — westchnął. — Muszę przyznać, że nie sprawdzaliśmy ciała, odkąd umieściliśmy je na pokładzie. Chyba wszyscy czuliśmy się trochę nieswojo. Zamknęliśmy panel, żeby nie patrzeć na zwłoki.

— Czy całun jest cały?

— W tej chwili próbuję otworzyć panel. Trochę się zaciął, ale... — Na chwilę zapadła cisza. — Jezu... — usłyszeli w końcu.

— Bob?

— Całun przecieka!

— Co to jest? Krew? Osocze?

— W plastiku jest rozdarcie. Widzę, jak to wycieka!

Co takiego wyciekało?

W tle słyszała głosy innych członków załogi. Głośne jęki odrazy i coś, co brzmiało jak torsje.

— Uszczelnijcie to! Uszczelnijcie! — zawołała.

Ale oni nie odpowiadali.

— Jego ciało przypomina miazgę — stwierdziła po chwili Jill. — Jakby się... rozpuszczał. Musimy sprawdzić, co się z nim dzieje.

— Nie! — zawołała Emma. — *Discovery*, nie otwierajcie całunu!

Ku jej uldze Kittredge odpowiedział:

— Przyjąłem, Watson. O'Leary, uszczelnij całun. Nie chcemy, żeby cokolwiek więcej z niego wyciekło...

— Może powinniśmy wyrzucić ciało w przestrzeń — zasugerowała Jill.

— Nie — odparł Kittredge. — Na ziemi chcą wykonać sekcję.

— Co to za ciecz? — dopytywała się Emma. — Odpowiedz mi, Bob!

Przez chwilę trwała cisza.

— Nie wiem — odparł w końcu Kittredge. — Ale cokolwiek to jest, mam nadzieję, że to nic zaraźliwego, bo wszyscy mieliśmy z tym styczność.

Dwadzieścia osiem funtów sflaczałych mięśni i futra. Tyle ważył Humphrey, który rozłożył się niczym basza na jego piersi. Ten kocur próbuje mnie zamordować, pomyślał Jack, wpatrując się w złośliwe zielone oczka Humphreya. Kiedy tylko kładę się na kanapie, od razu tona kociego tłuszczu miażdży mi żebra, tamując oddech.

Prychając, Humphrey wbił pazury w jego pierś.

Jack odepchnął go i kocur wylądował z głuchym łomotem na podłodze.

— Idź łapać myszy — mruknął Jack.

Odwrócił się na bok, by podjąć przerwaną drzemkę, ale na

próżno. Humphrey miauczał, żeby go nakarmić. Znowu. Ziewając, Jack zwlókł się z kanapy i pokuśtykał do kuchni. Kiedy tylko otworzył szafkę, w której leżało kocie żarcie, Humphrey zaczął miauczeć głośniej. Jack wsypał mu do miski Little Friskies i przyglądał się przez chwilę z niesmakiem swojemu dręczycielowi. Była trzecia po południu, a on nie zdążył jeszcze odespać dyżuru. Całą noc spędził przy konsoli lekarza lotu, a potem, po powrocie, zasiadł na kanapie, żeby zapoznać się bliżej z systemami środowiska kabinowego stacji. Znowu brał udział w wielkiej grze i dobrze mu to robiło. Dobrze robiło mu nawet przekopywanie się przez suche jak pieprz podręczniki. Zmęczenie wzięło jednak w końcu górę i koło południa, obłożony stosami skryptów, zapadł w drzemkę.

Miska Humphreya była już w połowie pusta. Niewiarygodne.

Kiedy odwrócił się, żeby wyjść z kuchni, zadzwonił telefon. To był Todd Cutler.

— Zbieramy personel medyczny, żeby powitać *Discovery* w White Sands — powiedział. — Samolot startuje z Ellington za trzydzieści minut.

— Dlaczego w White Sands? Wydawało mi się, że *Discovery* ma zaczekać, aż przejaśni się w Edwards.

— Mamy na pokładzie problemy natury medycznej i nie możemy czekać na poprawę pogody. Za godzinę schodzą z orbity. Procedura jak w przypadku choroby zakaźnej.

— Co to za choroba?

— Nie została jeszcze zidentyfikowana. Dmuchamy po prostu na zimne. Lecisz z nami?

— Oczywiście, że lecę — odparł bez chwili wahania.

— W takim razie lepiej ruszaj w drogę, bo spóźnisz się na samolot.

— Poczekaj. Kto jest pacjentem? Kto zachorował?

— Wszyscy — odparł Cutler. — Cała załoga.

Rozdział trzynasty

Niezidentyfikowana infekcja. Awaryjne zejście z orbity. Z czym mamy do czynienia?

Na płycie lotniska wiatr wznosił w górę tumany kurzu. Jack podbiegł do czekającego odrzutowca i mrużąc oczy przed fruwającymi drobinami, wdrapał się po schodkach do środka. Lecieli mieszczącym piętnastu pasażerów gulfstreamem IV, jednym z wielu silnych i niezawodnych koni roboczych, które NASA wykorzystywała do przerzucania z miejsca na miejsce swojego personelu. Na pokładzie było już dwanaście osób, wśród nich paru lekarzy i pielęgniarki z kliniki medycyny kosmicznej. Kilkoro z nich pozdrowiło Jacka.

— Musimy już lecieć, doktorze — powiedział drugi pilot. — Gdyby pan mógł usiąść i zapiąć pasy...

Jack usiadł przy oknie w przedniej części samolotu.

Ostatni na pokład wszedł Roy Bloomfeld z potarganymi przez wiatr rudymi włosami. Kiedy tylko zajął miejsce, drugi pilot zamknął luk.

— Todd nie leci? — zapytał Jack.

— Będzie dyżurował przy konsoli podczas lądowania. Wygląda na to, że wysyłają nas na pierwszą linię.

Samolot zaczął kołować na pas startowy. Nie mieli czasu do stracenia; lot do White Sands trwał półtorej godziny.

— Wiesz, co jest grane? — zapytał Jack Roya. — Bo ja nie mam najmniejszego pojęcia.

— Zapoznano mnie z grubsza z sytuacją. Pamiętasz ten wyciek, który mieli wczoraj na *Discovery*? Ten, którego źródło próbowali zidentyfikować? Okazało się, że ciecz wylała się z całunu, w którym znajdowało się ciało Kenichiego Hirai.

— Całun był szczelnie zamknięty. Jakim cudem doszło do wycieku?

— Rozdarł się plastik. Załoga twierdzi, że zawartość była pod ciśnieniem. Doszło chyba do przyspieszonego rozkładu ciała.

— Kittredge opisywał tę ciecz jako zieloną i zalatującą lekko rybą. Nie wygląda mi to na substancję, wydzielającą się z gnijących zwłok.

— Wszyscy jesteśmy w kropce. Całun został uszczelniony. Musimy zaczekać do lądowania, żeby odkryć, co naprawdę się stało. Po raz pierwszy mamy do czynienia z ludzkimi szczątkami w stanie nieważkości. Może w takich warunkach proces rozkładu przebiega inaczej? Może bakterie beztlenowe giną i dlatego ciało nie wydziela przykrego odoru.

— Jak bardzo chorzy są członkowie załogi?

— Hewitt i Kittredge skarżą się na silne bóle głowy. Mercer rzyga w tej chwili jak kot, O'Leary'ego boli brzuch. Nie wiadomo, czy niektóre z tych objawów nie są psychiczną akcją. Musi ci być głupio, kiedy nałykałeś się gnijącego kolegi.

Czynnik psychologiczny z pewnością komplikował cały obraz. Za każdym razem, gdy dochodzi do zbiorowego zatrucia pokarmowego, okazuje się, że znaczna liczba ofiar w rzeczywistości wcale nie jest chora. Siła sugestii jest tak duża, że może doprowadzić do ostrych torsji, identycznych jak w przypadku autentycznego zatrucia.

— Musieli przesunąć na później operację odcumowania. W White Sands też mieli kłopoty. Jeden z nadajników systemu taktycznej nawigacji powietrznej wysyłał błędne sygnały.

System taktycznej nawigacji powietrznej TACAN składał się z szeregu naziemnych nadajników, które dostarczały wahadłowcowi wciąż aktualizowane dane na temat jego wektora nawigacyjnego. Błędny sygnał mógł spowodować, że prom w ogóle nie trafi na lądowisko.

— W końcu uznali, że nie mogą dłużej zwlekać — dodał Bloomfeld. — W ciągu ostatniej godziny stan zdrowia załogi się pogorszył. Oboje, Kittredge i Hewitt, mają wybroczyny twardówkowe.

Samolot zaczął rozpędzać się do startu. Ich uszy wypełnił huk silników i po chwili ziemia została w dole.

— A co się dzieje na stacji? — zapytał Jack, przekrzykując hałas. — Czy ktoś tam zachorował?

— Nie. Nie otworzyli luków, żeby nie dopuścić do rozszerzenia się wycieku.

— Więc choroba ogranicza się do *Discovery*?

— Z tego, co wiemy, tak.

W takim razie Emma jest zdrowa, pomyślał, oddychając z ulgą. Emmie nic nie grozi. Ale skoro zaraza została zawleczona na pokład *Discovery* w zwłokach Kenichiego, dlaczego nie zachorowała również załoga stacji?

— Kiedy ląduje prom?

— W tej chwili odłączają się od ISS. Zejście z orbity nastąpi za czterdzieści pięć minut, lądowanie koło godziny siedemnastej.

Nie dawało to personelowi naziemnemu zbyt wiele czasu na przygotowania. Jack wyjrzał przez okno. Przebili się właśnie przez chmury i zalały ich złote promienie słońca. Tyle rzeczy sprzysięgło się przeciwko nam, pomyślał. Awaryjne lądowanie. Niesprawny nadajnik. Chora załoga.

I wszystko to zbiegnie się razem na pasie startowym pośrodku pustkowia.

Jill Hewitt łupało w głowie, a oczy bolały ją tak silnie, że z trudem mogła skoncentrować wzrok na wykazie czynności odcumowania. W ciągu ostatniej godziny ból objął każdy mięsień jej ciała i teraz miała wrażenie, jakby w jej plecy i uda wkręcały się poszczerbione śruby. Obie jej twardówki, podobnie jak twardówki Kittredge'a, przybrały czerwony kolor. Jego oczy

174

wyglądały jak dwie krwawe, ognistoczerwone kulki. On też bardzo się męczył; widziała to po sposobie, w jaki się poruszał, po tym, jak wolno i ostrożnie obracał głowę. Oboje cierpieli katusze, ale żadne nie śmiało poprosić o wstrzyknięcie narkotyków. Odcumowanie i lądowanie wymagały wyjątkowej sprawności umysłowej i nie mogli ryzykować, że środki przeciwbólowe osłabią ją choćby w najmniejszym stopniu.

Sprowadźcie nas do domu. Sprowadźcie nas do domu. Tak brzmiała mantra, którą Jill powtarzała w myśli, starając się stanąć na wysokości zadania. Pot zmoczył jej koszulkę, ból nie pozwalał się skupić.

Powtarzali wykaz czynności przy odcumowaniu. Jill podłączyła IBM Thinkpad do gniazda w tylnej konsoli, zastartowała go i otworzyła program operacji zbliżeniowych.

— Nie ma przepływu danych — stwierdziła.

— Jak to?

— Gniazdo musi być zatkane przez wyciek. Spróbuję podłączyć się do jednostki pamięci masowej na dolnym pokładzie.

Wyciągnęła kabel z gniazda. Każda kość w jej twarzy wyła z bólu, kiedy zsunęła się na dół, trzymając pod pachą laptopa. Miała wrażenie, że oczy za chwilę wyskoczą jej z orbit. Na dolnym pokładzie zobaczyła Mercera, ubranego w kombinezon startowy i przypiętego pasami przed wejściem w atmosferę. Był nieprzytomny: prawdopodobnie wziął dużą dawkę narkotyków. O'Leary, również przypięty pasami, był przytomny, ale lekko zamroczony. Jill dopłynęła do gniazda i podłączyła laptopa.

W dalszym ciągu nie było przepływu danych.

— Cholera. Cholera — zaklęła.

Starając się za wszelką cenę skoncentrować, wróciła na górny pokład.

— Nadal nic? — zapytał Kittredge.

— Zmienię kabel wyjściowy i spróbuję jeszcze raz podłączyć się do tego gniazda.

Od łupania w głowie łzy podeszły jej do oczu. Zgrzytając zębami, wyrwała kabel, zastąpiła go nowym, ponownie zastartowała komputer i wywołała program z Windows.

Na ekranie pojawiło się logo operacji zbliżeniowych.

Ze spoconą górną wargą zaczęła wpisywać łączny czas trwania misji. Dni, godziny, minuty, sekundy. Palce odmawiały jej posłuszeństwa. Były niezdarne, powolne. Musiała cofnąć się, żeby poprawić kilka cyfr. W końcu wybrała ikonę operacji zbliżeniowej i kliknęła „Tak".

— Program zainicjalizowany — powiedziała. — Gotów do przetwarzania danych.

— Czy mamy zgodę na odłączenie, CAPCOM? — zapytał Kittredge.

— Bądźcie w gotowości, Discovery.

Czekanie było męką. Jill spojrzała na swoją dłoń i zobaczyła, że palce zaczynają jej drżeć, że mięśnie przedramienia kurczą się, jakby pod skórą roiły się dziesiątki robaków. Jakby coś żywego poruszało się w jej ciele. Starała się trzymać rękę nieruchomo, ale palce wciąż wstrząsane były elektrycznymi skurczami. Sprowadźcie nas do domu, dopóki potrafimy jeszcze kierować promem.

— Macie zgodę na odłączenie, Discovery — oznajmił CAPCOM.

— Przyjąłem. Przestawiam cyfrowego autopilota na niskie Z. Przystępujemy do odłączania. — Kittredge spojrzał z ulgą na Jill. — Wynośmy się stąd do wszystkich diabłów.

Dyrektor lotu Randy Carpenter stał niczym posąg Kolosa, ze wzrokiem utkwionym w głównym ekranie, analizując swoim ścisłym umysłem inżyniera napływające dane i rozmowy na łączach. Jak zawsze, wybiegał myślą kilka kroków naprzód. W tej chwili trwała dehermetyzacja komory cumowniczej. Następnie otworzą się zaczepy łączące wahadłowiec z ISS i sprężyny systemu cumowniczego delikatnie odepchną od siebie dwa statki kosmiczne. Kiedy znajdą się w odległości dwóch stóp od siebie, włączą się silniki manewrowe Discovery, które skierują prom dalej w dół. W każdym momencie tej skomplikowanej sekwencji wydarzeń coś mogło pójść nie tak, ale Carpenter dysponował planem awaryjnym na każdą okoliczność. Gdyby nie otworzyły się zaczepy, mogli odpalić ładunki wybuchowe, które oderwą mocujące je śruby. Gdyby i to się nie udało, dwaj członkowie załogi ISS mogli wyjść na zewnątrz i ręcznie usunąć śruby. Mieli awaryjne plany na wypadek fiaska innych awaryjnych planów, rozwiązanie na każdą okoliczność.

Każdą okoliczność, którą byli w stanie przewidzieć. To, czego Carpenter najbardziej się obawiał, to awaria, o której nikt nie pomyślał. I teraz zadawał sobie to samo pytanie, które nękało go przy każdej nowej fazie misji: czego nie zdołaliśmy przewidzieć?

— Orbitalny system cumowniczy odłączony — usłyszał głos Kittredge'a. — Zaczepy otworzyły się. Jesteśmy w swobodnym dryfie.

Siedzący obok Carpentera kontroler lotu potrząsnął triumfalnie pięścią w powietrzu.

Myśli Carpentera wybiegły naprzód, ku lądowaniu. Pogoda w White Sands była stabilna, wiał czołowy wiatr o prędkości piętnastu węzłów. Nadajnik TACAN powinien zostać naprawiony przed przybyciem promu. Personel naziemny gromadził się w tej chwili na lądowisku. Nie było żadnych nowych zagrożeń, ale Carpenter wiedział, że musi zdarzyć się coś nieoczekiwanego.

Wszystkie te myśli przebiegały przez jego głowę, lecz jego twarz pozostała nieprzenikniona. Żaden z obecnych na sali kontrolerów nie wiedział, że w jego gardle tkwiła gorzka niczym żółć gruda.

Na pokładzie ISS Emma i jej koledzy również śledzili operację odcumowania. Wszystkie prace badawcze zostały tymczasowo zawieszone. Zgromadzeni w kopule Węzła numer 1, patrzyli, jak odsuwa się od nich potężny kadłub promu. Na ekranie własnego IBM Thinkpad Griggs obserwował ten sam program operacji zbliżeniowej, który oglądano w centrum kontroli lotów w Houston.

Kiedy Emma zobaczyła przez okno, że *Discovery* zaczyna

się cal po calu oddalać, odetchnęła z ulgą. Wahadłowiec znajdował się teraz w swobodnym dryfie i w drodze do domu.

Lekarz lotu O'Leary unosił się w narkotycznym transie. Wcześniej wstrzyknął sobie w ramię pięćdziesiąt miligramów demerolu, dosyć, żeby złagodzić trochę ból, przypiąć pasami Mercera oraz przygotować kabinę do wejścia w atmosferę. Ale nawet tak mała dawka narkotyku ograniczała w dużym stopniu jego sprawność umysłową.

Siedział na dolnym pokładzie, przypięty pasami do fotela i gotów do zejścia z orbity. Wnętrze kabiny kołysało się i rozmazywało, jakby oglądał ją pod wodą. Światło raziło go w oczy, więc zacisnął powieki. Przed kilkoma sekundami wydawało mu się, że widzi mijającą go Jill Hewitt, która trzymała pod pachą laptopa; teraz zniknęła, ale słyszał w słuchawkach jej udręczony głos, a także głosy Kittredge'a i CAPCOM-a. Odcumowali od stacji.

Nawet w stanie umysłowego zamroczenia wstydził się własnej bezradności, tego, że siedzi tu przypięty niczym inwalida, podczas gdy jego koledzy trudzą się, by sprowadzić ich na ziemię. Duma kazała mu wynurzyć się z wygodnej czeluści snu i wystawić na ostry blask świateł. Wymacał zamek pasów, odpiął je i odepchnął się od fotela. Kabina zaczęła wirować dookoła i musiał ponownie zamknąć oczy, aby powstrzymać nagłą falę torsji. Opanuj się, powtarzał sobie. Skup się na tym, co ważne. Przecież zawsze miałeś żelazny żołądek. Nie był jednak w stanie otworzyć oczu, nie potrafił stawić czoła temu dezorientującemu dryfowi.

Do momentu, gdy usłyszał ten dźwięk. Coś zaskrzypiało, tak blisko, że pomyślał, że to musi być Mercer, rzucający się przez sen. Obrócił się w tamtą stronę i uświadomił sobie, że wcale nie patrzy na Mercera. Miał przed sobą torbę ze zwłokami Kenichiego Hirai.

Torba wybrzuszała się. Pęczniała.

Moje oczy, pomyślał. To oczy płatają mi figle.

Zamrugał i próbował skupić wzrok. Torba była nadal rozdęta,

plastik wydymał się nad brzuchem zmarłego. Przed wieloma godzinami załatali pęknięcie; teraz znowu musiało wzrosnąć wewnętrzne ciśnienie.

Poruszając się jak w letargu, podpłynął do koi i położył dłoń na pęczniejącym całunie.

I natychmiast cofnął ją przerażony. W ciągu krótkiej chwili poczuł, jak torba nadyma się, opada i znowu się nadyma.

Ciało pulsowało.

Jill Hewitt patrzyła przez okno, jak *Discovery* odłącza się od stacji. Dzieląca ich przestrzeń powoli się zwiększała. Zerknęła na dane pojawiające się na ekranie komputera. Jedna stopa odstępu. Dwie stopy. Wracamy do domu. Jej głowę przeszył nagle ostry ból, tak nieznośny, że omal nie zemdlała. Opanowała słabość, z uporem buldoga trzymając się resztek przytomności.

— Orbitalny system cumowniczy odłączony — powiedziała przez zaciśnięte zęby.

— Włączam silniki manewrowe — odparł Kittredge.

Posługując się nimi, miał teraz delikatnie odsunąć prom od stacji aż do punktu położonego trzy tysiące stóp poniżej. Znalazłszy się na innej orbicie, *Discovery* automatycznie oddali się jeszcze bardziej.

Jill usłyszała huk odpalanych silników i poczuła, jak dygocze cały kadłub. Dłoń, którą Kittredge obejmował manetkę, drżała, rysy jego twarzy były ściągnięte z wysiłku. To on, a nie komputer kierował w tej chwili promem. Jeden niekontrolowany ruch sterów mógł spowodować zejście z kursu.

Pięć stóp odstępu. Dziesięć stóp. Mieli już za sobą kluczową fazę odłączania i coraz szybciej odsuwali się od stacji.

Jill odprężyła się.

A potem usłyszała dobiegający z dolnego pokładu krzyk. Krzyk przerażenia i niedowierzania. O'Leary!

Obróciła się do tyłu i w tej samej chwili kokpit zalała makabryczna fontanna ludzkich szczątków.

Pierwsza fala poszła w siedzącego bliżej zejścia na dolny pokład Kittredge'a, który uderzył nogą w manetkę rotacji. Jill

179

poleciała do tyłu. Hełmofon spadł jej z głowy, ciało bombardowały cuchnące kawałki jelit i skóry, kępki czarnych włosów wciąż przylegających do skalpu. Włosów Kenichiego. Usłyszała huk silników i miała wrażenie, że prom przechyla się na bok. Kokpit wypełniła breja, w której wirowały strzępy plastiku, rozkładające się organy oraz te dziwne zielonkawe grudki. Ich przypominająca winogrona masa przepłynęła obok Jill i rozbiła się o pobliską ścianę.

Kiedy w stanie nieważkości krople płynu zderzają się i przywierają do płaskich powierzchni, drżą przez chwilę lekko, a potem nieruchomieją. Jednak te krople nie przestawały się poruszać.

Z niedowierzaniem patrzyła, jak drżenie potęguje się i przez powierzchnię cieczy przebiegają fale. Dopiero po pewnym czasie dostrzegła schowane głęboko w galaretowatej masie jądro. Coś czarnego, coś, co się poruszało. Wiło się niczym larwa moskita.

A potem jej wzrok przyciągnął inny obraz, jeszcze bardziej przerażający. W oknie nad kokpitem zobaczyła stację kosmiczną, która gwałtownie się do nich zbliżała. Była tak blisko, że widziała niemal nity na kratownicy baterii słonecznych.

W przypływie paniki odepchnęła się od ściany i nurkując w makabrycznej brei, wyciągnęła ręce ku sterom wahadłowca.

— Kurs kolizyjny! — wrzeszczał Griggs do mikrofonu. — *Discovery*, idziecie kursem kolizyjnym!

Nie doczekał się odpowiedzi.

— *Discovery!* Odwróćcie kurs!

Emma patrzyła z przerażeniem, jak zbliża się ku nim katastrofa. Widziała przez okno kopuły, jak wahadłowiec jednocześnie przechyla się do góry i w prawo. Widziała skrzydło *Discovery*, które mknęło ku nim z wystarczającą szybkością, by zmiażdżyć aluminiowy kadłub stacji. Tylko kilka sekund dzieliło ich od kolizji i śmierci.

Z osadzonych w dziobie wahadłowca silników strzeliły nagle języki ognia. Prom przechylił się w dół, a jego prawe skrzydło obróciło się w górę, nie dość szybko jednak, by ominąć baterie słoneczne stacji. Emma poczuła, jak serce zamiera jej w piersi.

— Słodki Jezu! — szepnął Luther.

— CRV! — krzyknął ogarnięty paniką Griggs. — Wszyscy do kapsuły ratowniczej!

Ręce i nogi zakotłowały się w powietrzu. Wszyscy jak jeden mąż rzucili się do ucieczki. Nikołaj i Luther jako pierwsi przepłynęli do modułu mieszkalnego. Emma zdążyła złapać się uchwytu przy włazie, gdy rozległ się zgrzyt rozrywanego metalu, jęk wykręcanego i deformowanego w trakcie kolizji dwóch potężnych obiektów aluminium.

Stacja zatrzęsła się. Zdezorientowana Emma zobaczyła uciekające ściany Węzła numer 1, obracający się w powietrzu Thinkpad Griggsa i śliską od potu, przerażoną twarz Diany.

Światła zamigotały i zgasły. W półmroku zaczęły zapalać się i gasnąć czerwone lampy ostrzegawcze.

Zawyła syrena.

Rozdział czternasty

Dyrektor lotu wahadłowca, Randy Carpenter, widział na ekranie śmierć.

W momencie zderzenia miał wrażenie, jakby czyjaś pięść wyrżnęła go prosto w mostek. Podniósł dłoń i przycisnął ją do piersi.

Przez kilka sekund w sali kontroli lotu panowała kompletna cisza. Na centralnym ekranie widniała mapa świata z naniesionym na niej torem promu, po prawej stronie zatrzymany obraz programu operacji zbliżeniowych ze schematycznymi symbolami *Discovery* i ISS. Wahadłowiec wtopił się teraz w kontur stacji niczym rozbita zabawka. Carpenter poczuł, jak jego płuca nagle się rozszerzają, i zdał sobie sprawę, że ogarnięty grozą, zapomniał o oddychaniu.

Na sali kontroli lotu rozpętał się chaos.

— FLIGHT, nie mamy łączności głosowej — powiedział CAPCOM.

— FLIGHT, wciąż otrzymujemy dane z TCS...

— FLIGHT, w wahadłowcu nie spada ciśnienie. Nic nie wskazuje na wyciek tlenu...

— Co z ISS? — warknął Carpenter. — Czy mamy z nimi łączność?

— Próbują ich wywołać. Ciśnienie na stacji spada...

— Do jakiego poziomu?

— Spadło do siedmiuset dziesięciu... do sześciuset dziewięć-dziesięciu. Cholera, bardzo szybko się dehermetyzują!

Kadłub stacji został uszkodzony, pomyślał Carpenter. Ale nie do niego należało rozwiązanie tego problemu; zajmowali się nim specjaliści z kontroli lotu stacji.

— FLIGHT, uruchomione zostały silniki manewrowe, F2U, F3U i F1U — odezwał się nagle inżynier systemów napędowych. — Ktoś siedzi za sterami wahadłowca.

Carpenter podniósł głowę. Program operacji zbliżeniowej był zatrzymany, nie pojawiały się żadne nowe komunikaty. Z raportu inżyniera systemów napędowych wynikało jednak, że odpalone zostały silniki sterujące. To nie mogło być dziełem przypadku; ktoś próbował oddalić wahadłowiec od stacji. Jednak bez połączenia radiowego nie mogli mieć pewności, co się dzieje z astronautami. Nie mieli pewności, czy żyją.

Był to najstraszniejszy ze wszystkich scenariuszy, rzecz, której najbardziej się obawiał. Krążący po orbicie prom z martwą załogą. Chociaż Houston mogło kontrolować większość manewrów wahadłowca z Ziemi, nie było w stanie sprowadzić go na dół bez pomocy załogi. Niezbędny był sprawny astronauta, by wcisnąć inicjujące zejście z orbity przełączniki orbitalnego systemu manewrowego OMS. Po wejściu w atmosferę również ludzkiej ręki wymagało uruchomienie zespołu przyrządów pokładowych oraz opuszczenie podwozia. Jeśli nikt nie wykona tych zadań, *Discovery* pozostanie w kosmosie: statek--duch okrążający Ziemię do chwili, gdy po paru miesiącach obniży się jego orbita i spadnie na ziemię w eksplozji ognia. Wszystko to Carpenter zdążył wyobrazić sobie w ciągu kilku sekund, kiedy na sali wokół niego powoli wzrastała panika. Nie miał czasu myśleć o stacji kosmicznej, której załoga konała teraz być może wskutek dekompresji. Musiał skupić uwagę na *Discovery*. Na swojej załodze, której przetrwanie z każdą mijającą sekundą ciszy wydawało się mniej prawdopodobne.

A potem nagle usłyszał głos. Słaby i urywany.

— Centrum kontroli, tu *Discovery*. Houston? Houston?

— To Hewitt! — zawołał CAPCOM. — Mów, *Discovery*!

— ...poważna anomalia... nie mogliśmy uniknąć kolizji. Strukturalne uszkodzenia promu wydają się minimalne...

— *Discovery*, chcemy zobaczyć ISS.

— Nie mogę uruchomić anteny KU-Band... nie mam obrazu na zamkniętym obwodzie...

— Czy wiesz, jakie odnieśli uszkodzenia?

— Siła uderzenia oderwała anteny słoneczne. Wybiliśmy im chyba dziurę w kadłubie.

Carpenter poczuł, że robi mu się słabo. Nadal nie mieli połączenia z załogą stacji. Nie wiedzieli, czy żyją.

— Co się dzieje z twoją załogą? — zapytał CAPCOM.

— Kittredge uderzył głową o tylny panel kontrolny. Co do członków załogi na dolnym pokładzie... nic o nich nie wiem.

— W jakim jesteś stanie, Hewitt?

— Próbuję... o Boże, moja głowa... — Rozległ się cichy szloch. — To żyje — odezwała się po chwili.

— Nie rozumiem.

— To świństwo fruwające dookoła... wyciek z całunu. Porusza się wokół mnie. Jest we mnie. Widzę, jak przemieszcza się pod moją skórą. Jest żywe.

Zimny dreszcz przeszedł Carpenterowi po grzbiecie. Hewitt miała halucynacje. Doznała urazu głowy. Tracili ją, tracili jedyną szansę sprowadzenia promu na ziemię.

— FLIGHT, zbliżamy się do punktu zejścia z orbity — ostrzegł kontroler dynamiki lotu. — Nie możemy go przegapić.

— Powiedz jej, żeby zeszła z orbity — rozkazał Carpenter.

— *Discovery*, włącz APU — polecił CAPCOM.

Nie było odpowiedzi.

— *Discovery?* — powtórzył CAPCOM. — Za chwilę miniesz punkt zejścia z orbity!

Upływały kolejne sekundy i minuty. Carpenter był napięty jak struna. Odetchnął z ulgą, słysząc w końcu głos Hewitt.

— Załoga na dolnym pokładzie gotowa do przyziemienia. Obaj są nieprzytomni. Przypięłam ich pasami. Ale nie mogę wcisnąć Kittredge'a w jego kombinezon...

— Do diabła z jego kombinezonem! — zaklął Carpenter. — Nie przegapmy punktu zejścia. Sprowadźmy prom na ziemię!

— *Discovery*, zalecamy niezwłoczne włączenie generatora pomocniczego. Przypnij Kittredge'a do prawego fotela i przystąp do zejścia z orbity.

Usłyszeli zdławione westchnienie bólu.

— Moja głowa... — jęknęła Hewitt. — Mam kłopoty z koncentracją...

— Rozumiem to, Hewitt. — Głos CAPCOM-a złagodniał, stał się prawie kojący. — Słuchaj, Jill. Wiemy, że siedzisz teraz na miejscu dowódcy. Wiemy, że cierpisz. Ale możemy poprowadzić cię jak po sznurku aż do momentu, kiedy koła się zatrzymają. Pod warunkiem, że będziesz z nami utrzymywała kontakt.

Hewitt wydała z siebie udręczony szloch.

— APU włączony — szepnęła. — Ładuję program OPS trzy zero dwa. Powiedzcie kiedy, Houston.

— Zgoda na zejście z orbity — oświadczył Carpenter.

— Masz zgodę na zejście z orbity, *Discovery* — przekazał jego decyzję CAPCOM. — Pozwól nam sprowadzić was na ziemię — dodał cicho.

Emma czekała w egipskich ciemnościach na wstrząs dekompresji. Wiedziała dokładnie, czego ma się spodziewać. Jak umrze. Usłyszy ryk powietrza, które ucieka z kadłuba. Nagle pękną jej bębenki w uszach. Poczuje gwałtowny ból, kiedy jej płuca rozszerzą się i wybuchną w nich pęcherzyki. Kiedy ciśnienie powietrza spada do zera, obniża się również temperatura wrzenia cieczy, zrównując się w końcu z temperaturą krzepnięcia. W ciągu sekundy krew zagotuje się w jej żyłach. A w następnej zakrzepnie w lód.

Czerwone światła ostrzegawcze i syrena potwierdziły jej najgorsze obawy. To był alarm pierwszego stopnia. Doszło do pęknięcia kadłuba i powietrze wyciekało na zewnątrz.

Poczuła pyknięcie w uszach. Uciekaj!

Obie z Dianą dały nurka do modułu mieszkalnego. Półmrok rozświetlały tylko jasnoczerwone błyski awaryjnych paneli. Syrena wyła tak głośno, że wszyscy musieli krzyczeć, żeby się usłyszeć. Ogarnięta paniką Emma zderzyła się z Lutherem, który złapał ją, nim poleciała w inną stronę.

— Nikołaj jest już w kapsule ratowniczej. Teraz ty i Diana! — zawołał.

— Zaczekaj! Gdzie Griggs? — zapytała Diana.

— Wskakuj do kapsuły!

Emma odwróciła się. W psychodelicznym blasku czerwonych świateł zobaczyła, że w module mieszkalnym nie ma nikogo więcej. Griggs nie podążył za nimi. W powietrzu unosiła się dziwna rozrzedzona mgiełka, ale nie słychać było huraganowego szumu zasysanego przez wyrwę powietrza.

Nagle Emma zdała sobie sprawę, że nie czuje żadnego bólu. Pykało jej w uszach, nie czuła jednak świadczącego o szybkiej dekompresji bólu w klatce piersiowej.

Możemy jeszcze uratować stację, pomyślała. Mamy dość czasu, żeby odizolować źródło przecieku. Wykonała szybki pływacki nawrót, odepchnęła się stopami od ściany i pomknęła z powrotem do Węzła numer 2.

— Hej! Co ty, kurwa, wyprawiasz, Watson?! — wrzasnął Luther.

— Stacja nie jest jeszcze stracona!

W pośpiechu uderzyła o skraj luku i zdarła sobie skórę z łokcia. Teraz poczuła ból — jednak nie w wyniku dekompresji, lecz własnej głupiej niezgrabności. Z rwącym łokciem ponownie odepchnęła się od ściany i wpłynęła do węzła.

Griggsa tu nie było, ale zobaczyła jego laptop, który wisiał na końcu kabla. Na ekranie migotał jaskrawoczerwony napis „Dekompresja". Ciśnienie powietrza wynosiło 650 mm słupka rtęci i nadal spadało. Mogli pracować tylko przez kilka minut — potem ich mózgi przestaną funkcjonować.

Griggs na pewno szuka źródła przecieku, pomyślała. Zamierza zamknąć uszkodzony moduł.

Dała nurka do amerykańskiego laboratorium. Mleczna mgiełka była tu gęstsza. A może to wcale nie była mgiełka? Może to w wyniku niedotlenienia wysiadał jej wzrok? Zdezorientowana migoczącymi stroboskopowo światłami, rąbnęła bokiem w następny właz. Zawodziła ją koordynacja ruchów, robiła się coraz bardziej niezgrabna. W końcu udało jej się wślizgnąć przez luk do Węzła numer 2.

Zobaczyła Griggsa, który gorączkowo próbował rozdzielić plątaninę kabli łączących NASDA i moduł europejski.

— Wyrwa jest w NASDA! — zawołał, przekrzykując wycie syreny. — Jeśli usuniemy przewody z włazu i zamkniemy go, może uda nam się odizolować moduł.

Emma dała nurka do przodu, żeby pomóc mu rozrywać kable. Jeden z nich był wyjątkowo oporny.

— Co jest, do jasnej cholery? — zaklęła. Przy włazach wszystkie kable powinny się łatwo rozłączać na wypadek awarii. Ten nie miał dodatkowej wtyczki i gniazdka, co stanowiło wyraźne naruszenie reguł bezpieczeństwa. — Nie rozłącza się! — wrzasnęła.

— Daj mi nóż, to go przetnę! — odkrzyknął Griggs.

Emma obróciła się i dała z powrotem nurka do laboratorium amerykańskiego. Nóż. Gdzie, do diabła, jest jakiś nóż? Jej wzrok padł na szafkę medyczną. Wysunęła szufladę, złapała z tacki z instrumentami skalpel i wróciła do Węzła numer 2.

Griggs zaczął przecinać kabel.

— Jak możemy wam pomóc? — rozległ się głos Luthera.

Emma odwróciła się i zobaczyła wszystkich troje — Luthera, Nikołaja i Dianę — unoszących się przy włazie.

— Pęknięcie jest w NASDA! — zawołała. — Musimy zamknąć ten moduł!

Z kabla strzeliły nagle fajerwerki iskier. Griggs wrzasnął z bólu i odskoczył do tyłu.

— Cholera! Jest pod napięciem!

— Musimy go przeciąć — stwierdziła Emma.

— I przy okazji upiec się? Dziękuję.

— Więc jak zamkniemy luk?

— Cofnijcie się! — krzyknął Luther. — Cofnijcie się do laboratorium! Odetniemy cały węzeł. Zamkniemy ten koniec stacji.

Griggs spojrzał na sypiący iskrami kabel. Nie chciał odcinać Węzła numer 2, ponieważ oznaczało to utratę obu modułów, NASDA oraz europejskiego. Po rozhermetyzowaniu staną się

187

kompletnie bezużyteczne. Oznaczało to również utratę modułu cumowniczego, do którego można się było dostać wyłącznie przez Węzeł numer 2.

— Ciśnienie spada! — zawołała Diana, odczytując dane z podręcznego licznika. — Mamy sześćset dwadzieścia pięć milimetrów. Spadajmy stąd i zamknijmy węzeł!

Emma czuła, że zaczyna łapać kurczowo powietrze. Niedotlenienie. Jeśli szybko czegoś nie zrobią, wkrótce wszyscy stracą przytomność. Złapała Griggsa za ramię.

— Wycofajmy się! To jedyny sposób, żeby uratować stację!

Griggs pokiwał sztywno głową i cofnął się wraz z Emmą do laboratorium amerykańskiego.

Luther starał się zatrzasnąć luk, ale nie był w stanie w ogóle go poruszyć. Teraz, gdy znaleźli się na zewnątrz, musieli ciągnąć pokrywę luku, a nie pchać. Walczyli z prądem uciekającego powietrza przy gwałtownie spadającym ciśnieniu.

— Musimy opuścić i ten moduł! — krzyknął Luther. — Wycofajmy się do Węzła numer jeden i zamknijmy następny właz!

— Nie, do cholery! — zaprotestował Griggs. — Nie zamierzam stracić następnego modułu!

— Nie mamy wyboru! Nie mogę zaciągnąć pokrywy luku! — Daj, ja to zrobię!

Griggs złapał za uchwyt i pociągnął z całej siły, ale pokrywa przesunęła się zaledwie o kilka cali.

— Zabijesz nas wszystkich tylko po to, żeby ocalić ten pieprzony moduł! — wrzasnął Luther.

To Nikołaj podsunął im w końcu właściwe rozwiązanie.

— *Mir*! — krzyknął. — Trzeba zasilić wyciek! Zasilić wyciek!

Wyskoczył z laboratorium i skierował się w stronę rosyjskiej części stacji.

Mir. Wszyscy od razu domyślili się, o czym mówi. W roku 1997 doszło do kolizji statku *Progress* z modułem *Spektr*. Z wyrwy w kadłubie *Mira* zaczęło wyciekać w kosmos drogocenne powietrze. Rosjanie, mający o wiele większe doświadczenie w zakresie załogowych stacji kosmicznych, wiedzieli, jak temu zaradzić: trzeba było zasilić wyciek. Wtłoczyć dodatkowy tlen do modułu, żeby podnieść w nim ciśnienie. To nie tylko dawało im więcej czasu, ale mogło także zmniejszyć gradient ciśnienia i dzięki temu ułatwić zamknięcie luku.

Nikołaj wrócił do laboratorium z dwiema butlami tlenu i szybko odkręcił zawory. Mimo że przez cały czas wyły syreny, usłyszeli wyraźnie syk gazu. Nikołaj cisnął obie butle do Węzła numer 2. Zasilając wyciek, zwiększali ciśnienie po drugiej stronie włazu.

Równocześnie jednak tłoczyli tlen do modułu z przeciętym kablem. To może się skończyć eksplozją, pomyślała Emma, przypominając sobie snopy iskier.

— Teraz! — krzyknął Nikołaj. — Spróbujcie zatrzasnąć właz!

Luther i Griggs złapali razem za uchwyt i pociągnęli. Nie wiadomo, czy spowodowała to ich wspólna desperacja, czy też butle rzeczywiście zmniejszyły gradient ciśnienia po obu stronach luku. Tak czy inaczej, właz zaczął się powoli zamykać.

Griggs zatrzasnął go.

Przez chwilę wisieli obaj bezwładnie w powietrzu, zbyt wyczerpani, by się odezwać. Potem Griggs odwrócił się do reszty załogi; jego zlana potem twarz lśniła w migających światłach.

— Wyłączmy tę pieprzoną syrenę — powiedział.

Thinkpad wciąż unosił się tam, gdzie go zostawił w Węźle numer 1. Zerkając na ekran, szybko wystukał szereg komend. Wszyscy odetchnęli z ulgą, kiedy wycie ucichło. Przestały również migotać czerwone lampki; panele ostrzegawcze jarzyły się teraz żółtym światłem. Nie musieli przynajmniej krzyczeć, żeby się ze sobą porozumieć.

— Ciśnienie powietrza wynosi sześćset dziewięćdziesiąt milimetrów i podnosi się — oznajmił Griggs i roześmiał się. — Wróciliśmy z dalekiej podróży.

— Dlaczego wciąż mamy alarm trzeciego stopnia? — zapytała Emma, pokazując żółte światełko na ekranie.

Alarm trzeciego stopnia mógł oznaczać trzy rzeczy: zepsuł się zapasowy komputer naprowadzający, nie działał jeden z żyroskopów sterowniczych albo nie mieli połączenia radiowego z kontrolą misji.

Griggs znowu postukał w klawisze.

— To krótkofalówka. Nie mamy połączenia. *Discovery* musiał uderzyć w kratownicę P-1 i rozwalić nam antenę. Rozbił nam chyba również baterie słoneczne z lewej strony. Straciliśmy moduł fotowoltaiczny. Dlatego nadal brakuje nam energii.

— W Houston odchodzą na pewno od zmysłów, nie wiedząc, co się z nami dzieje — stwierdziła Emma. — Nie mogą się z nami skontaktować. Co z *Discovery*? Co się z nimi stało?

Diana uruchomiła już nadajnik UKF, za pomocą którego komunikowali się z promem.

— Nie odpowiadają — oznajmiła. — Może znajdują się poza zasięgiem?

A może wszyscy zginęli i dlatego nie odpowiadają? — pomyślała Emma.

— Czy możemy włączyć z powrotem oświetlenie? — zapytał Luther. — Przywrócić pierwotne zasilanie?

Griggs zaczął znowu stukać w klawiaturę. Doskonałość ISS polegała między innymi na tym, że wszystkie funkcje były tu dublowane. Każde z łączy energetycznych miało dostarczać prąd do określonych systemów, jednak te same łącza, jeśli zachodziła taka konieczność, mogły zostać zrekonfigurowane, „zwarte na krótko". Stracili jeden moduł fotowoltaiczny, lecz mogli się podłączyć do trzech innych.

— Pewnie to zabrzmi banalnie — mruknął Griggs — ale „niech stanie się światło". — Uderzył w klawisz i lampy zaczęły się słabo żarzyć. Wystarczyło to jednak, żeby mogli poruszać się po module. — Zmieniłem strukturę zasilania. Przestrzeń ładunkowa, która nie ma dla nas zasadniczego znaczenia, jest teraz odcięta — powiedział, po czym wypuścił z płuc powietrze i spojrzał na Nikołaja. — Musimy się skontaktować z Houston. Pokaż, co potrafisz.

Rosjanin od razu zrozumiał, co ma robić. Kontrola misji w Moskwie miała niezależne połączenie radiowe ze stacją. Rosyjska część ISS nie została uszkodzona podczas kolizji.

— Miejmy nadzieję, że zapłacili rachunek za prąd — mruknął Nikołaj, kiwając głową.

ITEM 3-7 EXEC
ITEM 3-8 EXEC
OPS 3-0-4 PRO
Jill Hewitt rzęziła z bólu. Każdemu wciśnięciu guzika na panelu kontrolnym towarzyszyły krótkie sapnięcia. Jej głowa przypominała dojrzały do pęknięcia melon. Pole widzenia zwęziło się. Miała wrażenie, że patrzy w głąb długiego czarnego tunelu i że kontrolki znajdują się prawie poza jej zasięgiem. Całą siłą woli zmuszała się do skoncentrowania uwagi na każdej dźwigni, którą trzeba było przesunąć, na każdym przycisku uciekającym spod jej palca. Teraz starała się odczytać dane wskaźnika położenia. Cyfry wirowały wściekle w obudowie czytnika. Nic nie widzę. Nie potrafię odczytać przechyłu i odchylenia kierunkowego, pomyślała.

— *Discovery*, wchodzisz w atmosferę — oznajmił CAPCOM. — Włącz autopilota.

Jill zerknęła na panel i wyciągnęła dłoń, ale miała wrażenie, że całe jardy dzielą ją od przełącznika.

— *Discovery?*

Jej drżący palec dotknął w końcu przycisku.

— Potwierdzam — szepnęła i poczuła, jak wiotczeją jej ramiona.

Wahadłowiec pilotowały teraz komputery. Nie ufała sobie. Nie wiedziała nawet, jak długo uda jej się zachować przytomność. W polu jej widzenia zamykały się połykające światło czarne tunele. Po raz pierwszy od dłuższego czasu słyszała szum powietrza owiewającego kadłub, czuła siłę ciążenia wciskającą jej ciało w fotel.

CAPCOM milczał. Znajdowała się teraz w strefie komunikacyjnej ciszy. Mknąc z ogromną szybkością przez atmosferę, prom wyrywał elektrony z cząsteczek powietrza. Elektromagnetyczna burza zatrzymuje fale radiowe, przerywa jakąkolwiek łączność. Przez następne dwanaście minut Jill słyszała tylko huk powietrza.

Nigdy jeszcze nie czuła się tak bardzo samotna.

Poczuła, jak autopilot wprowadza prom w pierwszy przechył, kładąc go na burtę i zmniejszając szybkość. Wyobraziła sobie jasny blask za szybami kokpitu. Czuła żar grzejący niczym promienie słońca jej twarz.

Otworzyła oczy. I zobaczyła przed sobą tylko ciemność.

Gdzie są światła? Gdzie jest łuna za oknem?

Zamrugała raz i drugi. Potarła gałki oczu, chcąc zmusić siatkówki do reakcji na światło. Wyciągnęła rękę w stronę panelu. Jeżeli nie naciśnie odpowiednich przełączników, jeżeli nie uruchomi systemu przyrządów pokładowych i nie opuści podwozia, Houston nie zdoła posadzić wahadłowca na pasie. Nie zdoła sprowadzić jej żywej na Ziemię. Przesuwając bezradnie palcami po przyciskach i kontrolkach, zawyła z rozpaczy.

Była ślepa.

Rozdział piętnasty

Na położonym na wysokości 4093 stóp poligonie rakietowym White Sands powietrze jest suche i rozrzedzone. Pas lądowania biegnie przez wyschnięte dno morza w pustynnej dolinie pomiędzy górskimi pasmami Sacramento i Guadelupe na wschodzie oraz San Andreas na zachodzie. Najbliższym miastem jest Alamagordo w stanie Nowy Meksyk. Na spalonej słońcem jałowej ziemi może przetrwać tylko najbardziej odporna pustynna roślinność.

Przez dłuższy czas mieściła się tu baza szkoleniowa pilotów myśliwców. W ciągu dziesięcioleci użytkownicy terenu parę razy się zmieniali. W latach drugiej wojny światowej funkcjonował tutaj niemiecki obóz jeniecki. W pobliżu znajduje się także Trinity Site, miejsce, gdzie Stany Zjednoczone zdetonowały pierwszą bombę atomową, skonstruowaną w Los Alamos w Nowym Meksyku. W pustynnej dolinie stoją ogrodzenia z drutu kolczastego i nieoznakowane budynki rządowe, z których przeznaczenia nie zdają sobie sprawy nawet mieszkańcy pobliskiego Alamagordo.

Przez lornetkę Jack widział pas lądowania, nad którym falowało rozgrzane powietrze. Pas 11/34 biegł prawie dokładnie z północy na południe. Miał piętnaście tysięcy stóp długości i trzysta szerokości — dosyć, by przyjąć najcięższe odrzutowce, które w takiej rozrzedzonej atmosferze wymagają dłuższej drogi startu i lądowania.

Jack wraz z zespołem medycznym oraz niewielki konwój pojazdów NASA i United Space Alliance czekali na przylot *Discovery* po zachodniej stronie lądowiska. Mieli nosze, tlen, defibrylatory, zestawy ACLS — wszystko, a nawet więcej niż można znaleźć w nowoczesnym ambulansie. Gdyby prom lądował w Ośrodku Kennedy'ego, obsługa naziemna liczyłaby ponad sto pięćdziesiąt osób. Tutaj, na tym pustynnym pasie, było ich nie więcej niż trzy tuziny, w tym osiem osób personelu medycznego. Kilku ludzi z obsługi miało na sobie hermetyczne kombinezony ochronne, które zabezpieczały ich przed wyciekiem paliwa. To oni pierwsi mieli wejść na pokład wahadłowca i przed wpuszczeniem tam lekarzy i pielęgniarek upewnić się szybko przy użyciu określających skład atmosfery sensorów, czy nie zachodzi niebezpieczeństwo wybuchu.

Dobiegający z oddali huk sprawił, że Jack opuścił lornetkę i spojrzał na wschód. Zbliżały się stamtąd helikoptery, tak liczne, że wyglądały jak złowrogi rój czarnych os.

— A to co takiego? — zapytał Bloomfeld, który również spostrzegł śmigłowce.

Wszyscy członkowie personelu naziemnego gapili się w niebo, mrucząc z niedowierzaniem.

— Może to wsparcie? — rzucił Jack.

Szef konwoju wysłuchał, co mieli mu do powiedzenia przez radio, i potrząsnął głową.

— Kontrola misji twierdzi, że te helikoptery nie mają z nimi nic wspólnego.

— Przestrzeń powietrzna powinna być wolna — stwierdził Bloomfeld.

— Próbujemy je wywołać, ale nie odpowiadają.

Huk silników był coraz potężniejszy. Jack czuł go teraz w kościach: głęboką i nieustanną wibrację w mostku. Śmigłowce naruszyły przestrzeń powietrzną zarezerwowaną dla wahadłowca. Za kilkanaście minut *Discovery* sfrunie z nieba i znajdzie je na swojej drodze. Słyszał, jak szef konwoju mówi coś podenerwowany do mikrofonu.

— Zajmują pozycje — powiedział Bloomfeld.

Jack podniósł do oczu lornetkę. Naliczył prawie tuzin śmigłowców. Rzeczywiście przestały się zbliżać i lądowały teraz niczym stado sępów na wschód od miejsca lądowania wahadłowca.

— Co to twoim zdaniem może znaczyć? — zapytał Bloomfeld.

Do końca ciszy radiowej pozostały dwie minuty. Do lądowania piętnaście.

Randy Carpenter po raz pierwszy pozwolił sobie na nieśmiały optymizm. Wiedział, że potrafi sprowadzić *Discovery* na dół. Jeśli nie dojdzie do jakiejś fatalnej awarii komputera, byli w stanie kierować promem z Ziemi. Najważniejsza była Jill Hewitt. Musiała pozostać przytomna, żeby wcisnąć w odpowiednim czasie dwa przyciski. Podczas ostatniego kontaktu radiowego przed dziesięcioma minutami wydawała się przytomna, choć bardzo cierpiała. Była dobrym pilotem, zahartowanym przez lata spędzone w lotnictwie marynarki wojennej. Nie wolno jej tylko było stracić przytomności.

— FLIGHT, mamy dobre wiadomości z NASCOM — oznajmił kontroler naziemny. — Centrum kontroli w Moskwie skontaktowało się z ISS na falach krótkich systemu *Reguł*.

Reguł był rosyjskim systemem radiowym zamontowanym na pokładzie stacji kosmicznej, całkowicie niezależnym od amerykańskiego. Funkcjonował w oparciu o rosyjskie stacje naziemne oraz ich satelitę *ŁUCZ*.

— Kontakt był krótki. Opuszczali właśnie pasmo nasłuchu satelity — dodał kontroler. — Wiemy jednak, że cała załoga żyje i ma się dobrze.

Carpenter poczuł, jak ogarnia go coraz większy optymizm. Jego pulchne palce zacisnęły się triumfalnie w pięść.

— Jakie ponieśli szkody?

— Został uszkodzony moduł NASDA. Musieli zamknąć Węzeł numer dwa i wszystko, co się za nim znajduje. Stracili również co najmniej dwie baterie słoneczne oraz kilka elementów kratownicy. Ale nikt nie jest ranny.

— FLIGHT, za chwilę skończy się cisza radiowa — oznajmił CAPCOM.

Carpenter natychmiast skupił całą uwagę na promie. Ucieszyły go wiadomości o ISS, ale był odpowiedzialny przede wszystkim za *Discovery*.

— *Discovery*, słyszysz mnie? — zapytał CAPCOM. — *Discovery?*

Mijały minuty. Mijało zbyt wiele minut. Carpenter znowu miał wrażenie, że tańczy na skraju przepaści.

— Drugi zwrot zakończony — oświadczył inżynier naprowadzający. — Wszystkie systemy działają prawidłowo.

Więc dlaczego Hewitt nie odpowiada?

— *Discovery?* — powtórzył CAPCOM, tym razem z większym naciskiem. — Słyszysz mnie?

— Wchodzi w trzeci zwrot — zakomunikował inżynier naprowadzający.

Straciliśmy ją, pomyślał Carpenter.

I wtedy właśnie usłyszeli jej głos. Słaby i drżący.

— Tu *Discovery*.

CAPCOM odetchnął z ulgą tak głośno, że wszyscy to usłyszeli.

— Witamy z powrotem, *Discovery*! Miło usłyszeć twój głos, Hewitt! Teraz musisz uruchomić system przyrządów pokładowych.

— Próbuję... próbuję znaleźć przyciski.

— System przyrządów pokładowych — powtórzył CAPCOM.

— Wiem, wiem! Ale nie widzę panelu!

Carpenterowi krew zastygła w żyłach. Dobry Boże, ona jest ślepa. I siedzi w fotelu dowódcy, nie swoim własnym.

— *Discovery*, musisz natychmiast uruchomić przyrządy! — powiedział CAPCOM. — Panel C trzy...

— Wiem, który to panel! — krzyknęła Jill.

Zapadła cisza. A potem usłyszeli, jak z jękiem wypuszcza z płuc powietrze.

— Przyrządy uruchomione — oznajmił inżynier systemów mechanicznych. — Udało jej się. Znalazła przycisk.

Carpenter znowu pozwolił sobie na oddech. I na cień nadziei.

— Czwarty zwrot — zakomunikował inżynier naprowadzający. — Wchodzimy w fazę TAEM.

— Jak sobie radzisz, *Discovery*? — zapytał CAPCOM.

Minuta i trzydzieści sekund do lądowania. Wahadłowiec leciał teraz z prędkością 600 mil na godzinę na pułapie 8000 stóp i szybko opadał. Piloci nazywali go „latającą cegłą" — ciężki, pozbawiony silników, szybował na wąskich, deltowatych skrzydłach. Nie było mowy o jeszcze jednej szansie, o poderwaniu maszyny w górę i ponownej próbie. Prom musiał wylądować, twardo lub miękko.

— *Discovery*? — powtórzył CAPCOM.

Jack widział, jak prom sunie po niebie, wlokąc za sobą wstążki dymu z bocznych dysz. Wykonując ostatni zwrot, by zrównać się z pasem lądowania, wyglądał jak jasna srebrna drzazga.

— Dalej, maleńka. Świetnie ci idzie! — wrzasnął Bloomfeld.

Jego entuzjazm podzielało ponad trzydziestu mechaników obsługi naziemnej. Każde lądowanie wahadłowca jest wielkim świętem, sukcesem, który głęboko porusza ludzi, obserwujących je z ziemi. Wszystkie oczy zwrócone były teraz w niebo, wszystkie serca biły przyspieszonym rytmem, wszyscy patrzyli na tę srebrną drzazgę, na ich maleństwo, szybujące w stronę lądowiska.

— Wspaniale! Boże, jaka ona piękna!

— Juhuu!

— Wyrównała idealnie! Tak trzymać!

Szef konwoju, komunikujący się przez słuchawki z Houston, nagle wyprostował się jak struna.

— Cholera jasna! — jęknął. — Nie ma opuszczonego podwozia!

Jack odwrócił się w jego stronę.

— Co takiego?

— Załoga nie opuściła podwozia!

Jack wlepił wzrok w zbliżający się prom. Leciał zaledwie sto stóp nad ziemią z szybkością trzystu mil na godzinę. Nie było widać kół.

W tłumie zapadła nagle martwa cisza. Świąteczny nastrój ustąpił miejsca niedowierzaniu i zgrozie.

Opuśćcie je! Opuśćcie podwozie! — chciał wrzasnąć Jack.

Prom znajdował się siedemdziesiąt pięć stóp nad pasem, szedł idealnym kursem. Dziesięć sekund do lądowania.

Tylko ktoś z załogi mógł opuścić podwozie. Żaden komputer nie mógł przesunąć dźwigni, nie mógł wykonać tego, co wymagało udziału ludzkiej ręki. Żaden komputer nie mógł ich uratować.

Pięćdziesiąt stóp. Prędkość nadal wynosiła dwieście mil na godzinę.

Jack nie chciał oglądać tego, co się zaraz wydarzy, lecz nadal stał jak zahipnotyzowany. Nie był w stanie odwrócić wzroku. Widział, jak pierwszy uderza o ziemię ogon, wzniecając deszcz iskier i wyrzucając w górę potrzaskane płytki termiczne. Usłyszał krzyki i jęki obsługi naziemnej, gdy dziób *Discovery* rąbnął o pas. Prom zaczął przechylać się na bok, zostawiając za sobą wir szczątków. Jedno ze skrzydeł oderwało się i przecięło powietrze niczym czarna kosa. Prom sunął dalej po ziemi z ogłuszającym zgrzytem.

Po chwili odłamało się i roztrzaskało na kawałki drugie skrzydło.

Discovery zsunął się z pasa na pustynię i w górę wzniosła się ogromna chmura pyłu, zasłaniając na moment widok. Jackowi puchły uszy od krzyków mechaników, sam nie był jednak w stanie wydobyć z siebie żadnego dźwięku ani się poruszyć; wstrząs sparaliżował go do tego stopnia, że miał wrażenie, iż opuścił własne ciało i unosi się niczym duch w jakimś koszmarnym wymiarze.

A potem chmura kurzu zaczęła opadać i zobaczył prom, który leżał niczym ranny ptak pośród straszliwego pejzażu potrzaskanych części.

Obsługa naziemna nagle obudziła się z letargu. Zagrały silniki, Jack i Bloomfeld skoczyli do ambulansu, który podskakując na wybojach pomknął ku miejscu katastrofy. Przez ryk silników konwoju Jack usłyszał inny dźwięk, świdrujący i złowieszczy.

Helikoptery również wystartowały.

Ambulans gwałtownie zahamował. Jack i Bloomfeld, obaj z zestawami pierwszej pomocy w rękach, wyskoczyli w chmurze pyłu na ziemię. Od *Discovery* dzieliło ich jeszcze sto jardów. Helikoptery zdążyły już wylądować, formując krąg wokół promu. Zagradzając drogę konwojowi.

Jack zaczął biec w stronę wahadłowca, gotów dać nurka pod wirującymi łopatami wirników. Zatrzymano go, zanim dotarł do pierwszego z helikopterów.

— Co się tutaj, do diabła, dzieje? — ryknął Bloomfeld, kiedy z helikopterów wysypali się uzbrojeni żołnierze w mundurach, formując kordon.

— Cofnąć się! Cofnąć się! — wrzasnął jeden z żołnierzy.

Szef konwoju przecisnął się do przodu.

— Moi ludzie muszą się dostać na pokład wahadłowca! — oznajmił.

— Wasi ludzie mają się cofnąć!

— Nie macie tutaj prawa przebywać! Tę operację prowadzi NASA!

— Wszyscy do tyłu, kurwa wasza mać!

Karabiny powędrowały nagle w górę, lufy skierowały się na nieuzbrojonych pracowników NASA. Ludzie zaczęli się cofać przed wycelowaną w nich bronią. Przed groźbą masowej rzezi.

Patrząc ponad głowami żołnierzy, Jack spostrzegł, że nad lukiem *Discovery* rozpinany jest błyskawicznie biały plastikowy namiot, izolujący go od atmosfery. Dwanaście zakapturzonych postaci ubranych w jaskrawopomarańczowe kombinezony wysiadło z dwóch helikopterów i zbliżyło się do wahadłowca.

— To biologiczne skafandry kosmiczne — poinformował go Bloomfeld.

Luk wahadłowca był teraz całkowicie skryty pod namiotem. Nie widzieli, jak go otwierają i jak do środka wchodzą postaci w kosmicznych kombinezonach.

Tam wewnątrz jest przecież nasza załoga, pomyślał Jack. Nasi ludzie, którzy być może właśnie w tej chwili konają. A my nie możemy się do nich dostać. Mamy lekarzy, pielęgniarki i całą ciężarówkę sprzętu medycznego, a oni nie pozwalają nam zrobić tego, co do nas należy.

Przecisnął się do czoła kordonu i stanął przed oficerem, który najwyraźniej dowodził całą operacją.

— Mój zespół medyczny wchodzi do środka — powiedział.

Oficer uśmiechnął się pogardliwie.

— Nie sądzę, proszę pana.

— Jesteśmy lekarzami zatrudnionymi przez NASA i do naszych obowiązków należy sprawowanie opieki medycznej nad tą załogą. Jeśli pan chce, może nas pan zastrzelić. Ale wtedy będzie pan musiał zabić również całą resztę, żeby pozbyć się świadków. I nie sądzę, żeby pan to zrobił.

Karabin uniósł się w górę, lufa znalazła się dokładnie na wysokości piersi Jacka. Chociaż zaschło mu w gardle, a serce uderzało wściekle o żebra, ominął oficera, pochylił głowę pod śmigłem helikoptera i szedł dalej w kierunku wahadłowca.

— Stój, bo strzelam! — usłyszał, ale nawet się nie obejrzał. Szedł z wzrokiem utkwionym w wydymającą się płachtę namiotu. Zobaczył, że mężczyźni w kombinezonach odwracają się i zaskoczeni mierzą go wzrokiem. Zobaczył, że wiatr porywa obłoczek pyłu, który wirując przecina mu drogę. Był już prawie przy namiocie, kiedy usłyszał krzyk Bloomfelda.

— Uważaj, Jack!

Kolba karabinu uderzyła go dokładnie w podstawę czaszki i padł na kolana, z eksplodującymi przed oczyma jasnymi gwiazdami bólu. Kolejny cios trafił go w bok. Padając na twarz, poczuł pod policzkiem gorący niczym popiół piasek pustyni. Obrócił się na plecy i zobaczył żołnierza, który pochylał się nad nim, podnosząc kolbę do następnego ciosu.

— Wystarczy — odezwał się dziwnie stłumiony głos. — Zostawcie go w spokoju.

Żołnierz cofnął się. W polu widzenia Jacka pojawił się jeden z mężczyzn w kombinezonach, który przyglądał mu się przez szklaną osłonę hełmu.

— Jak się pan nazywa? — zapytał.

— Doktor Jack McCallum.

Był w stanie wydobyć z siebie tylko ledwie słyszalny szept. Usiadł i nagle wszystko pociemniało i zatańczyło mu przed oczyma. Złapał się za głowę, starając się zachować przytomność, walcząc ze spowijającą go czernią.

— Na pokładzie tego wahadłowca są moi pacjenci — powiedział. — Żądam, żeby pozwolono mi ich zbadać.

— To niemożliwe.

— Oni potrzebują opieki medycznej...

— Oni nie żyją, doktorze McCallum. Wszyscy zginęli.

Jack zastygł w bezruchu. Powoli podniósł głowę i spojrzał w oczy mężczyźnie w kombinezonie. Nie dostrzegł w nich żadnych uczuć, nic, co świadczyłoby, że ten człowiek przejął się śmiercią czworga astronautów.

— Przykro mi z powodu pańskich ludzi — powiedział mężczyzna i odwrócił się, żeby odejść.

Jack z trudem się podniósł. Chociaż kręciło mu się w głowie, zdołał utrzymać się na nogach.

— A pan jak się, kurwa, nazywa? — zawołał.

Mężczyzna zatrzymał się i odwrócił.

— Jestem doktor Isaac Roman z USAMRIID — przedstawił się. — Ten prom jest teraz w strefie skażonej. Kontrolę nad nim przejmuje wojsko.

USAMRIID. Doktor Roman wymówił ten skrót jak jedno słowo, ale Jack wiedział, co oznaczały te litery. Medyczny Instytut Badawczy Chorób Zakaźnych Sił Zbrojnych Stanów Zjednoczonych. Dlaczego zjawiło się tu wojsko? W którym momencie misja wahadłowca stała się operacją militarną?

Mrugając oczami od fruwającego w powietrzu pyłu i nadal czując, jak łupie mu w głowie, próbował przyswoić sobie tę szokującą informację. Przed jego wzrokiem przesuwała się w zwolnionym tempie nierealna sekwencja obrazów. Idący w stronę promu ludzie w kosmicznych skafandrach. Żołnierz gapiący się na niego pozbawionymi wyrazu oczyma. Namiot izolacyjny, który wydymał się na wietrze niczym żyjący, oddychający organizm. Jack spojrzał na kordon żołnierzy wciąż trzymających na muszce ludzi z obsługi naziemnej, a potem zobaczył, że ludzie w skafandrach wynoszą z namiotu pierwsze nosze. Ciało było umieszczone w plastikowej torbie oznakowanej w wielu miejscach jasnoczerwonymi symbolami zagrożenia biologicznego; wyglądało to tak, jakby ktoś obsypał zwłoki kwiatami.

Widok noszy otrzeźwił go.

— Dokąd zabieracie ciała? — zapytał.

Doktor Roman, nie odwracając się nawet w jego stronę, skierował nosze do czekającego helikoptera. Jack ruszył w stronę wahadłowca i po raz kolejny na jego drodze stanął żołnierz z podniesioną do uderzenia kolbą.

— Hej! — krzyknął ktoś z obsługi naziemnej. — Jeśli uderzysz go jeszcze raz, będzie przeciwko tobie zeznawać trzydziestu świadków!

Żołnierz odwrócił się i zobaczył przed sobą kilkunastu rozwścieczonych pracowników NASA i United Space Alliance, którzy przepychali się do przodu, gniewnie pokrzykując.

— Wydaje się wam, że to nazistowskie Niemcy?

— Myślicie, że wolno wam bić cywili?

— Kim jesteście, do diabła?

Podenerwowani żołnierze zwarli szeregi, broniąc się przed napierającymi na nich, wrzeszczącymi ludźmi z obsługi naziemnej. Wzniecany przez wiele stóp pył wirował w powietrzu.

Nagle gruchnął strzał z karabinu. Tłum zastygł w bezruchu.

Dzieje się tu coś potwornego, pomyślał Jack. Coś, czego nie rozumiemy. Ci żołnierze mają rozkaz strzelać. Są gotowi zabić.

Szef konwoju najwyraźniej również zdał sobie z tego sprawę.

— Mam bezpośrednie połączenie z Houston — krzyknął drżącym głosem. — W tym momencie słucha nas sto osób w centrum kontroli lotu.

Żołnierze opuścili powoli broń i spojrzeli na swojego dowódcę. Długą ciszę przerywał tylko szum wiatru i szelest sypiącego się na kadłuby helikopterów piasku.

Doktor Roman podszedł do Jacka.

— Nie zdajecie sobie sprawy z sytuacji — oznajmił.

— Więc niech pan nam ją wyjaśni.

— Mamy do czynienia z poważnym zagrożeniem biologicznym. Rada Bezpieczeństwa Białego Domu skierowała tutaj Biologiczne Siły Szybkiego Reagowania... jednostkę powołaną na mocy uchwały Kongresu, doktorze McCallum. Wykonujemy rozkazy Białego Domu.

— Co to za zagrożenie biologiczne?

Doktor Roman zawahał się. Przez chwilę przyglądał się ludziom z obsługi naziemnej, stojącym zwartym tłumem naprzeciwko kordonu żołnierzy.

— Co to za organizm? — naciskał Jack.

Roman spojrzał na niego przez plastikową osłonę hełmu.

— Ta informacja jest tajna.

— Do zadań naszego zespołu należy opieka medyczna nad załogą tego promu. Dlaczego nic nam o tym nie powiedziano?

— NASA nie wie, z czym ma do czynienia.

— A jakim cudem wy to wiecie?

Jego pytanie pozostało bez odpowiedzi.

Z namiotu wyniesiono kolejne nosze. Czyje to były zwłoki? Przed oczyma Jacka stanęły twarze wszystkich czterech członków załogi. Żaden z nich już nie żył. Nie potrafił przyjąć do wiadomości tego faktu. Nie potrafił wyobrazić sobie tych tryskających życiem, zdrowych ludzi zredukowanych do kupki potrzaskanych kości i popękanych organów.

— Dokąd zabieracie ciała? — zapytał ponownie.

— Do specjalnego ośrodka, gdzie poddane zostaną sekcji.

— Kto będzie ją wykonywał?

— Ja.

— Jako lekarz tej misji powinienem być przy tym obecny.

— Dlaczego? Jest pan patologiem?

— Nie.

— W takim razie nie widzę, do czego mógłby się pan nam przydać.

— Ilu oglądał pan martwych pilotów? — odpalił Jack. — Ile badał pan katastrof lotniczych? Urazy lotnicze to dziedzina, w której się specjalizuję. Może pan mnie potrzebować.

— Nie sądzę — odparł Roman i odszedł.

Sztywny z wściekłości Jack wrócił do swoich ludzi.

— Wojsko przejmuje kontrolę nad tym miejscem — poinformował Bloomfelda. — Zabierają ciała.

— Z czyjego upoważnienia?

— Facet mówi, że wykonuje bezpośrednie rozkazy Białego Domu. Skierowali tutaj coś, co nazywa się Biologicznymi Siłami Szybkiego Reagowania.

— To jednostka antyterrorystyczna — mruknął Bloomfeld. — Słyszałem o nich. Powołali ich do walki z bioterroryzmem.

Patrzyli, jak helikopter z dwoma ciałami unosi się w powietrze. Co tu się, do diabła, dzieje, zastanawiał się Jack. Co oni przed nami ukrywają?

— Możesz mnie połączyć z Centrum Johnsona? — poprosił szefa konwoju.

— Z kim konkretnie?

Jack zastanawiał się przez chwilę, komu może zaufać. Kto znajduje się wystarczająco wysoko w hierarchii NASA, żeby podjąć walkę.

— Połącz mnie z Gordonem Obie — powiedział. — Z szefem Operacji Lotów Załogowych.

SEKCJA

Rozdział szesnasty

Gordon Obie wszedł do sali, w której odbywała się konferencja wideo, gotów walczyć do upadłego. Żaden z siedzących przy stole oficjeli nie zdawał sobie sprawy z tego, jak bardzo jest wściekły. Nic dziwnego, bo Obie prezentował jak zwykle pokerowe oblicze. Bez słowa siadł obok załzawionej szefowej działu public relations Gretchen Liu. Wszyscy wydawali się do głębi wstrząśnięci.

Przy stole siedzieli dyrektor administracyjny NASA, Leroy Cornell, dyrektor Centrum Johnsona, Ken Blankenship, oraz pół tuzina wyższych urzędników agencji. Wszyscy wpatrywali się ponuro w dwa telewizyjne ekrany. Na pierwszym widać było pułkownika Lawrence'a Harrisona z USAMRIID, mówiącego z bazy wojskowej w Fort Detrick w stanie Maryland. Na drugim poważnego ciemnowłosego mężczyznę w cywilnym ubraniu, który przedstawił się jako Jared Profitt z Rady Bezpieczeństwa Białego Domu. Profitt nie wyglądał na biurokratę. Ze swoimi smutnymi oczyma i pociągłą, ascetyczną twarzą przypominał trochę średniowiecznego mnicha, wbrew swej woli przeniesionego w świat garniturów i krawatów.

Głos miał Blankenship; jego wystąpienie skierowane było do pułkownika Harrisona.

— Pańscy żołnierze nie tylko uniemożliwili moim ludziom

wypełnienie ich obowiązków, ale trzymali ich na muszce. Jeden z moich lekarzy został napadnięty... przewrócony na ziemię i pobity kolbą karabinu. Mamy cztery tuziny świadków...

— Doktor McCallum przedarł się przez nasz kordon. Nie zatrzymał się, chociaż dostał taki rozkaz — odparł pułkownik Harrison. — Musieliśmy chronić strefę skażoną.

— Więc amerykańska armia gotowa jest teraz atakować, a nawet strzelać do cywili?

— Spróbujmy na to spojrzeć z punktu widzenia USAMRIID — powiedział Cornell, kładąc uspokajającym gestem dłoń na ramieniu Blankenshipa.

Typowe podejście dyplomaty, pomyślał z niesmakiem Gordon. Cornell mógł być rzecznikiem NASA w Białym Domu oraz ich asem atutowym, gdy chodziło o załatwianie pieniędzy w Kongresie, ale wiele osób w NASA nie miało do niego zaufania. Nie mogli ufać człowiekowi, który rozumował raczej w kategoriach polityka niż inżyniera.

— Ochrona strefy skażonej usprawiedliwia użycie siły — oznajmił Cornell. — Doktor McCallum przedarł się przez kordon bezpieczeństwa.

— Skutki mogły być katastrofalne — dodał Harrison. — Nasz wywiad donosi, że na pokład stacji kosmicznej podrzucono prawdopodobnie wirusa Marburg. Marburg jest krewniakiem Eboli.

— Jak mógł się tam dostać? — zaprotestował Blankenship. — Wszystkie protokoły eksperymentów są dokładnie sprawdzane. Każde zwierzę doświadczalne ma świadectwo zdrowia. Nie wysyłamy na orbitę niczego, co stworzyłoby zagrożenie biologiczne.

— Tak twierdzi wasza agencja. Jednak ładunki otrzymujecie od naukowców z całego kraju. Być może sprawdzacie protokoły, ale nie badacie każdej bakterii i tkanki dostarczanej przed startem. Żeby nie uśmiercić żywych organizmów, pojemniki ładuje się bezpośrednio na pokład promu. Nie możecie wykluczyć, że jeden z nich był skażony. Zamiast nieszkodliwej pożywki łatwo można umieścić tam niebezpieczny organizm w rodzaju wirusa Marburg.

— Chce pan powiedzieć, że mamy do czynienia z sabotażem wymierzonym w stację? — zapytał Blankenship. — Z aktem bioterroryzmu?

— Dokładnie to chcę powiedzieć. Pozwoli pan, że opiszę, co będzie się z panem działo, jeśli zakazi się pan tym wirusem. Najpierw zaczną pana boleć mięśnie i dostanie pan gorączki. Ból będzie tak dotkliwy, tak rozdzierający, że nie będzie pan mógł znieść dotyku innych osób. Prosty zastrzyk domięśniowy będzie dla pana torturą. Potem podbiegną panu krwią oczy. Zaczną się bóle brzucha i bezustanne torsje. Będzie pan wymiotował krwią. Z początku będzie czarna z powodu procesów trawiennych. Potem zmieni kolor na jasnoczerwony i zacznie wyciekać coraz prędzej, jakby tłoczyła ją pompa. Pańska wątroba spuchnie i popęka. Przestaną działać nerki. Organy wewnętrzne ulegną rozpadowi, zmienią się w cuchnącą czarną miazgę. A potem nagle wysiądzie panu ciśnienie krwi i umrze pan. — Harrison zawiesił głos. — Z tym właśnie mamy prawdopodobnie do czynienia, panowie.

— To jakieś brednie! — żachnął się Gordon Obie.

Wszyscy obecni przy stole spojrzeli na niego zaskoczeni. Sfinks przemówił. Kiedy nader rzadko zdarzało się, że Obie zabierał głos w trakcie posiedzenia, podawał zwykle monotonnym głosem cyfry i dane. Nigdy nie ujawniał swoich emocji. Jego wybuch poruszył wszystkich.

— Czy mogę wiedzieć, kto to powiedział? — zapytał pułkownik Harrison.

— Nazywam się Gordon Obie, jestem dyrektorem Operacji Lotów Załogowych.

— Aha. Herszt astronautów.

— Może mnie pan tak nazywać.

— Dlaczego pana zdaniem to brednie?

— Nie wierzę, że to wirus Marburg. Nie wiem, co to jest, ale wiem, że nie mówi nam pan prawdy.

Twarz pułkownika Harrisona zastygła w sztywną maskę. Nie odpowiedział.

Zamiast niego przemówił Jared Profitt. Jego głos brzmiał dokładnie tak, jak się tego spodziewał Gordon: cienko i piskliwie. W przeciwieństwie do aroganckiego Harrisona był człowiekiem, który wolał odwołać się do racji intelektualnych.

— Rozumiem pańską frustrację, panie Obie — powiedział. — Jest wiele rzeczy, których nie możemy wam powiedzieć ze względów bezpieczeństwa. Ale wirus Marburg nie jest czymś, co można lekceważyć.

— Skoro już wiecie, że to Marburg, dlaczego nie dopuszczacie naszych lekarzy do sekcji? Boicie się, że poznamy prawdę?

— Może omówimy tę kwestię w wewnętrznym gronie, Gordon — mruknął półgłosem Cornell.

Obie zignorował go.

— O jakiej chorobie tak naprawdę mówimy? — zapytał, patrząc prosto w ekran. — O jakimś zakażeniu? Toksynie? A może o czymś, co dostarczyło na pokład promu wojsko?

Przez chwilę nikt się nie odzywał.

— Znowu daje o sobie znać ta wasza stara paranoja! — wybuchnął Harrison. — Za każdym razem, kiedy coś pójdzie nie tak, zwalacie winę na wojsko!

— Dlaczego nie pozwalacie naszemu lekarzowi uczestniczyć w sekcji?

— Czy mówimy o doktorze McCallum? — zapytał Profitt.

— Owszem. Doktor McCallum jest specjalistą w zakresie patologii i urazów lotniczych. Fakt, że nie pozwalacie mu uczestniczyć w sekcji, sprawia, że zaczynam się zastanawiać, co chcecie ukryć przed NASA.

Pułkownik Harrison zerknął na bok, jakby konsultował się z kimś obecnym w pokoju. Kiedy ponownie spojrzał w oko kamery, miał czerwoną ze złości twarz.

— To absurd! To przecież wy doprowadziliście do katastrofy wahadłowca! Przez was nie udało się lądowanie, przez was zginęła załoga *Discovery*. I teraz chcecie zwalić winę na armię Stanów Zjednoczonych?

— Cały korpus astronautów jest w tej sprawie zgodny — odparował Gordon. — Chcemy wiedzieć, co się stało z naszymi kolegami. Nalegamy, żebyście pozwolili naszemu lekarzowi wziąć udział w sekcji.

Leroy Cornell ponownie próbował się wtrącić.

— Nie możesz wysuwać tak nierozsądnych żądań, Gordon — mruknął. — Oni wiedzą, co robią.

— Ja też wiem, co robię.

— Wolałbym, żebyś sobie odpuścił.

Gordon spojrzał Cornellowi prosto w oczy. Cornell był ich reprezentantem w Białym Domu, ich głosem w Kongresie. Walka z nim oznaczała położenie głowy pod topór.

Mimo to nie zawahał się.

— Mówię w imieniu astronautów — oświadczył. — Moich ludzi. — Odwrócił się w stronę ekranu i utkwił wzrok w kamiennej twarzy pułkownika Harrisona. — I niech pan ma świadomość, że nie zawahamy się poinformować o naszych kłopotach prasy. Z pewnością nie przyjdzie nam to łatwo... mam na myśli ujawnienie poufnych spraw NASA. Astronauci zawsze byli znani z dyskrecji. Ale jeśli zostaniemy zmuszeni, będziemy domagać się publicznego dochodzenia.

— Co ty, do diabła, wyprawiasz, Gordon? — szepnęła przerażona Gretchen Liu.

— To, co muszę.

Milczenie przy stole trwało całą minutę.

— Jestem po stronie astronautów — oznajmił nagle ku zaskoczeniu wszystkich Ken Blankenship.

— Ja też — odezwał się ktoś inny.

— Ja też...

— I ja...

Gordon omiótł wzrokiem kolegów. W większości byli inżynierami i kierownikami operacyjnymi; ich nazwiska rzadko pojawiały się w prasie. Niejednokrotnie ścierali się z astronautami, których uważali za zarozumiałych „asów przestworzy". Na astronautów spływała cała chwała, lecz ci ludzie, wykonujący w cieniu prozaiczne, niewdzięczne zadania, byli sercem i duszą NASA. Teraz stanęli jak jeden mąż za Gordonem.

Leroy Cornell miał niewyraźną minę: znalazł się w sytuacji przywódcy, którego opuściły własne oddziały. Był dumnym człowiekiem, a to, co się stało, upokorzyło go. Odchrząknął i powoli wyprostował ramiona.

— Nie mam wyboru: również muszę poprzeć naszych astronautów — oznajmił, zwracając się do pułkownika Harrisona. — Żądam, żeby jeden z naszych lekarzy mógł obserwować sekcję zwłok.

Pułkownik Harrison nie odpowiedział. To Jared Profitt podjął w końcu ostateczną decyzję. Najwyraźniej miał tutaj najwięcej do powiedzenia. Odwrócił się, by zamienić kilka słów z kimś, kogo nie było widać na ekranie, a potem odwrócił się do kamery i kiwnął głową.

Oba ekrany zgasły. Konferencja wideo dobiegła końca.

— Cóż, zagrałeś na nosie armii Stanów Zjednoczonych — stwierdziła Gretchen. — Widziałeś, jaki wkurzony był Harrison?

Bynajmniej, pomyślał Gordon, przypominając sobie minę pułkownika na chwilę przedtem, nim wyłączono kamerę. Na jego twarzy nie widział gniewu, lecz strach.

Wbrew temu, co sądził Jack, ciał nie przewieziono do kwatery głównej USAMRIID w Fort Detrick w stanie Maryland. Zostały przetransportowane zaledwie sześćdziesiąt mil od lądowiska w White Sands do pozbawionego okien betonowego bloku, podobnego do tuzinów innych anonimowych rządowych budynków, które wyrosły w tej suchej pustynnej dolinie. Od pozostałych budynków różniło go tylko jedno: liczne wentylacyjne rury wznoszące się nad dachem. Nad ogrodzeniem jeżył się drut kolczasty. Kiedy mijali wartownię, Jack usłyszał buczenie przewodów pod wysokim napięciem.

Eskortowany z obu stron przez uzbrojonych strażników, zbliżył się do frontowego wejścia — frontowego i, jak sobie uświadomił, jedynego. Na drzwiach widniał jaskrawoczerwony kwiat — znajomy symbol biozagrożenia. Zastanawiał się, co robi tu ten budynek pośrodku pustkowia. A potem omiótł wzrokiem bezludny horyzont i sam sobie odpowiedział. Budynek postawiono w tym miejscu właśnie dlatego, że wokół było pustkowie.

Weszli do środka i ruszyli ponurymi korytarzami w głąb gmachu. Jack widział mężczyzn i kobiety w wojskowych mun-

212

durach i laboratoryjnych fartuchach. W sztucznym oświetleniu ich twarze miały sinawy, niezdrowy odcień.

Strażnicy zatrzymali się przed drzwiami z napisem „Szatnia męska".

— Niech pan tu wejdzie i postępuje dokładnie zgodnie z pisemnymi instrukcjami — powiedziano mu. — Potem niech pan wyjdzie drzwiami z drugiej strony. Czekają tam już na pana.

Jack wszedł do szatni. Wewnątrz były szafki, kosz z zielonymi chirurgicznymi fartuchami i spodniami, szafka z papierowymi czepkami, zlew oraz lustro. Pierwszy punkt wiszącej na ścianie instrukcji brzmiał: „Zdejmij całe ubranie, łącznie z bielizną".

Rozebrał się do naga, schował ubranie do pozbawionej zamka szafki i założył fartuch oraz spodnie. Następnie przeszedł przez kolejne drzwi, również oznaczone symbolem biozagrożenia, do pokoiku, w którym paliły się ultrafioletowe lampy. Przez chwilę stał w miejscu, zastanawiając się, co ma robić dalej.

— Za panem jest szafka ze skarpetkami — odezwał się głos w interkomie. — Niech pan je założy i wyjdzie przez drzwi.

Wykonał polecenie.

W następnym pomieszczeniu czekała na niego kobieta w chirurgicznym fartuchu. Szorstkim, niesympatycznym tonem kazała mu założyć sterylne rękawiczki. Potem gniewnym szarpnięciem oderwała kawałki taśmy z rolki i oblepiła nimi jego rękawy i mankiety spodni. Wojsko może i zgodziło się na wizytę Jacka McCalluma, ale z pewnością nie chciało, by ją mile wspominał. Kobieta założyła mu na głowę słuchawki, a potem wręczyła podobne do pływackiego czepka nakrycie głowy, które miało je przytrzymywać.

— Teraz kombinezon — warknęła.

Znowu miał przywdziać kosmiczny kombinezon. Ten akurat był niebieski, z dołączonymi rękawicami. Kiedy asystentka zakładała mu na głowę hełm, Jack poczuł nagłe ukłucie niepokoju. W swojej wrogości mogła dopuścić się sabotażu, sprawić, że nie będzie całkowicie zabezpieczony przed skażeniem.

Kobieta zamknęła pierścień uszczelniający na jego piersi, podłączyła wystający ze ściany przewód i Jack poczuł, jak do środka kombinezonu wpływa powietrze. Za późno było się teraz martwić, że coś zaniedbała. Był gotów do wejścia do strefy skażonej.

Kobieta odczepiła wąż, po czym wskazała mu następne drzwi. Kiedy wszedł do śluzy powietrznej, zatrzasnęły się za nim drzwi. Po drugiej stronie czekał na niego człowiek w takim samym kosmicznym skafandrze. Bez słowa pokazał Jackowi, żeby przeszedł razem z nim przez kolejne drzwi. Po chwili dotarli korytarzem do sali, w której miała odbyć się sekcja.

Na stole z nierdzewnej stali leżało ciało, wciąż zapakowane w hermetyczny worek. Po jego obu stronach stali dwaj mężczyźni w kosmicznych skafandrach. Jednym z nich był doktor Roman, który odwrócił się w stronę Jacka.

— Niech pan niczego nie dotyka — powiedział. — I nie wtrąca się. Jest pan tutaj wyłącznie w charakterze obserwatora, doktorze McCallum, więc niech pan nam, do diabła, nie wchodzi w drogę.

Miłe powitanie.

Mężczyzna, który wprowadził Jacka na salę, podłączył do jego kombinezonu przewód i w hełmie ponownie zaszumiało powietrze. Gdyby nie słuchawki, nie słyszałby ani słowa z tego, co mówią pozostali trzej mężczyźni.

Doktor Roman i jego dwaj asystenci otworzyli worek.

Jack wstrzymał oddech i poczuł, jak coś ściska go za gardło. W środku były zwłoki Jill Hewitt. Zdjęto jej hełm, wciąż jednak miała na sobie pomarańczowy kombinezon z wyszytym nazwiskiem. Nawet i bez tego poznałby ją po jedwabiście kasztanowatych włosach, ostrzyżonych na pazia i poprzetykanych pierwszymi nitkami siwizny. Jej twarz była nietknięta, powieki na pół otwarte. Obie twardówki miały jaskrawoczerwony kolor.

Roman i jego koledzy rozpięli kombinezon i rozebrali ciało. Tkanina była ognioodporna, zbyt twarda, by można było ją przeciąć, musieli ją ściągnąć. Pracowali bardzo sprawnie, ich komentarze były rzeczowe, pozbawione emocji. Kiedy zdjęli z Jill ubranie, wyglądała jak połamana lalka. Obie ręce były zdeformowane, zredukowane do masy zmiażdżonych kości. Nogi również miała połamane i poprzekrzywiane, golenie były skręcone pod nienaturalnym kątem. Dwa złamane żebra przebiły

214

klatkę piersiową; długie czarne sińce znaczyły miejsca, w których była zapięta pasami.

Jack poczuł, że coraz szybciej oddycha. Musiał się uspokoić. Brał udział w sekcjach zwłok, które były w znacznie gorszym stanie. Widział lotników, których kończyny przypominały zwęglone gałęzie, czaszki, które wybuchły od ciśnienia gotujących się w nich mózgów. Widział zwłoki człowieka, któremu twarz poszatkowało obracające się śmigło helikoptera. Widział kręgosłup pilota, który złamał się w pół i złożył do tyłu podczas katapultowania się przy zablokowanej pokrywie kokpitu.

Ta sekcja była jednak o wiele gorsza, bo znał ofiarę. Pamiętał ją jako żywą, energiczną kobietę. Odczuwał nie tylko żal, ale i złość, ponieważ ci trzej mężczyźni badali obnażone ciało Jill z taką chłodną obojętnością. Była dla nich tylko leżącym na stole kawałem mięsa, niczym więcej. Ignorowali jej obrażenia i połamane kończyny. Bezpośrednia przyczyna śmierci nie była dla nich ważna. Bardziej interesował ich mikrobiologiczny autostopowicz, który podróżował w jej ciele.

Roman rozpoczął nacięcie w kształcie litery Y. W jednej ręce zaciskał skalpel, druga tkwiła bezpiecznie schowana w drucianej rękawicy. Dwa ukośne nacięcia, pierwsze od prawego, drugie od lewego ramienia, spotkały się przy wyrostku mieczykowatym. Dalej linia biegła przez brzuch i omijając pępek kończyła się przy kości łonowej. Roman i jego asystenci przecięli żebra i wyjęli mostek. Kostna tarcza została podniesiona, odsłaniając wnętrze klatki piersiowej.

Przyczyna śmierci była oczywista.

Kiedy rozbija się samolot, samochód wpada na mur albo porzucony kochanek skacze w dół z dziesięciopiętrowego budynku, za każdym razem działają te same siły ujemnego przyspieszenia. Ludzkie ciało, poruszające się z wielką szybkością, nagle zostaje zatrzymane. Sama siła uderzenia może połamać żebra, których ostre końce uszkadzają organy wewnętrzne. Siła ta może połamać kręgi, spowodować przerwanie rdzenia kręgowego, rozbić czaszkę o tablicę rozdzielczą albo panel przyrządów. Siła ujemnego przyspieszenia może zabić pilota, nawet kiedy jest w hełmie i przytrzymują go pasy, nawet kiedy żadna część jego ciała nie zetknie się z samolotem. Jego tors może być unieruchomiony, ale organy wewnętrzne nie są. Serce, płuca i duże naczynia zamocowane są w klatce piersiowej na przyczepach tkanki łącznej. Kiedy tors zostaje nagle zatrzymany, serce przesuwa się dalej niczym wahadło, poruszając się z siłą, która rozdziera tkanki i urywa aortę. Krew zalewa śródpiersie i jamę opłucnej.

Klatka piersiowa Jill Hewitt była jeziorem krwi.

Roman odessał ją i przyjrzał się sercu i płucom.

— Nie widzę, skąd się wykrwawiła — mruknął.

— Może usuniemy płuca i serce w jednym bloku? — zasugerował jego asystent. — Będziemy mieli lepszy widok.

— Prawdopodobnie pękła aorta wstępująca — powiedział Jack. — W sześćdziesięciu pięciu procentach wypadków pęknięcie ma miejsce tuż powyżej zastawki aortalnej.

Roman rzucił mu zniecierpliwione spojrzenie. Aż do tej chwili udawało mu się ignorować Jacka; teraz jednak jego komentarz wyraźnie go rozzłościł. Bez słowa ustawił skalpel, żeby przeciąć duże naczynia.

— Doradzam uprzednie zbadanie serca *in situ* — odezwał się Jack. — Zanim pan zacznie ciąć.

— Nie jest dla mnie najważniejsze, jak i skąd się wykrwawiła — odparł Roman.

Naprawdę mało ich obchodzi, co ją zabiło, pomyślał Jack. Przede wszystkim chcą wiedzieć, jaki organizm rozwija się i rozmnaża w jej wnętrzu.

Roman przeciął tchawicę, przełyk i duże naczynia, a potem usunął w jednym bloku serce i płuca. Płuca były pokryte krwawymi wybroczynami. Jack nie wiedział, czy powstały one w wyniku urazu, czy infekcji. Roman zbadał organy brzuszne. Śluzówka jelita cienkiego podobnie jak płuca pokryta była wybroczynami. Usunął je i umieścił błyszczące sploty w misce. Potem wyciął żołądek, trzustkę oraz wątrobę. Wszystkie organy miały zostać zbadane pod mikroskopem. Musieli także wykonać posiewy tkanek na obecność bakterii i wirusów.

Ciało zostało pozbawione prawie wszystkich organów wewnętrznych. Jill Hewitt, pilotka marynarki wojennej, triatlonistka, która lubiła whisky J&B, ryzykowną grę w pokera oraz filmy z Jimem Carreyem, zmieniła się teraz w pustą łupinę.

Roman wyprostował się i na jego twarzy ukazało się coś w rodzaju ulgi. Sekcja nie wykazała na razie niczego zaskakującego. Jeśli coś świadczyło o obecności wirusa Marburg, umknęło to uwagi Jacka.

Roman okrążył ciało, podchodząc do głowy.

Tej części sekcji Jack najbardziej się obawiał. Zmobilizował całą siłę woli, żeby nie odwrócić wzroku od Romana, który naciął skórę czaszki, prowadząc ostrze przez ciemię, od ucha do ucha, a potem odwinął skalp do przodu, zarzucając go na twarz Hewitt. Kasztanowate włosy opadły na podbródek. Asystenci rozłupali czaszkę rożerem i podważyli jej górną część. W strefie czwartej nie wolno było używać piły. W powietrzu nie mógł fruwać kostny pył.

Z wnętrza czaszki wypadł krwawy skrzep wielkości pięści, rozpryskując się na nierdzewnej płycie stołu.

— Duży krwiak podtwardówkowy — stwierdził jeden z asystentów. — Pourazowy?

— Nie sądzę — odparł Roman. — Widziałeś aortę: śmierć nastąpiła prawie natychmiast. Serce nie pompowało krwi wystarczająco długo, by mogło dojść do tak rozległego krwawienia wewnątrzczaszkowego.

Delikatnie wsunął palce w rękawiczce do jamy czaszki, badając powierzchnię kory mózgowej. Z czaszki wyśliznęła się nagle galaretowata substancja.

Zaskoczony Roman cofnął się.

— Co to jest, do diabła? — mruknął asystent.

Roman nie odpowiedział. Gapił się po prostu na bryłę tkanki, pokrytą niebieskozieloną membraną. Okryta połyskującą błonką masa wydawała się nieregularna i bezkształtna. W pierwszej chwili miał zamiar ją naciąć, ale potem uniósł rękę i spojrzał na Jacka.

— To jakiś rodzaj guza — powiedział. — Albo torbieli. To wyjaśniałoby bóle głowy, na które się skarżyła.

— Raczej nie — zaprotestował Jack. — Bóle głowy pojawiły się nagle, w ciągu paru godzin. Guz potrzebuje kilku miesięcy, żeby się rozwinąć.

217

— Skąd pan wie, że nie ukrywała objawów od kilku miesięcy? — odparł Roman. — Że nie trzymała ich w tajemnicy, żeby nie skreślono jej z listy startowej?

Jack musiał przyznać, że istniała taka możliwość. Astronautom tak bardzo zależało na przydziale, że mogli zataić objawy, które wykluczyłyby ich z misji.

Roman spojrzał na stojącego po drugiej stronie stołu asystenta. Ten skinął głową, wsunął substancję do pojemnika i wyszedł z nią z sali.

— Nie ma pan zamiaru jej pokroić?

— Musi zostać najpierw utrwalona i zabarwiona. Gdybym zaczął ją teraz ciąć, mógłbym uszkodzić architekturę komórkową.

— Nie wie pan, czy to guz.

— A co innego mogłoby to być?

Jack nie wiedział. Nigdy dotąd nie widział czegoś takiego.

Roman badał w dalszym ciągu jamę czaszki Jill Hewitt. Nie ulegało kwestii, że galaretowata substancja, czymkolwiek była, zwiększyła ciśnienie wywierane na mózg, deformując jego struktury. Jak długo tam się znajdowała? Miesiące? Lata? Jak to możliwe, że Jill mogła w ogóle normalnie funkcjonować, nie mówiąc już o pilotowaniu tak skomplikowanego pojazdu jak prom kosmiczny? — zastanawiał się Jack, obserwując Romana, który usunął mózg i umieścił go w stalowym basenie.

— Była bliska wgłobienia do namiotu mózgu — oznajmił patolog.

Nic dziwnego, że oślepła. Nic dziwnego, że nie opuściła podwozia promu. Już wcześniej straciła przytomność. Jej mózg wyciskany był z podstawy czaszki niczym z tubki pasty do zębów.

Ciało Jill — a raczej to, co z niego pozostało — umieszczone zostało w nowym worku i wywiezione z sali, wraz z hermetycznymi pojemnikami zawierającymi jej organy.

Po chwili dostarczono drugie zwłoki. Należały do Andy'ego Mercera.

Sięgnąwszy po czysty skalpel i świeże rękawiczki, które nałożył na rękawice skafandra, Roman znowu dokonał nacięcia

218

w kształcie litery Y. Pracował szybciej, jakby sekcja Jill była tylko rozgrzewką, a teraz chciał zwiększyć tempo.

Mercer cierpiał na bóle brzucha i wymioty, przypomniał sobie Jack, patrząc, jak skalpel patologa przecina skórę i podskórną warstwę tłuszczu. Nie skarżył się na bóle głowy jak Jill, ale miał gorączkę i kasłał krwią. Czy w jego płucach odkryją ślady działania wirusa Marburg?

Dwa ukośne nacięcia ponownie spotkały się poniżej wyrostka mieczykowatego. Następnie Roman rozkroił płytko brzuch aż do kości łonowej i ponownie przeciął żebra, uwalniając zakrywającą serce trójkątną osłonę.

Podniósł mostek i nagle zatoczył się do tyłu, puszczając skalpel, który uderzył z brzękiem o stół. Jego asystent zastygł w bezruchu, z wyrazem zdumienia na twarzy.

W klatce piersiowej Mercera zobaczyli skupisko niebiesko-zielonych torbieli, identycznych jak te w czaszce Jill Hewitt. Skupione wokół jego serca, przypominały małe, przezroczyste jajeczka.

Roman stał jak sparaliżowany, wpatrując się w otwarty tors. A potem przeniósł wzrok na lśniącą otrzewną, która, rozdęta i wypełniona krwią, wysunęła się na zewnątrz przez nacięcie na brzuchu.

Nie spuszczając z oczu wystającego fragmentu otrzewnej, podszedł z powrotem do ciała. Nacinając brzuch, musiał musnąć skalpelem błonę, bo z małej rysy sączyła się zabarwiona krwią ciecz. Z początku tylko kilka kropel. A potem na ich oczach pojedyncze krople zmieniły się w strugę. Błona pękła na całej szerokości i krew trysnęła na zewnątrz, porywając ze sobą śliskie niebieskozielone jajeczka.

Roman krzyknął głośno z przerażenia, kiedy bryzgi krwi i śluzu zalały podłogę.

Kilka jajeczek rozprysło się na betonie i zachlapało gumowy but Jacka. Kiedy schylił się, żeby dotknąć ich dłonią w rękawicce, jeden z asystentów odepchnął go od stołu.

— Zabierzcie go stąd! — rozkazał Roman. — Natychmiast zabierzcie go z tej sali!

Dwaj mężczyźni zaczęli ciągnąć Jacka w stronę drzwi. Stawiając opór, odtrącił rękę, która złapała go za ramię. Mężczyzna zatoczył się do tyłu, potknął o wózek z narzędziami chirurgicznymi i rozłożył się jak długi na śliskiej od krwi i cyst podłodze.

Drugi asystent odłączył od ściany wąż Jacka i podniósł w górę zgiętą końcówkę.

— Radzę, żeby pan z nami wyszedł, doktorze McCallum — powiedział. — Dopóki ma pan jeszcze powietrze, które nadaje się do oddychania.

— Mój kombinezon! Jezu, rozdarł się! — zawołał asystent, który potknął się o wózek z narzędziami.

Siedząc na podłodze, wpatrywał się w długie na dwa cale rozdarcie na rękawie — na rękawie, zalanym płynem ustrojowym Mercera.

— Jest mokry. Czuję to. Wewnętrzny rękaw jest mokry.

— Wyjdź! — warknął Roman. — Natychmiast do odkażania!

Asystent odłączył swój kombinezon i spanikowany wybiegł z sali. Jack ruszył za nim do śluzy powietrznej, a potem obaj stanęli pod odkażającymi prysznicami. Z zawieszonych nad głowami dysz trysnęła woda, smagając ich po ramionach niczym silna ulewa. Po kilku chwilach zastąpił ją środek dezynfekujący; strugi zielonego płynu rozpryskiwały się głośno o plastikowe hełmy.

Kiedy odkażanie się skończyło, przeszli do sąsiedniego pomieszczenia i ściągnęli kombinezony. Asystent natychmiast zdjął mokry fartuch i wsadził rękę pod strumień bieżącej wody, żeby zmyć wszelkie pozostałości płynów ustrojowych, które przesączyły się przez rękaw.

— Ma pan jakieś uszkodzenia skóry? Skaleczenia, ropień paznokcia? — zapytał go Jack.

— Wczoraj wieczorem podrapał mnie kot mojej córki.

Jack zerknął na jego rękę i zobaczył ślady pazurów, trzy podłużne strupy po wewnętrznej stronie ramienia. Spojrzał w oczy mężczyzny i zobaczył w nich strach.

— Co teraz będzie? — zapytał.

— Kwarantanna. Zamkną mnie. Cholera...

— Wiemy już przynajmniej, że to nie Marburg.

Mężczyzna wypuścił z ust powietrze.

— Nie. To nie Marburg — potwierdził.

— W takim razie co to jest? Niech pan mi powie, z czym mamy do czynienia?

Asystent złapał rękoma za brzegi umywalki i spojrzał na wodę umykającą przez otwór odpływowy.

— Nie wiemy — odparł cicho.

Rozdział siedemnasty

Sullivan Obie pędził swoim harleyem po Marsie.

O północy, przy pełni księżyca, który oświetlał ciągnącą się przed nim, porytą kraterami pustynię, mógł sobie wyobrażać, że to marsjański wiatr targa mu włosy, a opony miażdżą czerwony marsjański pył. To była stara fantazja z dzieciństwa, z czasów, gdy nad wiek rozwinięci bracia Obie odpalali własnej produkcji rakiety, budowali statki kosmiczne z tektury i zakładali skafandry z marszczonej folii. Z czasów, kiedy Gordie i on wiedzieli, po prostu wiedzieli, że ich przyszłość będzie związana z kosmosem.

Tak kończą się wielkie marzenia, pomyślał oszołomiony tequilą, dodając gazu i podnosząc w górę przednie koło. I tak nigdy nie poleci na Marsa, podobnie zresztą jak na Księżyc. Prawdopodobnie nie oderwie się nawet od Ziemi, lecz w ciągu ułamka sekundy wyparuje w tej przeklętej rakiecie. Szybka, spektakularna śmierć. Co tam, do diabła; lepsze to niż umrzeć na raka w wieku siedemdziesięciu pięciu lat.

Zatrzymał się, wzniecając chmurę kurzu spod kół i spojrzał przez skąpane w blasku księżyca, pomarszczone piaski pustyni na *Apogee II*. Rakieta lśniła niczym srebrna, wycelowana w gwiazdy drzazga. Wczoraj przewieźli ją na wyrzutnię. Dwunastu pracowników Apogee jechało powoli i uroczyście za ciężarówką, trąbiąc i waląc w dachy samochodów. Kiedy w końcu ustawili rakietę w pionie i mrużąc oczy przyjrzeli się jej w promieniach słońca, zapadła nagła cisza. Wszyscy wiedzieli, że to ich ostatnia szansa. Za trzy tygodnie *Apogee II* poniesie w kosmos wszystkie ich nadzieje i marzenia.

Oraz moje żałosne ścierwo, pomyślał Sullivan.

Uświadomił sobie, że być może patrzy teraz na swoją własną trumnę, i przeszedł go zimny dreszcz.

Dodał gazu i z rykiem zawrócił w stronę drogi, przeskakując z jednego wierzchołka wydmy na drugi. Krążąca w żyłach tequila sprawiła, że szarżował bez opamiętania, z nagłą i niezachwianą pewnością, że nie przeżyje startu. Że za trzy tygodnie poleci tą rakietą prosto w objęcia śmierci. Do tego czasu nic nie mogło go dotknąć ani zranić.

Widmo śmierci uczyniło go niezwyciężonym.

Przyśpieszył, frunąc przez księżycowy krajobraz swych chłopięcych marzeń. Oto pędzę księżycowym łazikiem przez Morze Spokoju, pomyślał. Zdobywam z rykiem księżycowe wzgórza. Odbijam się i miękko ląduję...

Poczuł, że ziemia ucieka mu spod kół i że leci przez czarną noc. Harley warczał między jego kolanami, księżyc świecił mu prosto w oczy. Wciąż leciał. Jak daleko? Jak wysoko?

Uderzył o ziemię z taką siłą, że kierownica wyślizgnęła mu się z rąk i runął na bok. Harley zwalił mu się prawie na głowę. Przez moment leżał oszołomiony, uwięziony między motorem i płaską skałą.

Kurewsko głupio znaleźć się w takiej pozycji, pomyślał.

I wtedy dopiero uderzyła go fala bólu. Przeszywająca i tak głęboka, jakby jego biodra porąbano w drzazgi.

Krzyknął i obrócił się na plecy. Twarz miał zwróconą ku niebu, ku księżycowi, który przypatrywał mu się szyderczo z góry.

— Ma złamaną w trzech miejscach miednicę — oznajmiła Bridget. — Lekarze poskładali ją dziś w nocy. Powiedzieli mi, że będzie przykuty do łóżka co najmniej przez sześć tygodni.

Casper Mulholland słyszał niemal, jak jego marzenia pękają niczym przekłute balony.

— Sześć... tygodni?

— Tak. A rehabilitacja potrwa od trzech do czterech miesięcy.

— Cztery miesiące?

— Na litość Boską, Casper. Powiedz coś oryginalnego.

— No to leżymy.

Uderzył się ręką w czoło, jakby chciał ukarać siebie za to, że miał czelność śnić o sukcesie. Znowu dała o sobie znać stara klątwa, która zawisła nad Apogee. Najpierw był wybuch rakiety. Potem pożar pierwszego biura. A teraz nawalił jedyny pilot.

Nic nigdy nam nie wychodziło, myślał, przemierzając nerwowym krokiem poczekalnię. Poświęciliśmy nasze wspólne oszczędności, reputację i trzynaście lat życia. Sam Bóg mówi nam chyba, że czas się poddać. Dać za wygraną, zanim przytrafi się coś naprawdę złego.

— Był w sztok pijany — dodała Bridget.

Casper stanął jak wryty, po czym odwrócił się i zmierzył ją wzrokiem. Stała ze skrzyżowanymi groźnie rękoma. Jej rude włosy wyglądały jak płonąca aureola anioła zemsty.

— Lekarze powiedzieli — ciągnęła — że miał jeden i dziewięć dziesiątych promila alkoholu we krwi. Był nawalony jak stodoła. To nie jest nasz stary niefart. To nasz kochany Sully, który znowu wszystko spieprzył. Pociesza mnie tylko to, że przez sześć następnych tygodni będzie miał wielki cewnik wetknięty w kutasa.

Casper bez słowa wymaszerował z poczekalni dla gości i wkroczył do pokoju Sullivana.

— Ty kretynie — wycedził.

Sully popatrzył na niego błyszczącymi od morfiny oczami.

— Dzięki za wyrazy współczucia.

— Nie zasługujesz na współczucie. Trzy tygodnie do startu, a ty zabawiasz się na pustyni w jakiegoś pierdolonego kaskadera? Wydaje ci się, że jesteś Chuckiem Yeagerem? * Dlaczego

---

* Chuck Yeager, amerykański oblatywacz, pierwszy pokonał barierę dźwięku.

nie załatwiłeś sprawy do końca? Trzeba było sobie od razu rozwalić łeb! Do diabła, nawet nie zauważyłbyś różnicy!

Sully zamknął oczy.

— Przykro mi.

— Zawsze jest ci przykro.

— Dałem dupy. Wiem...

— Obiecałeś im lot z pilotem. To nie był mój pomysł, tylko twój. Teraz nie mogą się doczekać. Są podekscytowani. Kiedy ostatnio jakiś inwestor był taki podekscytowany? To postawiłoby nas na nogi. Gdybyś tylko trzymał się z dala od butelki...

— Bałem się.

Sully powiedział to tak cicho, że Casper nie był pewien, czy go dobrze zrozumiał.

— Co? — zapytał.

— Chodzi o start. Miałem... złe przeczucia.

Złe przeczucia. Casper osunął się powoli na stojące przy łóżku krzesło. Cała jego wściekłość momentalnie wyparowała. Strach nie jest czymś, do czego łatwo się przyznać mężczyźnie. Fakt, że Sully, który regularnie igrał ze śmiercią, przyznał się do strachu, był dla Caspera prawdziwym wstrząsem.

I sprawił, że mimo wszystko zrobiło mu się go żal.

— Nie potrzebujesz mnie do odpalenia rakiety — mruknął Sully.

— Oni chcą widzieć, jak do kokpitu wspina się pilot.

— Mógłbyś posadzić na moim miejscu cholerną małpę, a oni i tak nie zauważyliby różnicy. *Apogee* nie potrzebuje pilota, Casp. Możesz wydawać wszystkie komendy z Ziemi.

Casper westchnął. Nie mieli wyboru; to musiał być lot bezzałogowy. Mieli naturalnie teraz przekonujący powód, by nie wysyłać Sully'ego w kosmos, ale czy inwestorzy to zaakceptują? Czy nie pomyślą, że srają w portki ze strachu? Że brakuje im pewności siebie, by zaryzykować ludzkie życie?

— Puściły mi po prostu nerwy — wyszeptał Sully. — Musiałem się wczoraj napić. Nie mogłem przestać...

Casper rozumiał obawy swego partnera. Rozumiał, jak jedna porażka może nieuchronnie prowadzić do następnej i następnej, aż w końcu człowiek nabiera pewności, że nic nie może mu się udać. Nic dziwnego, że Sully był przerażony; stracił wiarę w ich marzenie. Wiarę w *Apogee*.

Może wszyscy stracili tę wiarę.

— Możemy odpalić rakietę — powiedział. — Nawet bez małpy w kokpicie.

— Jasne. Mógłbyś zamiast tego wystrzelić Bridget.

— Kto by wtedy odbierał telefony?

— Małpa.

Obaj roześmieli się. Byli jak dwaj starzy żołnierze, którzy przywołują na twarz uśmiech nawet w obliczu pewnej porażki.

— Więc zrobimy to? — spytał Sully. — Wystrzelimy *Apogee*?

— O to nam chyba chodziło, kiedy ją budowaliśmy.

— Dobrze — Sully wziął głęboki oddech i na jego twarzy pojawił się cień dawnej brawury. — W takim razie zróbmy to, jak należy. Zawiadom wszystkie agencje prasowe. Rozstaw namioty i zorganizuj bankiet z szampanem. Zaproś też, do diabła, mojego czcigodnego braciszka i jego kumpli z NASA. Jeśli rakieta wybuchnie przy starcie, odejdziemy przynajmniej z branży w wielkim stylu.

— Jasne. Nigdy nie zarzucano nam braku stylu.

Uśmiechnęli się obaj.

Casper podniósł się, żeby wyjść.

— Wracaj szybko do zdrowia, Sully — powiedział. — Będziemy cię potrzebować przy *Apogee III*.

W poczekalni natknął się na wciąż tam siedzącą Bridget.

— I co teraz? — spytała.

— Startujemy zgodnie z rozkładem.

— Bez pilota?

Przytaknął.

— Będziemy kontrolować lot z Ziemi.

— Alleluja! — westchnęła z ulgą ku jego zaskoczeniu.

— Z czego się tak cieszysz? Nasz pilot leży przykuty do łóżka.

— Właśnie dlatego. — Bridget zarzuciła torebkę na ramię i ruszyła do wyjścia. — To znaczy, że nie będzie go tam i niczego nie spartaczy.

Nikołaj Rudenko unosił się w śluzie powietrznej, patrząc, jak Luther wciska biodra w dolną część skafandra. Dla niskiego Nikołaja Luther był egzotycznym gigantem z szerokimi ramionami i nogami jak kolumny. A ta jego skóra! Podczas trwającego wiele miesięcy pobytu na pokładzie ISS twarz Nikołaja pokryła się chorobliwą bladością, natomiast cera Luthera zachowała barwę wypolerowanego brązu, uderzająco kontrastując z innymi, zamieszkującymi ten bezbarwny świat twarzami. Nikołaj nałożył już skafander i unosił się teraz obok partnera, gotów w każdej chwili pomóc mu założyć górną część skafandra. Prawie się do siebie nie odzywali; żaden z nich nie był w nastroju do pogaduszek.

Obaj spędzili w śluzie całą noc, w przeważającej części w milczeniu, przyzwyczajając ciała do niższego ciśnienia atmosferycznego, które wynosiło tu 10,2 funta na cal kwadratowy — dwie trzecie tego, co na stacji kosmicznej. Ciśnienie w skafandrach miało być o wiele niższe: 4,3 funta na cal kwadratowy. Bardziej nie można było ich napompować: kończyny stałyby się wtedy zbyt ociężałe i nie mogłyby się zginać w stawach. Przejście ze statku kosmicznego, w którym utrzymywane jest normalne ciśnienie, do skafandra EVA, w którym jest ono o wiele niższe, przypomina zbyt szybkie wypłynięcie z głębin oceanu. Dlatego też astronauci zapadają czasem na chorobę kesonową. We krwi formują się pęcherzyki azotu, które zapychają powierzchnie kapilarne i nie dopuszczają tlenu do mózgu i rdzenia kręgowego. Konsekwencje mogą być tragiczne: wylew i paraliż. Podobnie jak nurkowie głębinowi, astronauci muszą dać swoim ciałom czas na przystosowanie się do zmiany ciśnienia. W nocy przed wyjściem w przestrzeń kosmiczną przepłukują płuca stuprocentowym tlenem i zamykają się w śluzie powietrznej. Całymi godzinami siedzą sami w małej klitce, w której wszystkich kątach poupychany jest sprzęt. Stanowczo nie jest to miejsce dla ludzi cierpiących na klaustrofobię.

Unosząc ręce w górę, Luther wcisnął się w zawieszoną na ścianie sztywną górną część skafandra. Był to wyczerpujący

227

taniec, przypominający pełzanie bardzo wąskim tunelem. W końcu wysunął głowę przez górny otwór, a Nikołaj pomógł mu zamknąć pierścień spinający górną i dolną część skafandra. Następnie nałożyli hełmy. Zerkając w dół, żeby osadzić swój hełm na górnym pancerzu, Nikołaj zauważył, że coś lśni na obręczy, do której miał go dopasować. To tylko ślina, pomyślał i zamocował hełm. Naciągnęli rękawice. Zamknięci w skafandrach otworzyli śluzę wyposażeniową, przepłynęli do sąsiedniej śluzy załogowej, po czym zamknęli za sobą właz. Znajdowali się teraz w jeszcze mniejszym pomieszczeniu, w którym z trudem mieścili się ze swoimi wielkimi plecakami.

Nadszedł czas na trzydzieści minut „przedwdechu". Oddychali czystym tlenem, oczyszczając krew z ostatnich cząsteczek azotu. Nikołaj wisiał z zamkniętymi oczami, przygotowując się psychicznie do wyjścia w przestrzeń. Jeśli nie uda im się naprawić przegubów pierścieniowych i skierować ogniw fotowoltaicznych w stronę Słońca, zostaną odcięci od źródła energii. Od tego, czego dokonają obaj w ciągu następnych sześciu godzin, zależał los całej stacji.

Nikołaj zdawał sobie sprawę z ciążącej na jego znużonych barkach odpowiedzialności, lecz mimo to chciał jak najszybciej otworzyć właz i wypłynąć na zewnątrz. Kosmiczny spacer był niczym powtórne narodziny: płód wyłaniał się z małej ciasnej szpary, złączony z nią pępowiną, której nie zrywał jednak, unosząc się w przestrzeni. Gdyby sytuacja nie była tak poważna, zachłysnąłby się poczuciem wolności, jakie daje sam widok pozbawionej ścian przestrzeni kosmicznej i wirującej w dole olśniewająco błękitnej Ziemi.

Jednak obrazy, które stawały mu przed oczyma, gdy czekał z zaciśniętymi powiekami, aż minie trzydzieści minut, nie wiązały się wcale z kosmicznym spacerem. Zamiast gwiazd widział twarze umarłych. Wyobrażał sobie spadające z nieba *Discovery*, załogę przypiętą pasami, ciała połamane niczym lalki, pękające kręgosłupy, eksplodujące serca. Kontrola misji oszczędziła im szczegółów katastrofy, lecz jego umysł i tak wypełniały koszmarne obrazy. Serce waliło mu w piersi i zaschło mu w gardle.

228

— Minęło trzydzieści minut, chłopcy — odezwał się w interkomie głos Emmy. — Czas na dekompresję.

Nikołaj miał ręce lepkie od potu. Otworzył oczy i zobaczył, że Luther uruchamia pompę dekompresyjną, która miała wyssać powietrze ze śluzy. Ciśnienie powoli spadało. Jeżeli w ich kombinezonach była jakaś nieszczelność, powinni ją teraz odkryć.

— W porządku? — zapytał Luther, sprawdzając zatrzaski ich pępowin.

— Jestem gotów.

Luther odpowietrzył śluzę, po czym otworzył właz. Resztka powietrza uszła z głośnym sykiem.

Przez chwili trzymali się klapy, wyglądając z obawą na zewnątrz. A potem Nikołaj wypłynął w czarną przestrzeń.

— Wychodzą — oświadczyła Emma, obserwując na ekranie dwóch mężczyzn, którzy wyłonili się ze śluzy, ciągnąc za sobą pępowiny przewodów.

Nikołaj i Luther wyjęli narzędzia z zewnętrznej szafki przy śluzie, po czym, łapiąc się kolejnych uchwytów, ruszyli ku głównej kratownicy. Kiedy mijali zamontowaną pod nią kamerę, Luther pomachał ręką.

— Oglądacie przedstawienie? — usłyszeli jego głos na falach UKF.

— Widzimy was świetnie z zewnętrznej kamery — powiedział Griggs. — Ale nie mamy obrazu z waszych osobistych kamer.

— Z obu?

— Żadna nie działa. Spróbujemy zorientować się, na czym polega problem.

— W porządku, wejdziemy teraz na kratownicę, żeby ocenić uszkodzenia.

Dwaj mężczyźni zniknęli z pola widzenia pierwszej kamery. Przez moment nie było ich widać.

— Tu są — mruknął nagle Griggs, wskazując inny ekran.

Odziani w skafandry astronauci zbliżali się do drugiej kamery, wspinając się po kratownicy. Po chwili znowu zniknęli. Kamera, w zasięgu której teraz się znaleźli, była zniszczona.

— Jesteście blisko, chłopcy? — zapytała Emma.

— Prawie... prawie na miejscu — odparł lekko zdyszany Luther.

Zwolnijcie, pomyślała. Nie forsujcie się.

Przez dłuższą chwilę, która wydawała się wiecznością, żaden się nie odzywał. Emma czuła, jak przyspiesza jej puls i rośnie niepokój. Stacja była uszkodzona i brakowało jej energii. Naprawa musiała się udać. Szkoda, że nie ma tu Jacka, pomyślała. Jej mąż był utalentowanym majster-klepką: potrafił złożyć silnik łodzi i zmontować krótkofalówkę z części znalezionych na złomowisku. Na orbicie najwartościowszym narzędziem jest para sprawnych rąk.

— Luther? — odezwał się Griggs.

Nie było odpowiedzi.

— Nikołaj? Luther? Proszę, odpowiedzcie.

— Cholera — usłyszeli głos Luthera.

— O co chodzi? Co widzicie? — zapytał Griggs.

— Patrzę właśnie na uszkodzenia i, człowieku, to prawdziwy syf. Skręcony jest cały końcowy fragment P6 głównej kratownicy. Prom musiał zaczepić o zespół antenowy 2B i wygiął wszystko do góry. A potem skręcił z powrotem i urwał anteny krótkofalowe.

— Co o tym sądzisz? Dacie radę coś naprawić?

— Anteny krótkofalowe to żaden problem. Mamy zestaw naprawczy i po prostu je wymienimy. Ale jeśli chodzi o prawe baterie słoneczne, możemy o nich zapomnieć. Z tej strony potrzebna jest cały nowy fragment kratownicy.

— W porządku. — Griggs pomasował znużonym gestem twarz. — To znaczy, że na razie musi nam wystarczyć jedno ogniwo fotowoltaiczne. To chyba da się zrobić. Musimy jednak odgiąć z powrotem moduł P4, w przeciwnym razie jesteśmy ugotowani.

Luther i Nikołaj zawrócili i przez kilka chwil w eterze trwała cisza. Nagle znaleźli się w zasięgu kamery: Emma zobaczyła, jak suną powoli niczym głębokowodni nurkowie w pękatych skafandrach i z wielkimi tornistrami na plecach. Zatrzymali się przy baterii P4. Jeden z nich zsunął się po kratownicy i zerknął na mechanizm, łączący olbrzymie skrzydła baterii słonecznych z kręgosłupem stacji.

— Przegub pierścieniowy jest wygięty — oświadczył Nikołaj. — Nie obraca się.

— Możecie go odblokować?

Usłyszeli krótką wymianę zdań między Lutherem i Nikołajem.

— Jak elegancko ma to wyglądać? — zapytał w końcu Luther.

— Jak się da. Potrzebny nam prąd, w przeciwnym razie siedzimy po uszy w gównie, chłopcy.

— Myślę, że musimy zabawić się w blacharzy.

Emma spojrzała na Griggsa.

— Czy to oznacza to, co mi się wydaje, że oznacza?

— Weźmiemy po prostu młotek i wyklepiemy sukinsyna z powrotem tak, jak wyglądał — oznajmił Luther.

Asystent nadal żył.

Doktor Isaac Roman przyjrzał się przez szybę swemu pechowemu koledze, który, choć trudno było w to uwierzyć, siedział na szpitalnym łóżku i oglądał kanał Nickelodeon. Gapiąc się z prawie desperackim skupieniem na kreskówki, nawet nie spojrzał na odzianą w kosmiczny skafander pielęgniarkę, która weszła do pomieszczenia, żeby zabrać tacę z nietkniętym lunchem.

Roman wcisnął guzik interkomu.

— Jak się dzisiaj czujesz, Nathanie?

Zaskoczony Nathan Helsinger obrócił wzrok ku szybie i dopiero teraz zauważył, że stoi za nią Roman.

— Czuję się dobrze. Jestem zdrów jak ryba.

— Nie masz żadnych symptomów?

— Mówiłem ci, czuję się dobrze.

Roman przyglądał mu się przez chwilę. Nathan wyglądał dość zdrowo, ale twarz miał bladą i ściągniętą. Przerażoną.

— Kiedy będę mógł stąd wyjść? — zapytał.

— Minęło dopiero trzydzieści godzin.

— Astronauci mieli objawy po osiemnastu.

— To było w stanie nieważkości. Nie wiemy, czego się tutaj spodziewać, i nie wolno nam ryzykować. Chyba o tym wiesz.

Helsinger obrócił się nagle z powrotem do telewizora, ale Roman zdążył zobaczyć w jego oczach łzy.

— Dzisiaj są urodziny mojej córki.

— Wysłaliśmy jej prezent w twoim imieniu. Zawiadomiliśmy twoją żonę, że nie mogłeś przyjechać. Powiedzieliśmy jej, że jesteś w samolocie, który leci do Kenii.

Helsinger roześmiał się gorzko.

— O wszystkim potraficie pomyśleć, prawda? A co będzie, jeśli umrę? Co jej powiecie?

— Że to zdarzyło się w Kenii.

— Tak samo dobre miejsce jak każde inne. — Helsinger westchnął. — Co jej wysłaliście?

— Twojej córce? Chyba doktor Barbie.

— Dokładnie to, co chciała. Skąd wiedzieliście? — zapytał Helsinger.

W tej samej chwili zadzwonił telefon komórkowy.

— Wpadnę do ciebie później — powiedział Roman i odwrócił się plecami do szyby, żeby odebrać telefon.

— Doktorze Roman, tu Carlos. Mamy część wyników DNA. Powinien pan chyba przyjść i je obejrzeć.

— Już idę.

Kiedy wszedł do laboratorium, doktor Carlos Mixtal siedział przed monitorem, wpatrując się w sunący po ekranie ciąg znaków:

```
GTGATTAAAGTGGTTAAAGTTGCTCATGTTCAATTATG-
CAGTTGTTGCGGTT
GCTTAGTGTCTTTAGCAGACACATATGAAAGCTTTTA-
GATGTTTTGAATTCA
TGAGTTGGTTTATTGTCAAACTTTAGCAGATGCAAGA-
GAAATTCCTGAATGC
GATATTGCTTTAGTTGAAGGCTCTGT
```

Dane składały się tylko z czterech liter, G, T, A i C. Każda litera sekwencji nukleotydów symbolizowała jeden z klocków tworzących DNA, genetyczny plan wszystkich żywych organizmów.

Doktor odwrócił się na dźwięk kroków Romana. Wyraz jego twarzy nie pozostawiał żadnych wątpliwości. Carlos Mixtal bał się. Podobnie jak Helsinger, pomyślał Roman. Wszyscy się bali.

— To jest to? — zapytał, siadając obok niego i wskazując ekran.

— To organizm, który zaatakował Kenichiego Hirai. Pobraliśmy próbki ze szczątków, które udało nam się zdrapać ze ścian *Discovery*.

„Szczątki" to było odpowiednie słowo dla tego, co zostało z ciała Kenichiego. Porozrywane kawałki tkanek, którymi oblepione były ściany promu.

— Większość DNA nie udało się zidentyfikować. Nie mamy pojęcia, co koduje. Ale ta akurat sekwencja, którą widzimy na ekranie, jest znana. To gen koenzymu F420.

— Który występuje...?

— W organizmach archaeonów.

Roman odchylił się do tyłu, czując, jak robi mu się niedobrze.

— A więc nasze obawy się potwierdziły — mruknął.

— Owszem. Ten organizm z całą pewnością posiada DNA archaeonów — stwierdził Carlos. — Obawiam się, że mam dla ciebie złe wiadomości — dodał po chwili.

— Co to znaczy „złe wiadomości"? Czy to nie wszystko?

Carlos postukał w klawiaturę i na ekranie ukazał się inny fragment sekwencji nukleotydów.

— To kolejny łańcuch genów, który zidentyfikowaliśmy — oznajmił. — Z początku myślałem, że to pomyłka, ale sprawdziłem. To fragment charakterystyczny dla *Rana pipiens*. Północnej żaby leopardowej.

— Co?

— No właśnie. Bóg jeden wie, jak ta rzecz przyswoiła sobie geny żaby. A tutaj... — dodał Carlos, pokazując na ekranie kolejny segment genomu — to robi się naprawdę przerażające. Oto następny łańcuch, który udało nam się zidentyfikować.

Roman poczuł, jak dreszcz przechodzi mu po krzyżu.

— Co to za geny?

— To DNA jest charakterystyczne dla *Mus musculus*. Myszy domowej.

Roman spojrzał na niego z niedowierzaniem.

— To niemożliwe.

— Sprawdziłem to. Ta forma życia włączyła w jakiś sposób DNA ssaka w swój genom. Nabyła nowych enzymatycznych właściwości. Ona się zmienia. Ewoluuje.

Ciekawe w co, zastanawiał się Roman.

— Mam coś jeszcze. — Carlos ponownie postukał w klawiaturę i na ekranie monitora pojawiła się kolejna sekwencja nukleotydów. — Ten łańcuch też nie jest charakterystyczny dla archaeonów.

— Co to jest? Następne mysie DNA?

— Nie. Ten fragment jest ludzki.

Zimny dreszcz przeszył Romana na wskroś. Włosy zjeżyły mu się na karku. Zdrętwiałą dłonią podniósł słuchawkę.

— Połączcie mnie z Białym Domem — powiedział. — Chcę mówić z Jaredem Profittem.

Telefon został odebrany po drugim dzwonku.

— Mówi Profitt.

— Poddaliśmy analizie DNA — oznajmił Roman.

— I co?

— Sytuacja jest gorsza, niż nam się wydawało.

Rozdział osiemnasty

Nikołaj przerwał, żeby odpocząć. Ręce drżały mu ze zmęczenia. Po miesiącach pobytu w kosmosie jego ciało osłabło i odzwyczaiło się od pracy fizycznej. W stanie nieważkości nie podnosi się ciężarów i nie ma potrzeby napinać mięśni. Przez ostatnie pięć godzin pracowali z Lutherem bez chwili przerwy: zreperowali anteny krótkofalowe, a potem rozmontowali i złożyli na nowo przegub pierścieniowy. Gonił resztkami sił. W grubym kombinezonie kosmicznym samo zgięcie ręki wymagało dużego wysiłku.

Żeby uchronić ludzkie ciało przed ekstremalnymi temperaturami wahającymi się od minus stu siedemdziesięciu do plus stu dziesięciu stopni oraz podtrzymać ciśnienie w kosmicznej próżni, kombinezon skonstruowany jest z wielu warstw aluminiowanej izolacji z mylaru, odpornego na rozerwanie nylonu, neoprenowego kauczuku oraz odpornej na naprężenia poliuteranowej powłoki. Pod spodem astronauta ma na sobie specjalną bieliznę, obszytą siecią chłodzonych wodą rurek. Musi również dźwigać plecak z wodą, tlenem, awaryjnym silnikiem odrzutowym oraz radiem. Kombinezon jest w gruncie rzeczy jednoosobowym statkiem kosmicznym, pękatym i trudnym do manewrowania. Nawet prosta czynność przykręcenia w nim śruby wymaga siły i koncentracji.

Praca wyczerpała Nikołaja. Drętwiały mu dłonie w niezgrabnych kosmicznych rękawicach i był zlany potem.

Był również głodny.

Pociągnął łyk wody z rurki umieszczonej przy ustach i westchnął ciężko. Woda miała dziwny rybny smak, ale nie zwrócił na to uwagi. W stanie nieważkości wszystko smakowało dziwnie. Pociągnął kolejny łyk i poczuł, że woda zachlapała mu podbródek. Nie mógł sięgnąć pod hełm, żeby ją zetrzeć, więc zignorował to i spojrzał w dół. Od nagłego widoku Ziemi, która ukazała się w całej swej zapierającej dech glorii, zakręciło mu się w głowie i zrobiło niedobrze. Zamknął oczy, czekając, aż niemiłe uczucie ustąpi. To były zwykłe mdłości, nic więcej; często mu się zdarzały, gdy nieoczekiwanie spojrzał na Ziemię. Kiedy minęły, zdał sobie sprawę, że czuje coś nowego: rozlana woda ciekła w górę po jego policzku. Pokręcił głową, próbując strząsnąć kroplę, ale ona sunęła dalej po jego skórze.

Znajduję się przecież w stanie nieważkości, gdzie nie ma „góry" ani „dołu". Woda nie powinna w ogóle płynąć, pomyślał.

Zaczął potrząsać głową i walnął odzianą w rękawicę dłonią w hełm.

Mimo to kropla nadal ciekła po jego twarzy, zostawiając mokry ślad na policzku. Sunęła w stronę ucha. Po chwili dotarła do skraju specjalnego czepka, w którym miał zamontowane słuchawki. Z pewnością materiał wchłonie wodę, nie pozwoli jej ciec dalej...

Nagle zesztywniał. Kropla wślizgnęła się pod skraj czepka i sunęła dalej w stronę jego ucha. To nie była kropla wody, ani zabłąkana strużka, ale coś, co świadomie się poruszało. Coś żywego.

Szarpnął głową w lewo i w prawo, próbując to strząsnąć. Walnął z całej siły w hełm. Ale kropla nadal się poruszała, nadal sunęła pod słuchawkami.

Miotając się w gorączkowym tańcu, znowu ujrzał przed oczyma przyprawiającą o zawrót głowy Ziemię. A potem czarną przestrzeń i jeszcze raz Ziemię.

Kropla wślizgnęła się do jego ucha.

— Nikołaj! Proszę, odpowiedz, Nikołaj! — zawołała Emma, obserwując go na monitorze. Rosjanin kręcił się w kółko, tłukąc się rękoma po hełmie. — Luther, wygląda na to, że Nikołaj ma atak!

W polu widzenia kamery pojawił się Luther, sunący szybko do swego partnera. Nikołaj nadal się miotał, potrząsając wściekle głową do przodu i do tyłu. Emma słyszała ich na UKF-ie.

— O co chodzi, co się stało? — pytał gorączkowo Luther.

— Moje ucho... to jest w moim uchu!

— Boli cię? Boli cię ucho? Spójrz na mnie!

Nikołaj ponownie walnął w hełm.

— Wchodzi głębiej! — wrzasnął. — Zabierzcie to! Zabierzcie to!

— Co mu się stało? — zawołała Emma.

— Nie wiem! Jezu, wpadł w panikę...

— Za bardzo zbliżył się do belki narzędziowej! Zabierz go stamtąd, zanim uszkodzi skafander!

Luther schwycił swego partnera za ramię.

— Chodź, Nikołaj. Wracamy do śluzy.

Rosjanin złapał się nagle za hełm, jakby chciał go zedrzeć z głowy.

— Nie! Nie rób tego! — wrzasnął Luther, chwytając go za obie ręce i próbując desperacko powstrzymać.

Obaj mężczyźni zaczęli zmagać się ze sobą, zaplątując się w owijające ich przewody.

Griggs i Diana przyłączyli się do Emmy i cała trójka z przerażeniem oglądała rozgrywający się na zewnątrz stacji dramat.

— Belka narzędziowa, Luther! — krzyknął Griggs. — Uważaj na kombinezony!

Nie skończył nawet mówić, kiedy Nikołaj wyrwał się gwałtownie z uścisku Luthera i walnął głową w belkę narzędziową. Szybka hełmu natychmiast pokryła się białą mgiełką.

— Sprawdź jego hełm, Luther! — zawołała Emma. — Sprawdź jego hełm!

Luther przyjrzał się z bliska Nikołajowi.

— Cholera, pękła mu osłona! — wrzasnął. — Widzę wyciekające powietrze! W jego kombinezonie spada ciśnienie!

— Włącz przycisk O2 i natychmiast sprowadź go do środka!

237

Luther włączył awaryjny dopływ tlenu w kombinezonie Rosjanina. Dodatkowy strumień powietrza mógł zmniejszyć tempo spadku ciśnienia w kombinezonie i ocalić Nikołajowi życie. Wciąż zmagając się ze swoim partnerem, Luther zaczął go ciągnąć do śluzy powietrznej.

— Pospiesz się — mruknął Griggs. — Pospiesz się, na Boga.

Wciągnięcie Rosjanina do śluzy, zamknięcie luku i wpompowanie do niej z powrotem powietrza zajęło kilka drogocennych minut. Nie czekali, żeby zgodnie z procedurą sprawdzić szczelność, ale podnieśli ciśnienie od razu do jednej atmosfery.

Luk otworzył się i do śluzy wpłynęła Emma.

Luther zdjął już hełm z głowy Nikołaja i próbował ściągnąć z niego sztywny górny pancerz. Wspólnie wyłuskali szamoczącego się Rosjanina z kombinezonu i Emma razem z Griggsem zaciągnęli go przez stację do modułu rosyjskiego, gdzie było pełne zasilanie i światło. Nikołaj przez cały czas krzyczał, trzymając się za lewą stronę głowy. Miał podpuchnięte oczy i nabrzmiałe powieki. Emma dotknęła jego policzków i wyczuła pod skórą pęcherzyki powietrza, powstałe wskutek dekompresji. Na podbródku Rosjanina błyszczała nitka śliny.

— Uspokój się, Nikołaj! — zawołała. — Nic ci nie będzie, słyszysz mnie? Nic ci nie będzie!

Rosjanin jęknął głośno i zerwał z głowy czepek, który odfrunął na bok.

— Pomóżcie mi położyć go na noszach! — poprosiła Emma.

Rozłożenie noszy, ściągnięcie z Nikołaja jego chłodzonej bielizny i skrępowanie go pasami wymagało udziału całej załogi. Chory był teraz całkowicie unieruchomiony, lecz nie przestawał jęczeć i rzucać głową na boki. Emma zbadała pobieżnie jego serce, płuca i brzuch.

— To coś z uchem — powiedział Luther. Zdążył już ściągnąć z siebie niewygodny kombinezon i patrzył szeroko otwartymi oczyma na cierpiącego Nikołaja. — Mówił, że coś mu wpadło do ucha.

Emma przyjrzała się bliżej twarzy chorego. I nitce śliny,

która biegła od podbródka wzdłuż linii lewej szczęki w stronę ucha. Na małżowinie widniała wilgotna plama.

Włączyła otoskop i wsunęła wziernik w przewód słuchowy Nikołaja.

Pierwszą rzeczą, jaką zobaczyła, była krew. Ujrzała jasną kroplę krwi, błyszczącą w świetle otoskopu. Potem skupiła uwagę na bębenku.

Był pęknięty. Zamiast lśniącej błony zobaczyła czarną ziejącą dziurę. Barotrauma, pomyślała w pierwszej chwili. Czyżby od nagłej dekompresji popękały mu bębenki? Sprawdziła prawy bębenek, ale był nienaruszony.

Nie wiedząc, co o tym sądzić, wyłączyła otoskop i spojrzała na Luthera.

— Co tam się stało?

— Nie wiem. Obaj zrobiliśmy sobie krótki fajrant, żeby odpocząć przed zataszczeniem narzędzi z powrotem. Przez cały czas zachowywał się normalnie, a potem nagle wpadł w panikę.

— Muszę obejrzeć jego hełm.

Emma opuściła moduł rosyjski i skierowała się z powrotem do śluzy. Otworzyła luk i przyjrzała się dwóm kombinezonom, które Luther zawiesił z powrotem na ścianie.

— Czego tu szukasz, Watson? — zapytał Griggs, który wsunął się za nią do śluzy.

— Chcę zobaczyć, jak duże jest to pęknięcie. Jak gwałtowna była dekompresja.

Zbliżyła się do mniejszego kombinezonu z napisem „Rudenko" i wzięła do ręki hełm. Na popękanej szybce widniała mokra plama. Wyjęła z jednej z kieszonek wacik i wytarła ją. Ciecz na waciku była niebieskozielona, gęsta i galaretowata.

Poczuła, jak zimne ciarki przechodzą jej po krzyżu.

Był tu Kenichi, przypomniała sobie nagle. Tej nocy, kiedy zmarł, znaleźliśmy go w tej śluzie. W jakiś sposób ją zakaził.

Spanikowana zaczęła się cofać, zderzając się w przejściu z Griggsem.

— Uciekaj! — zawołała. — Natychmiast!

— O co chodzi?

— Mamy chyba zagrożenie biologiczne! Zamknij właz! Zamknij go!

Oboje wycofali się ze śluzy do węzła, wspólnie zatrzasnęli właz, uszczelnili go i wymienili nerwowe spojrzenia.

— Myślisz, że coś przeciekło? — zapytał Griggs.

Emma omiotła wzrokiem węzeł, szukając unoszących się w powietrzu kropel. Na pierwszy rzut oka nic nie było widać. A potem coś zabłysło, zatańczyło na samym skraju jej pola widzenia.

Obróciła się w tamtą stronę. I nic nie zobaczyła.

Jack siedział przy konsoli lekarza w sali kontroli lotu stacji, wpatrując się w zegar na głównym ekranie. Z każdą mijającą minutą targał nim coraz większy niepokój. W głosach, które słyszał w słuchawkach, brzmiało zdenerwowanie, wymiana zdań była szybka i urywana. Między poszczególnymi kontrolerami i dyrektorem lotu ISS, Woodym Ellisem, śmigały w tę i z powrotem kolejne raporty sytuacyjne. Podobna do sali kontroli lotu wahadłowca i mieszcząca się w tym samym budynku sala kontroli stacji było mniejszą i bardziej wyspecjalizowaną wersją tej pierwszej, obsadzoną przez kontrolerów zajmujących się wyłącznie ISS. Przez ostatnie trzydzieści sześć godzin, które upłynęły od zderzenia *Discovery* ze stacją, bez przerwy rosło tu napięcie, a co jakiś czas wybuchała regularna panika. Przy tylu dyżurujących na sali osobach i po tylu godzinach bezustannego stresu, całe powietrze przesiąkło wonią kryzysu: zapachem nieświeżej kawy zmieszanym z odorem potu.

W wyniku dekompresji Nikołaj Rudenko doznał poważnych urazów i nie ulegało kwestii, że trzeba go ewakuować. Ponieważ była tylko jedna kapsuła ratunkowa, do domu wracała cała załoga. To miała być w pełni kontrolowana ewakuacja. Żadnej prowizorki, żadnych błędów. Żadnej paniki. NASA wielokrotnie przeprowadzała symulowaną ewakuację, nigdy jednak nie doszło do niej naprawdę z pięcioma żywymi ludźmi na pokładzie.

Z kimś, kogo kocham, pomyślał Jack.

Pocił się i robiło mu się prawie niedobrze ze strachu.

Bez przerwy zerkał na zegar, a potem na swój własny zegarek. Czekali, aż krążąca po orbicie ISS znajdzie się w punkcie, w którym mogło dojść do oddzielenia kapsuły. Chodziło o to, żeby sprowadzić statek ratowniczy w miejsce, gdzie jego pasażerami będzie mógł się natychmiast zająć personel medyczny. Pomocy będzie potrzebować cała załoga. Po spędzonych w kosmosie kilku tygodniach będą słabi jak kociaki, ich mięśnie będą niezdolne do utrzymania ciężaru ciała.

Zbliżał się czas odłączenia kapsuły. Dwadzieścia pięć minut zajmie im oddalenie się od ISS i przejście na system naprowadzania GPS, piętnaście dotarcie do punktu zejścia z orbity. Godzinę będzie trwało lądowanie.

Za niespełna dwie godziny Emma znajdzie się z powrotem na ziemi. Żywa lub martwa. Ta myśl przemknęła mu przez głowę, zanim zdążył ją stłumić. Zanim zdążył oddalić od siebie straszliwy obraz leżącego na stole, wypatroszonego ciała Jill Hewitt.

Zaciskając dłonie w pięści, skoncentrował uwagę na odczytach biotelemetrycznych Nikołaja Rudenko. Jego puls był szybki, lecz regularny; ciśnienie krwi stabilne. Szybciej, szybciej. Sprowadźmy go na Ziemię.

— CAPCOM, cała załoga jest na pokładzie CRV. Właz został zamknięty — usłyszał głos Griggsa. — Nie jest tu zbyt przytulnie, ale jesteśmy gotowi i czekamy na was.

— Przygotujcie się do uruchomienia napędu.

— Tak jest.

— Jak się czuje pacjent?

Serce Jacka skoczyło w piersi, kiedy usłyszał głos Emmy.

— Jego funkcje życiowe pozostają stabilne, ale jest zupełnie zdezorientowany. Odma podskórna przeniosła się na szyję i górną część torsu i sprawia mu ból. Dałam mu kolejną dawkę morfiny.

Nagła dekompresja spowodowała, że w miękkich tkankach Rosjanina powstały pęcherzyki powietrza. Stan ten sam w sobie nie był groźny, lecz bardzo bolesny. Jacka niepokoiła możliwość powstania pęcherzyków w systemie nerwowym. Czy to dlatego Nikołaj był zdezorientowany?

— Uruchomcie napęd — powiedział Ellis. — Włączcie systemy podtrzymania życia.

— ISS — przekazał jego polecenie CAPCOM. — Macie teraz...

— Wstrzymać operację! — odezwał się nagle czyjś głos.

Zaskoczony Jack spojrzał na dyrektora lotu, Woody'ego Ellisa. Ten, tak samo zaskoczony, odwrócił się i zobaczył przed sobą dyrektora Centrum Kosmicznego Johnsona, Kena Blankenshipa, który wkroczył do sali w towarzystwie ciemnowłosego mężczyzny w garniturze oraz sześciu oficerów sił powietrznych.

— Przykro mi, Woody — powiedział Blankenship. — Wierz mi, to nie jest moja decyzja.

— Jaka decyzja?

— Ewakuacja została odwołana.

— Mamy tam chorego człowieka! Kapsuła ratunkowa jest już gotowa do odpalenia!

— Chory nie może wrócić na Ziemię.

— Kto wydał taką decyzję?

Ciemnowłosy mężczyzna dał krok do przodu.

— Ja ją wydałem — oznajmił tonem, w którym brzmiała niemal prośba o wybaczenie. — Nazywam się Jared Profitt, jestem członkiem Rady Bezpieczeństwa Białego Domu. Proszę polecić swojej załodze, żeby otworzyła luki i opuściła CRV.

— Moja załoga jest w tarapatach — odparł Ellis. — Sprowadzam ich na Ziemię.

— Jeśli chcemy, żeby wylądowali w wyznaczonym miejscu, kapsuła musi zostać natychmiast odpalona, dyrektorze — wtrącił kontroler trajektorii.

Ellis dał znak CAPCOM-owi.

— Każ im startować. Zaczynamy procedurę odłączania.

Zanim CAPCOM zdołał powiedzieć słowo, zerwano mu z głowy słuchawki i ściągnięto z krzesła. Jego miejsce przy konsoli zajął oficer sił powietrznych.

— Hej! — wrzasnął Ellis. — Hej!

Na oczach osłupiałych kontrolerów lotu pozostali oficerowie rozbiegli się po sali. Żaden nie wyciągnął broni, ale nie ulegało kwestii, że nie zawahają się jej użyć.

— ISS, nie włączajcie napędu kapsuły — powiedział nowy CAPCOM. — Ewakuacja została odwołana. Otwórzcie luki i opuśćcie kapsułę.

— Chyba was dobrze nie zrozumiałem, Houston — odparł skonsternowany Griggs.

— Ewakuacja jest odwołana. Opuśćcie kapsułę. Mamy problemy z komputerami naprowadzania i trajektorii. Dyrektor lotu zdecydował, że najlepiej będzie wstrzymać ewakuację.

— Na jak długo?

— Do odwołania.

Jack zerwał się na nogi, gotów ściągnąć słuchawki z głowy nowego CAPCOM-a.

Jared Profitt zastąpił mu drogę.

— Nie rozumie pan sytuacji.

— Na tej stacji jest moja żona. Sprowadzimy ich na Ziemię.

— Nie mogą wrócić na Ziemię. Nie możemy wykluczyć, że są zainfekowani.

— Czym?

Profitt nie odpowiedział.

Rozwścieczony Jack rzucił się na niego, lecz dwaj oficerowie złapali go pod ramiona i odciągnęli na bok.

— Czym są zainfekowani?! — wrzasnął.

— Nowym organizmem — odparł Profitt. — Chimerą.

Jack spojrzał na spiętą twarz Blankenshipa, a potem na oficerów sił powietrznych, gotowych do zajęcia miejsc przy konsolach. Po chwili zobaczył kolejną znajomą twarz: Leroya Cornella, który wszedł blady i wstrząśnięty na salę. Widząc go, Jack zdał sobie sprawę, że decyzja została podjęta na samej górze i nie zostanie cofnięta, bez względu na to, jakich argumentów użyją Blankenship, Woody Ellis albo on sam.

NASA nie miała już nic do powiedzenia.

CHIMERA

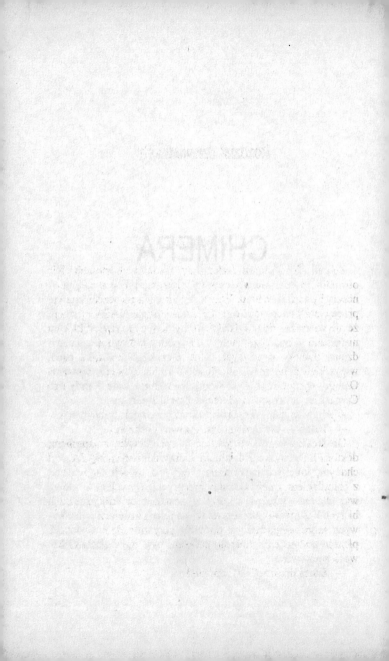

Rozdział dziewiętnasty

13 sierpnia

Zebrali się w domu Jacka przy zasuniętych storach. Nie ośmielili spotkać się w Centrum Johnsona, gdzie z całą pewnością by to zauważono. Wszyscy byli tak zaskoczeni nagłym przejęciem przez wojsko prowadzonej przez NASA operacji, że nie wiedzieli, co robić dalej. To był jedyny kryzys, o którym nie pisano w podręcznikach i na wypadek którego nie przewidziano planów awaryjnych. Jack zaprosił tylko kilka osób, wszystkich z kontroli lotu NASA: Todda Cutlera, Gordona Obiego, dyrektorów lotu, Woody'ego Ellisa oraz Randy'ego Carpentera, a także Liz Gianni z działu frachtów.

Kiedy zadzwonił dzwonek, wszyscy zastygli w bezruchu.

— To on — stwierdził Jack i otworzył drzwi.

Do środka wszedł, trzymając w ręku teczkę z laptopem, doktor Eli Petrovitch z działu nauk przyrodniczych NASA. Był chudym, kruchym mężczyzną, który od dwóch lat walczył z chłoniakiem i najwyraźniej przegrywał tę walkę. Z głowy wypadła mu większość włosów — zostało tylko kilka rzadkich białych kosmyków. Napięta na wystających kościach policzkowych skóra wyglądała jak pożółkły pergamin, lecz w oczach płonęło podniecenie, którego paliwem była niewygasła ciekawość naukowca.

— Zdobyliście to? — zapytał Jack.

Petrovitch pokiwał głową i poklepał teczkę. Jego uśmiechnięta twarz przypominała trupią czaszkę.

— USAMRIID zgodziło się przekazać nam część swoich danych — oznajmił.

— Część?

— Nie wszystkie. Duża część genomu została utajniona. Udostępnili nam tylko fragmenty sekwencji. Dosyć, żeby pokazać, że sytuacja jest poważna.

Petrovitch zaniósł laptop do jadalni, postawił go na stole i otworzył. Kiedy wszyscy stanęli dookoła, włączył komputer i wsunął do niego dyskietkę.

Na ekranie ukazały się dane, kolejne linijki liter, które sunęły z oszałamiającą prędkością w górę. Litery nie tworzyły tekstu: nie układały się w słowa, lecz w kod. W zmieniającej się sekwencji ukazywały się stale te same cztery litery: A, T, G i C. Symbolizowały adeninę, tyminę, guaninę i cytozynę. Klocki, z których zbudowane jest DNA. Łańcuch liter był genomem, chemicznym planem żywego organizmu.

— Oto ich chimera — oznajmił Petrovitch. — Organizm, który zabił Kenichiego Hirai.

— Czym jest ta „chimera", o której bez przerwy słyszę? — zapytał Randy Carpenter. — Mógłbyś to łaskawie wyjaśnić niedouczonym inżynierom?

— Proszę bardzo — odparł Petrovitch. — I nie musisz się wstydzić swojej niewiedzy. To termin rzadko używany poza biologią molekularną. Słowo pochodzi z antycznej greki. Chimera była ziejącą ogniem mityczną bestią, którą uważano za niepokonaną. Miała lwią głowę, ciało kozła i ogon węża. Pokonał ją heros o imieniu Bellerofont. Walka nie była zbyt uczciwa, ponieważ oszukiwał. Dosiadł skrzydlatego rumaka, Pegaza, i z góry szył strzałami w Chimerę.

— Grecka mitologia jest rzeczywiście bardzo ciekawa — przerwał mu niecierpliwie Carpenter. — Ale jakie to ma dla nas znaczenie?

— Chimera była dziwacznym stworem złożonym z trzech różnych zwierząt: lwa, kozła oraz węża. I dokładnie coś podobnego widzimy tutaj, w tym chromosomie. Istotę tak dziwną jak dziwna była bestia zabita przez Bellerofonta. To biologiczna chimera, której DNA pochodzi przynajmniej od trzech niespokrewnionych gatunków.

— Czy możesz zidentyfikować te gatunki?

Petrovitch pokiwał głową.

— W ciągu ostatnich lat naukowcy na całym świecie zgromadzili bibliotekę, w której znajdują się sekwencje genów różnych gatunków, od wirusów po słonia. Zbieranie tych danych jest jednak żmudne i powolne. Całe dziesięciolecia trwa analiza tylko ludzkiego genomu. W związku z czym, jak się zapewne domyślacie, istnieje wiele gatunków, których sekwencje nie zostały ustalone. Dużych obszarów genomu tej chimery nie sposób zidentyfikować; nie ma ich nigdzie w naszej bibliotece. Przedstawię wam to, co udało nam się zidentyfikować do tej pory — oznajmił, po czym kliknął ikonę podpisaną „pasujące gatunki".

Na ekranie ukazały się trzy hasła:

Mus musculus (mysz domowa)
Rana pipiens (północna żaba leopardowa)
Homo sapiens

— Ten organizm jest częściowo myszą, częściowo płazem. I częściowo człowiekiem... — Petrovitch przerwał. — W pewnym sensie wrogiem jesteśmy my sami — dodał po chwili.

W pokoju zapadła cisza.

— Które z naszych genów znajdują się w tym chromosomie? — zapytał półgłosem Jack. — Która część chimery jest ludzka?

— Ciekawe pytanie — przyznał Petrovitch, kiwając z uznaniem głową. — I zasługuje na ciekawą odpowiedź. Pan oraz doktor Cutler będziecie z pewnością wiedzieli, co z niej wynika.

Postukał na klawiaturze i na ekranie pojawiła się lista:

Amylaza
Lipaza
Fosfolipaza A
Trypsyna

Chymotrypsyna
Elastaza
Enterokinaza

— Dobry Boże — mruknął Todd Cutler. — To są enzymy trawienne.

Celem tego organizmu jest pożarcie swego „gospodarza", pomyślał Jack. Używa tych enzymów, żeby strawić nas od środka, zredukować nasze mięśnie, organy i tkankę łączną do cuchnącej brei.

— Jill Hewitt powiedziała, że ciało Kenichiego Hirai zdezintegrowało się — mruknął Randy Carpenter. — Myślałem, że ma halucynacje.

— To musi być wytwór inżynierii genetycznej — oznajmił nagle Jack. — Ktoś wypichcił tę rzecz w laboratorium. Wziął bakterię albo wirusa i wszczepił im geny innych gatunków, żeby stworzyć bardziej efektywną maszynę do zabijania.

— Ale jaką bakterię? Jakiego wirusa? — zapytał Petrovitch. — Na tym właśnie polega zagadka. Bez większej części genomu nie możemy zidentyfikować gatunku, od którego zaczęli. USAMRIID nie chce pokazać nam najważniejszego fragmentu chromosomu. Tego, dzięki któremu rozpoznalibyśmy zabójcę. — Petrovitch spojrzał na Jacka. — Jest pan jedyną osobą, która widziała tę patologię podczas sekcji.

— Przez mgnienie oka. Wypchnęli mnie z sali tak szybko, że nie zdążyłem się lepiej przyjrzeć. To, co widziałem, przypominało trochę cysty. Osadzone w niebieskozielonej osnowie cysty wielkości pereł. Znajdowały się w klatce piersiowej i jamie brzusznej Mercera. I w czaszce Hewitt. Nigdy wcześniej nie widziałem czegoś podobnego.

— Czy to mogła być hydatidoza? — zapytał Petrovitch.

— Co to takiego? — zainteresował się Woody.

— To infekcja spowodowana przez larwy tasiemca bąblowcowego. Larwy zagnieżdżają się w wątrobie i płucach. Właściwie w każdym organie.

— Myśli pan, że to pasożyt?

Jack potrząsnął głową.

— Cysty hydatidozy potrzebują długiego czasu, żeby się rozwinąć. Lat, a nie dni. Nie sądzę, żeby to był pasożyt.

— Może to w ogóle nie są cysty — podsunął Todd. — Może to spory. Zarodniki grzybów. *Aspergillusa* albo *cryptococcusa*.

— Załoga zgłaszała problemy ze skażeniem grzybiczym. Jeden z eksperymentów trzeba było zniszczyć z powodu przerostu.

— Który eksperyment? — zapytał Todd.

— Muszę to sprawdzić. Pamiętam, że to była jedna z kultur komórkowych.

— Ale zwykłe skażenie grzybicze nie może być przyczyną tych zgonów — zaprotestował Petrovitch. — Na stacji *Mir* bez przerwy fruwały grzyby i nikt od tego nie umarł. Ten genom mówi nam — dodał, spoglądając na ekran laptopa — że mamy do czynienia z zupełnie nową formą życia. Zgadzam się z Jackiem. Musiała zostać stworzona w laboratorium.

— Więc to bioterroryzm — stwierdził Woody Ellis. — Ktoś dopuścił się sabotażu wobec stacji. Musieli to wysłać w jednym z płatnych ładunków.

Liz Gianni energicznie pokręciła głową. Agresywna i pełna werwy, narzucała swoje zdanie na każdym zebraniu.

— Wszystkie ładunki przechodzą kontrolę bezpieczeństwa — oznajmiła teraz z absolutną pewnością siebie. — Sporządza się oceny ryzyka i poddaje trójfazowej analizie wszystkie znajdujące się w środku urządzenia. Wierzcie mi, nic tak niebezpiecznego nie przeszłoby przez sito selekcji.

— Pod warunkiem, że wiedzielibyście, iż to coś jest niebezpieczne — zauważył Ellis.

— Oczywiście, że wiedzielibyśmy!

— A jeśli w systemie kontroli były jednak jakieś luki? — naciskał Jack. — Wiele ładunków przysyłają bezpośrednio kierujący badaniami, którzy sami są naukowcami. Nie wiemy, jak u nich wyglądają procedury bezpieczeństwa. Nie wiemy, czy w ich pracowniach nie byli zatrudnieni terroryści. Załóżmy, że w ostatniej chwili podmienili kultury bakteryjne. W jaki sposób byśmy to odkryli?

Liz nie była już taka pewna siebie.

— To... to mało prawdopodobne — mruknęła.

— Ale mogło się zdarzyć.

Nie chciała przyznać, że to możliwe, lecz w jej oczach pojawił się niepokój.

— Weźmiemy w obroty wszystkich kierujących badaniami — oznajmiła. — Każdego naukowca, który przysłał nam ładunek. Sprawdzimy, czy nie zlekceważyli procedur bezpieczeństwa. Niech mnie szlag, jeśli się tego nie dowiem.

Najprawdopodobniej się dowie, pomyślał Jack. Podobnie jak inni obecni w pokoju mężczyźni, trochę bał się Liz Gianni.

— Jest jedno pytanie, którego jeszcze nikt nie zadał — powiedział Gordon Obie, po raz pierwszy się odzywając. Sfinks jak zwykle przysłuchiwał się w milczeniu rozmowie, analizując spokojnie informacje. — Pytanie brzmi: dlaczego? Dlaczego ktoś chciałby dopuścić się sabotażu wobec stacji? Czy to jakiś fanatyk zwalczający wysoko zaawansowaną technologię?

— Biologiczny odpowiednik Unabombera — mruknął Todd Cutler.

— W takim razie dlaczego nie wypuścił po prostu tego organizmu w centrum kontroli lotów i nie zlikwidował całej infrastruktury? To byłoby łatwiejsze i o wiele bardziej logiczne.

— W postępowaniu fanatyka trudno się doszukać logiki — stwierdził Cutler.

— Logiki można się doszukać w postępowaniu każdego, nawet fanatyka — odparł Gordon. — Pod warunkiem, że zna się ramy jego działania. Dlatego tak mnie to niepokoi. Dlatego zastanawiam się, czy rzeczywiście mamy do czynienia z sabotażem.

— Skoro nie z sabotażem, to z czym? — zdziwił się Jack.

— Jest jeszcze jedna możliwość. Tak samo przerażająca. — Gordon utkwił w nim znużony wzrok. — Że mamy do czynienia z pomyłką.

Doktor Isaac Roman biegł korytarzem, bojąc się tego, co za chwilę zobaczy. Wyłączył brzęczący przy pasku pager, po czym otworzył drzwi prowadzące do zespołu izolatek poziomu czwartego i nie wchodząc do sali pacjenta, stanął w bezpiecznym miejscu na zewnątrz, żeby obejrzeć rozgrywający się za szybą horror.

Krew zachlapała ściany i zbierała się na podłodze tam, gdzie leżał wstrząsany drgawkami Nathan Helsinger. Dwie pielęgniarki i lekarz w kosmicznych kombinezonach próbowali powstrzymać go przed zrobieniem sobie krzywdy, ale skurcze były tak gwałtowne i silne, że nie mogli go unieruchomić. Kopnięta przez Helsingera pielęgniarka wyłożyła się jak długa na śliskiej od krwi betonowej podłodze.

Roman wcisnął guzik interkomu.

— Twój kombinezon! Czy nie jest rozdarty?

Kobieta powoli dźwignęła się na nogi. Na jej twarzy zobaczył przerażenie. Spojrzała na swoje rękawice, rękawy, a potem na złącze, w którym tkwił pompujący powietrze wąż.

— Nie — odparła, niemal łkając z ulgą. — Nie ma żadnego rozdarcia.

Krew chlapnęła na szybę. Roman cofnął się odruchowo, kiedy jasne krople poleciały w jego stronę. Helsinger walił teraz głową w podłogę, jego kręgosłup rozluźniał się i nadmiernie prostował. Opistotonus. Roman oglądał coś takiego tylko raz w życiu, u ofiary zatrucia strychniną: ciało wyginało się do tyłu niczym napięty łuk. Helsinger szarpnął się ponownie i uderzył potylicą w beton. Krew zachlapała hełmy pielęgniarek.

— Cofnijcie się! — rozkazał Roman przez interkom.

— On robi sobie krzywdę — zaprotestował lekarz.

— Nie chcę narażać kolejnej osoby.

— Gdybyśmy mogli opanować te konwulsje...

— W żaden sposób nie zdołacie go uratować. Chcę, żebyście stamtąd wszyscy wyszli. Zanim komuś coś się stanie.

Pielęgniarki wycofały się niechętnie. Po chwili to samo zrobił lekarz. W bezruchu obserwowali rozgrywającą się przed nimi scenę.

Targany nowymi konwulsjami Helsinger wypreżył głowę do tyłu. Skóra na czaszce pękła niczym rozrywający się wzdłuż szwu materiał. Kałuża krwi rozlała się w jezioro.

— O Boże, popatrzcie na jego oczy! — zawołała jedna z pielęgniarek.

Oczy Helsingera wychodziły z orbit jak wyskakujące z łożysk marmurowe kulki. *Traumatic proptosis*, pomyślał Roman. Ogromne ciśnienie śródczaszkowe wypychało na zewnątrz gałki oczne, powieki otworzyły się szeroko.

Konwulsje ani na chwilę nie ustępowały, głowa tłukła o podłogę. Drzazgi kości poleciały w górę i uderzyły o szybę. Helsinger najwyraźniej próbował rozwalić sobie czaszkę i uwolnić to, co było uwięzione w środku.

Kolejny trzask. Kolejne bryzgi krwi i kości.

Powinien już dawno nie żyć. Dlaczego wciąż miał konwulsje?

Ale nawet zdekapitowane kurczaki skaczą po podwórku i śmiertelne zapasy Helsingera również nie dobiegły jeszcze końca. Jego głowa uniosła się z podłogi, a kręgosłup wygiął do przodu niczym napięta do granic możliwości sprężyna. Kark szarpnął się do tyłu, rozległ się głośny trzask i czaszka pękła jak wielkie jajo. W powietrze pofrunęły kawałki kości. W okno pacnęła gruda mózgu.

Roman otworzył usta i zatoczył się do tyłu, czując, że zbiera mu się na mdłości. Opuścił głowę, próbując się opanować i walcząc z ogarniającą go falą mroku.

Spocony i roztrzęsiony zdołał w końcu podnieść głowę i ponownie spojrzał przez okno.

Nathan Helsinger nareszcie znieruchomiał. To, co zostało z jego głowy, leżało w jeziorze krwi. Było jej tyle, że przez moment Roman nie był w stanie skupić wzroku na niczym innym poza szeroką szkarłatną kałużą. A potem popatrzył na twarz zmarłego. Na niebieskozieloną masę, która dygocząc, przywarła do jego czoła.

Na chimerę.

14 sierpnia

„Nikołaj! Proszę, odpowiedz, Nikołaj!".

„Moje ucho... to jest w moim uchu!".

„Boli cię? Boli cię ucho? Spójrz na mnie!".

„Wchodzi głębiej! Zabierzcie to! Zabierzcie to!".

Doradca naukowy Rady Bezpieczeństwa Białego Domu, Jared Profitt, nacisnął przycisk STOP w kasetowym magnetofonie i spojrzał na siedzących przy stole mężczyzn i kobiety. Na wszystkich twarzach malowało się przerażenie.

— To, co się przytrafiło Nikołajowi Rudence — oznajmił — to coś więcej niż wypadek przy dekompresji. Dlatego właśnie podjęliśmy działania, które podjęliśmy. I dlatego nalegam, żebyśmy byli konsekwentni. Stawka jest zbyt wysoka. Dopóki nie dowiemy się czegoś więcej o tym organizmie: jak się reprodukuje i jak można się nim zakazić — nie wolno nam pozwolić astronautom wrócić na Ziemię.

Odpowiedzią było głuche milczenie. Nawet administrator NASA, Leroy Cornell, który przed chwilą jeszcze protestował gniewnie przeciwko szturmowi na swoją agencję, nabrał wody w usta.

Pierwszy odezwał się prezydent.

— Co wiemy o tym organizmie? — zapytał.

— Na to pytanie lepiej ode mnie potrafi odpowiedzieć doktor Isaac Roman z USAMRIID — oświadczył Profitt, po czym skinął na Romana, który nie siedział przy stole, lecz pod ścianą, gdzie do tej pory nikt nie zwrócił na niego uwagi.

Teraz wstał i wszyscy mogli przyjrzeć się wysokiemu, posiwiałemu mężczyźnie o zmęczonych oczach.

— Obawiam się, że nie mam do zakomunikowania dobrych wiadomości — powiedział. — Wstrzyknęliśmy chimerę pewnej liczbie różnych ssaków, wśród nich psom oraz małpom szerokonosym. W ciągu dziewięćdziesięciu sześciu godzin wszystkie zdechły. Śmiertelność wyniosła sto procent.

— Nie ma skutecznej terapii? Nic im nie pomogło? — zapytał sekretarz obrony.

— Nic. Już to samo jest przerażające. Jest jednak coś jeszcze gorszego...

W zapadłej ciszy widać było wykrzywione strachem twarze zebranych. Czy mogło być coś jeszcze gorszego?

— Poddaliśmy badaniom DNA najnowszą generację jaj pobranych od martwych małp. Chimera zdążyła przyłączyć do swojego genomu nowy łańcuch genów charakterystycznych dla *Ateles geoffroyi*. Dla małpy szerokonosej.

Prezydent pobladł.

— Czy to oznacza to, co wydaje mi się, że oznacza? — zapytał, zwracając się do Profitta.

— To prawdziwa katastrofa — odparł Profitt. — Ten organizm tworzy chyba nowe DNA w każdym kolejnym pokoleniu, po każdym cyklu życiowym w ciele nowego gospodarza. Przejmując nowe geny i nabywając zdolności, których nie miał nigdy przedtem, jest w stanie zawsze wyprzedzać nas o kilka kroków.

— Jak on to, do diabła, robi? — zapytał generał Moray z dowództwa połączonych sztabów. — Organizm, który przejmuje nowe geny? Który sam się przebudowuje? To nie wydaje się możliwe.

— To nie jest niemożliwe, generale — stwierdził Profitt. — Podobny proces zachodzi w naturze. Bakterie często wymieniają między sobą geny, używając wirusów w charakterze kurierów. Dlatego właśnie tak szybko uodporniają się na antybiotyki. Przekazują sobie geny odpornościowe, dodając nowe DNA do swoich chromosomów. Jak wszystko w naturze, posługują się każdą dostępną bronią, żeby przetrwać. Żeby zachować swój gatunek. To samo robi ten organizm.

Jared podszedł do szczytu stołu, gdzie leżało zdjęcie z mikroskopu elektronowego.

— Na tej fotografii komórki widzicie państwo coś, co wygląda jak małe granulki. To grudki pomocniczego wirusa. Kurierzy, którzy podróżują do wrogiej komórki, porywają jej DNA i przynoszą fragmenty materiału genetycznego chimerze. Dodają nowe geny i nową broń do jej arsenału. Cechy tego organizmu pozwalają mu przetrwać w każdym środowisku — dodał, zwracając się do prezydenta. — Musi tylko zaatakować lokalną faunę.

Prezydent wyglądał, jakby zrobiło mu się niedobrze.

Przy stole rozległy się pomruki konsternacji. Zaszurały krzesła, ludzie wymieniali przerażone spojrzenia.

— Co stało się z tym lekarzem, który się zakaził? — zapytała kobieta z Pentagonu. — Z tym, którego USAMRIID umieścił w izolatce na poziomie czwartym? Czy wciąż żyje?

Roman przez chwilę milczał. W jego oczach widać było ból.

— Doktor Helsinger zmarł wczoraj w nocy — odparł w końcu. — Obserwowałem jego agonię i była to... była to straszliwa śmierć. Wstrząsały nim tak gwałtowne konwulsje, że nie podchodziliśmy do niego z obawy, że rozedrze kombinezony personelu i ktoś jeszcze zostanie narażony na styczność z chimerą. Nigdy w życiu nie widziałem takiego ataku. Wyglądało to, jakby w każdym neuronie w jego mózgu miały miejsce gwałtowne wyładowania elektryczne. Wyłamał poręcz łóżka. Wyrwał ją po prostu z ramy. Potem zwinął materace i zaczął walić głową... zaczął walić głową w betonową podłogę. Tak mocno, że... — Roman przełknął z trudem ślinę — ...że słyszeliśmy, jak pęka czaszka. Wszędzie tryskała krew. Doktor Helsinger dalej tłukł głową w podłogę, jakby chciał ją rozbić, by zmniejszyć rosnące w środku ciśnienie. Doznane urazy pogorszyły jego stan, ponieważ doszło do wewnętrznego krwotoku do mózgu. Pod koniec ciśnienie śródczaszkowe było tak wielkie, że wysadziło mu oczy z oczodołów. Tak jak to widzimy czasem u bohaterów komiksów. Albo u zwierzaka rozjechanego na drodze. — Roman wziął głęboki oddech. — Tak wyglądała agonia — zakończył cicho.

— Rozumiecie teraz państwo, jakiego rodzaju epidemia nam grozi — oświadczył Profitt. — I dlaczego nie możemy sobie pozwolić na nieostrożność i słabość. Ani na uleganie sentymentom.

Ponownie zapadło długie milczenie. Wszyscy patrzyli na prezydenta. Wszyscy oczekiwali — mieli nadzieję — że podejmie jakąś decyzję.

On jednak obrócił się na krześle do okna i wyjrzał na zewnątrz.

— Chciałem być kiedyś astronautą — oznajmił ze smutkiem.

Czyż nie chcieliśmy tego wszyscy, pomyślał Profitt. Które dziecko w tym kraju nie marzyło o tym, że poleci rakietą w kosmos?

— Byłem na przylądku Canaveral, kiedy startował prom

z Johnem Glennem — podjął prezydent. — I płakałem. Podobnie jak wszyscy. Niech mnie diabli, ale płakałem jak dziecko. Bo byłem z niego dumny. Dumny z naszego kraju. I dumny z tego, że należę do ludzkiej rasy. — Przerwał na chwilę, wziął głęboki oddech i przesunął dłonią po oczach. — Jak, u pioruna, mam skazać tych ludzi na śmierć?

Profitt i Roman wymienili zatroskane spojrzenia.

— Nie mamy wyboru, panie prezydencie — stwierdził Profitt. — Poświęcając życie tych pięciu osób, uratujemy nie wiadomo ilu ludzi na Ziemi.

— To są bohaterowie. A my chcemy zostawić ich tam na górze, żeby zginęli.

— Wiele wskazuje na to, panie prezydencie, że i tak nie udałoby się ich ocalić — powiedział Roman. — Prawdopodobnie wszyscy są już zakażeni. Albo wkrótce będą.

— To znaczy, że niektórzy jeszcze nie są?

— Tego nie wiemy. Wiemy, że na pewno zarażony jest Rudenko. Naszym zdaniem, do zakażenia doszło w skafandrze kosmicznym. Jak pan sobie zapewne przypomina, ciężko chory astronauta Hirai znaleziony został dziesięć dni temu w śluzie wyposażeniowej. To wyjaśnia, w jaki sposób doszło do skażenia skafandra.

— Dlaczego inni nie są jeszcze chorzy? Dlaczego tylko Rudenko?

— Nasze badania wskazują, że ten organizm potrzebuje pewnego okresu inkubacji, zanim znajdzie się w fazie zakaźnej. Uważamy, że najbardziej agresywny jest w momencie śmierci poprzedniego nosiciela albo tuż potem, kiedy wydostaje się ze zwłok. Nie mamy jednak pewności. Nie możemy sobie pozwolić na pomyłkę. Musimy zakładać, że wszyscy ci astronauci są nosicielami.

— W takim razie poddajcie ich kwarantannie na poziomie czwartym. Ale sprowadźcie przynajmniej na Ziemię.

— To właśnie jest najbardziej ryzykowne, panie prezydencie — odparł Profitt. — Samo sprowadzenie ich na Ziemię. Kapsuła CRV to nie prom, który można skierować na konkretne lądowisko. Będą wracali do domu w pojeździe, który daje się w znacznie mniejszym stopniu kontrolować... to w zasadzie zaopatrzona w spadochrony gondola. Co będzie, jeśli coś pójdzie nie tak? Jeśli CRV rozbije się o ziemię? Ten organizm przedostanie się do atmosfery. Wiatr może go przenieść wszędzie! Będzie wtedy miał tyle ludzkiego DNA w swoim genomie, że nie zdołamy go pokonać. Będzie do nas zbyt podobny. Każdy lek, którego przeciwko niemu użyjemy, zabije również ludzi. — Profitt przerwał, chcąc, żeby jego słowa zapadły im w pamięć. — Nie możemy pozwolić, żeby na naszą decyzję wpłynęły emocje. Stawka jest na to zbyt wysoka.

— Z całym należnym szacunkiem, panie prezydencie — wtrącił Leroy Cornell — chciałbym zwrócić uwagę, że będzie to katastrofalny krok. Opinia publiczna nie pozwoli skonać w kosmosie pięciu bohaterom.

— Konsekwencje polityczne nie powinny w najmniejszym stopniu wpłynąć na naszą decyzję! — żachnął się Profitt. — Najważniejsze są względy zdrowotne.

— W takim razie dlaczego wszystko utajniacie? Dlaczego odcięliście NASA od informacji? Pokazaliście nam zaledwie fragmenty genomu. Nasi naukowcy gotowi są wziąć udział w badaniach. Tak samo jak wam, a może nawet bardziej zależy nam na znalezieniu lekarstwa. Jeżeli USAMRIID przekaże nam wszystkie swoje dane, możemy pracować wspólnie.

— Musimy brać pod uwagę kwestie bezpieczeństwa — wtrącił generał Moray. — Wrogie państwo mogłoby przekształcić chimerę w straszliwą broń biologiczną. Ujawnienie jej kodu genetycznego jest równoznaczne z przekazaniem planów takiej broni.

— Czy to znaczy, że waszym zdaniem NASA nie potrafi trzymać języka za zębami?

Generał Moray wytrzymał morderczy wzrok Cornella.

— Obawiam się, że wasza najnowsza filozofia dzielenia się technologią z bardzo wieloma krajami nie czyni z was godnego zaufania partnera.

Cornell zaczerwienił się z gniewu, ale nic nie powiedział.

— Fakt, że pięcioro ludzi musi tam pozostać i umrzeć, to prawdziwa tragedia, panie prezydencie — oświadczył Profitt. — Ale musimy wybiegać myślą naprzód, zdawać sobie sprawę, że grozi nam o wiele większa tragedia. Światowa epidemia spowodowana przez organizm, który dopiero zaczynamy rozumieć. USAMRIID pracuje przez dwadzieścia cztery godziny na dobę, żeby dowiedzieć się o nim czegoś więcej. Do tego czasu nalegam, żeby nie zmieniał pan decyzji. NASA nie jest odpowiednio wyposażona, by stawić czoła katastrofie biologicznej. Mają tylko jednego specjalistę ochrony planetarnej. Wojskowe siły szybkiego reagowania biologicznego są przygotowane na tego rodzaju kryzys. Co się tyczy operacji NASA, proszę, by dalej sprawowało nad nimi nadzór Dowództwo Przestrzeni Kosmicznej wspierane przez czternasty pułk sił powietrznych. Pracownicy agencji są zbyt mocno związani emocjonalnie i osobiście z astronautami. Musimy trzymać ster pewną ręką. Potrzebna jest absolutna dyscyplina.

Profitt omiótł powoli wzrokiem siedzące przy długim stole osoby. Tylko kilku z tych ludzi cieszyło się jego szacunkiem. Niektórych interesowały tylko prestiż i władza. Inni uzyskali stanowiska dzięki politycznym koneksjom. Jeszcze inni byli zbyt czuli na głos opinii publicznej. Nieliczni kierowali się motywami równie mało skomplikowanymi jak te, które przyświecały jemu.

Tylko nielicznych dręczyły te same koszmary, tylko nieliczni budzili się w nocy zlani potem i wstrząśnięci wizją tego, co może ich czekać.

— Uważa pan zatem, że astronauci nie mogą w ogóle wrócić na Ziemię — podsumował Cornell.

Profitt spojrzał na szarą jak popiół twarz dyrektora administracyjnego NASA i zrobiło mu się go autentycznie żal.

— Kiedy znajdziemy skuteczne lekarstwo i będziemy wiedzieli, że potrafimy zabić ten organizm, wtedy porozmawiamy o sprowadzeniu pańskich ludzi.

— Jeśli będą jeszcze żyli — mruknął prezydent.

Profitt i Roman spojrzeli na siebie, ale żaden się nie odezwał. Zdawali sobie sprawę z oczywistości. Nie znajdą na czas lekarstwa. Astronauci nie wrócą żywi na Ziemię.

Jared Profitt wyszedł na dwór w marynarce i zawiązanym pod szyją krawacie, nie zwracając uwagi na upał. Ktoś inny mógłby się skarżyć na skwarne waszyngtońskie lato, ale jemu nie przeszkadzały wysokie temperatury. Tym, czego się obawiał, była zima: nie znosił chłodu. W mroźne dni siniały mu wargi i trząsł się nawet w kilku swetrach i szalach. Sweter trzymał w biurze również w lecie, by uchronić się przed zgubnymi skutkami klimatyzacji. Tego dnia temperatura sięgała trzydziestu stopni i kiedy przechodził przez ulicę, twarz lśniła mu od potu. Nie zdjął jednak marynarki ani nie rozluźnił krawata.

Posiedzenie zmroziło do głębi jego ciało i duszę.

W brązowej papierowej torbie niósł takie samo jak zwykle drugie śniadanie, które pakował każdego ranka przed wyjściem do pracy. I szedł tą samą co zawsze trasą, kierując się na zachód, w stronę Potomaku, mając po lewej ręce Lustrzany Staw. Rutyna i to, co znane, dodawały mu otuchy. W ostatnich czasach mało było rzeczy, które podnosiłyby go na duchu, i starzejąc się, zdał sobie sprawę, że przestrzega pewnych rytuałów niczym mnich w klasztorze, poddający się codziennemu rytmowi pracy, modlitwy i medytacji. Pod wieloma względami przypominał średniowiecznych ascetyków: jadł tylko po to, by dostarczyć paliwa ciału, i nosił garnitur tylko dlatego, że tego od niego oczekiwano. Doczesne bogactwa nic dla niego nie znaczyły.

Nic nie mogło go gorzej określać aniżeli nazwisko, które nosił.

Przecinając trawiaste zbocze przy pomniku wojny w Wietnamie, zwolnił kroku i spojrzał na ludzi przesuwających się wzdłuż ściany, na której wyryto nazwiska poległych. Wiedział, co myślą, spoglądając na te płyty z czarnego granitu i dumając nad okropnościami wojny: Tyle nazwisk. Tyle ofiar.

Nie macie pojęcia, przebiegło mu przez głowę.

Siadł na stojącej w cieniu ławce i wyjął z brązowej torby jabłko, kawałek cheddara i butelkę wody. Nie eviana ani perriera, lecz zwykłej wody z kranu. Jadł powoli, obserwując przechodzących od płyty do płyty turystów. Tak oto oddajemy hołd naszym bohaterom. Wznosimy pomniki, zawieszamy flagi, ryjemy nazwiska w marmurze. Zadziwia nas liczba ofiar, które pochłonęła po obu stronach wojna. Dwa miliony ludzi zginęło w Wietnamie. Pięćdziesiąt milionów w drugiej wojnie światowej. Te cyfry nas porażają. Czy człowiek ma groźniejszego przeciwnika niż on sam? — pytamy siebie.

Otóż ma.

Chociaż go nie widzimy, ten przeciwnik jest wszędzie wokół nas. W nas samych. W powietrzu, którym oddychamy, w produktach, którymi się odżywiamy. Od początków dziejów ludzkości zawsze był naszą nemezis i będzie żył długo po tym, jak znikniemy z powierzchni ziemi. Tym przeciwnikiem jest świat mikrobów, który na przestrzeni stuleci zabił więcej ludzi niż wszystkie prowadzone przez człowieka wojny.

Między rokiem 542 i 767 naszej ery czterdzieści milionów ludzi zmarło podczas pandemii justyniańskiej.

W czternastym wieku dwadzieścia milionów pochłonęła Czarna Śmierć.

W 1918 i 1919 trzydzieści milionów zmarło na grypę.

A w 1997 Amy Sorensen Profitt, lat 43, zmarła na paciorkowcowe zapalenie płuc.

Profitt zjadł jabłko, włożył ogryzek do brązowej torby i ciasno ją zwinął. Chociaż posiłek był skromny, czuł się najedzony. Siedział jeszcze przez chwilę na ławce, popijając wodę z butelki.

Obok przeszła turystka z jasnobrązowymi włosami. Kiedy trochę się odwróciła i światło padło z boku na jej twarz, zauważył, że jest podobna do Amy. Wyczuła, że się jej przygląda, i zerknęła w jego stronę. Patrzyli na siebie przez chwilę, ona nieufnie, on z niemą prośbą o wybaczenie. Potem kobieta odeszła i doszedł do wniosku, że wcale nie była podobna do jego zmarłej żony. Nikt nie wyglądał tak jak ona. Nikt nie mógł wyglądać.

Podniósł się z ławki, wyrzucił śmieci do kosza i ruszył z powrotem tą samą drogą, którą przyszedł. Obok pomnika. Obok posiwiałych weteranów w wytartych mundurach, którzy trzymali przy nim wartę, czcząc pamięć poległych.

Ale pamięć ludzka jest ulotna, pomyślał. Uśmiech Amy, gdy siedziała przy kuchennym stole, echo jej śmiechu — wszystko to zacierało się z upływem czasu. Zostały tylko bolesne wspomnienia. Hotelowy pokój w San Francisco. Telefon w środku nocy. Przesuwające się przed oczyma dworce lotnicze, taksówki i budki telefoniczne, kiedy przemierzał cały kraj, żeby zdążyć na czas do szpitala Bethesda.

Ale wywołujący martwicę paciorkowiec miał swój własny rozkład jazdy, swój własny plan zabijania. Podobnie jak chimera.

Profitt zaczerpnął powietrza i przez chwilę zastanawiał się, ile wirusów, ile bakterii, ile grzybów wpadło właśnie do jego płuc. I które z nich mogą go zabić.

Rozdział dwudziesty

— Moim zdaniem powinniśmy ich olać — stwierdził Luther. Połączenie z Ziemią było zawieszone, kontrola misji nie słuchała ich rozmowy. — Wsiądźmy z powrotem do kapsuły, naciśnijmy guzik i zmywajmy się stąd. Nie mogą nam w tym przeszkodzić.

Po opuszczeniu stacji nie mogli już do niej wrócić. Kapsuła ratunkowa była w gruncie rzeczy zaopatrzonym w spadochrony szybowcem, który mógł wykonać maksymalnie cztery okrążenia Ziemi; potem musiał zejść z orbity i lądować.

— Kazano nam siedzieć na dupie — powiedział Griggs. — I to właśnie zrobimy.

— Mamy słuchać durnych rozkazów? Nikołaj umrze tutaj, jeśli nie wrócimy z nim na Ziemię.

Griggs spojrzał na Emmę.

— Co o tym sądzisz, Watson?

W ciągu ostatnich dwudziestu czterech godzin Emma niemal nie odstępowała pacjenta. Wszyscy widzieli, że Nikołaj znajduje się w krytycznym stanie. Przywiązany do noszy, szarpał się, dygotał i wierzgał kończynami — czasem z tak wielką siłą, że Emma bała się, iż połamie sobie kości. Wyglądał jak bokser, który oberwał straszliwe lanie na ringu. W spuchniętej od podskórnych pęcherzyków twarzy jarzyły się przez wąskie szparki demonicznie czerwone twardówki oczu.

Nie wiedząc, jak dużo Nikołaj słyszy i rozumie, nie miała odwagi powiedzieć im, co myśli. Dała znak swoim kolegom, żeby opuścili moduł rosyjski.

Zebrali się w module mieszkalnym, gdzie Nikołaj nie mógł ich usłyszeć i gdzie mogli bezpiecznie zdjąć gogle i maski.

— Houston musi się natychmiast zgodzić na ewakuację — oznajmiła. — W przeciwnym razie go stracimy.

— Oni zdają sobie sprawę z sytuacji — stwierdził Griggs. — Nie mogą dać zgody, jeśli nie udzieli jej Biały Dom.

— Więc mamy tu siedzieć i czekać, aż wszyscy się pochorujemy? — zapytał Luther. — A co będzie, jeśli wsiądziemy po prostu do kapsuły i polecimy? Co takiego zrobią? Zestrzelą nas?

— Mogą to zrobić — powiedziała cicho Diana.

Wszyscy umilkli, wiedząc, że to szczera prawda. Każdy astronauta, który wszedł kiedykolwiek na pokład wahadłowca i siedział zlany potem podczas odliczania, wie, że w bunkrze Centrum Kosmicznego Kennedy'ego stacjonuje oddział sił powietrznych, którego jedynym zadaniem jest zestrzelenie promu i spopielenie jego załogi. Gdyby podczas startu zawiódł system sterowniczy i wahadłowiec skręcił w stronę gęsto zaludnionych terenów, obowiązkiem tych ludzi było naciśnięcie czerwonego guzika. Znali wszystkich członków załogi. Widzieli prawdopodobnie fotografie ich rodzin. Wiedzieli dobrze, kogo mają zabić. Na ich barkach spoczywała straszliwa odpowiedzialność, lecz mimo to nikt nie wątpił, że bez wahania wykonają swoje zadanie.

I tak samo strącą kapsułę ratunkową, jeśli otrzymają takie rozkazy. W obliczu nowej śmiertelnej epidemii życie pięciu astronautów nie miało znaczenia.

— Założę się, że pozwolą nam bezpiecznie wylądować — upierał się Luther. — Dlaczego mieliby tego nie zrobić? Czworo z nas jest wciąż zdrowych. Niczego nie złapaliśmy.

— Ale mieliśmy styczność z chorym — powiedziała Diana. — Oddychaliśmy tym samym powietrzem, przebywaliśmy w tych samych pomieszczeniach. Ty i Nikołaj spaliście razem w śluzie powietrznej.

— Nic mi nie dolega.

— Mnie też. Podobnie jak Griggsowi i Watson. Ale jeżeli to jest zaraźliwe, w naszych organizmach mogło już dojść do inkubacji.

— Dlatego musimy przestrzegać rozkazów — stwierdził Griggs. — I zostać tu, gdzie jesteśmy.

Luther odwrócił się do Emmy.

— Zgadzasz się z tą martyrologiczną gadką, Watson?

— Nie — odparła. — Nie zgadzam się.

Griggs posłał jej zdziwione spojrzenie.

— Co takiego?

— Nie myślę o sobie — wyjaśniła. — Chodzi mi o mojego pacjenta. Nikołaj nie może mówić, więc muszę wystąpić w jego imieniu. Chcę, żeby znalazł się w szpitalu, Griggs.

— Słyszałaś, co powiedzieli w Houston.

— To, co słyszałam, nie trzyma się kupy. Rozkaz ewakuacji został wydany, a potem odwołany. Najpierw twierdzili, że to wirus Marburg. Później, że to w ogóle nie jest wirus, ale jakiś nowy organizm stworzony przez bioterrorystów. Nie wiem, co oni tam kombinują. Wiem tylko, że mój pacjent... — nagle ściszyła głos. — Wiem, że on umiera. Moim głównym obowiązkiem jest utrzymanie go przy życiu.

— A moim głównym obowiązkiem jest kierowanie tą stacją — oświadczył Griggs. — Muszę wierzyć, że w Houston podjęli najlepszą możliwą decyzję. Nie narażaliby nas na niebezpieczeństwo, gdyby sytuacja nie była naprawdę poważna.

Emma nie mogła się z nim nie zgodzić. W kontroli misji zasiadali ludzie, których znała, ludzie, którym ufała. I jest tam Jack, pomyślała. Nikomu na świecie nie ufała tak jak jemu.

— Mamy chyba przekaz danych — powiedziała Diana, spoglądając na komputer. — To do Watson.

Emma przefrunęła przez moduł, żeby przeczytać wiadomość, która pojawiła się na ekranie monitora. Nadawcą był dział nauk przyrodniczych NASA.

Dr Watson,
Uważamy, że powinniście dokładnie wiedzieć, z czym macie do czynienia... z czym wszyscy mamy do czynienia.
Oto DNA organizmu, który zaatakował Kenichiego Hirai.

266

Otworzyła dołączony plik.

Kilka chwil trwało, nim zdołała pojąć, czym jest sunąca po ekranie sekwencja nukleotydów. I kilka kolejnych minut, nim uwierzyła w nasuwające się nieodparcie wnioski.

W jednym chromosomie znajdowały się geny trzech różnych gatunków. Żaby leopardowej. Myszy. I człowieka.

— Co to za organizm? — zapytała Diana.

— Nowa forma życia — odparła cicho Emma.

To był potwór Frankensteina. Wybryk natury. Nagle jej wzrok padł na słowo „mysz". No tak, myszy. One pierwsze zachorowały. Przez ostatnie półtora tygodnia kolejno zdychały. Kiedy ostatnim razem sprawdzała klatkę, żyła już tylko jedna samica.

Opuściła moduł mieszkalny i skierowała się do pozbawionej normalnego zasilania drugiej połowy stacji.

W laboratorium amerykańskim panował głęboki półmrok. Podpłynęła do regału ze zwierzętami. Czy myszy były pierwszymi nosicielami organizmu, czy chimera została zawleczona na pokład ISS w ich klatce? Czy może były przypadkowymi ofiarami, które zaraziły się, mając styczność z czymś innym?

I czy ostatnia mysz jeszcze żyła?

Otworzyła szufladę i zerknęła do klatki.

Łza zakręciła jej się w oku. Mysz była martwa.

Przywykła uważać tę samicę z nadgryzionym uchem za twardą sztukę, która przez czysty upór przeżyła swoich współtowarzyszy. Teraz z nieoczekiwanym przygnębieniem patrzyła na martwe ciałko, unoszące się w przeciwległym końcu klatki. Brzuch myszy wydawał się lekko spuchnięty. Musiała ją natychmiast usunąć i umieścić w pojemniku ze skażonymi odpadami.

Przystawiła klatkę do komory rękawicowej, wsunęła dłonie w rękawice i sięgnęła po mysz. Kiedy tylko zacisnęła na niej palce, zwierzę nagle ożyło. Krzyknęła zaskoczona i puściła je.

Mysz wywróciła fikołka i ruszając wąsikami posłała jej poirytowane spojrzenie.

Emma roześmiała się.

— Więc wcale nie jesteś martwa — mruknęła.

— Watson!

Odwróciła się do interkomu, z którego padło jej nazwisko.

— Jestem w laboratorium.

— Wracaj tutaj! Do modułu rosyjskiego. Nikołaj ma atak!

Wyskoczyła z laboratorium i obijając się w półmroku o ściany, popłynęła do rosyjskiej części stacji. Pierwszą rzeczą, jaką zobaczyła w module rosyjskim, były przerażone twarze jej towarzyszy. Po chwili odsunęli się na bok i zobaczyła Nikołaja.

Jego lewa ręka dygotała z taką siłą, że trzęsły się całe nosze. Konwulsje przesuwały się w dół po lewej stronie ciała i po chwili objęły nogę i biodra. Pasy, którymi był skrępowany, ocierały do krwi skórę na nadgarstkach. Emma usłyszała przyprawiający o mdłości trzask, kiedy złamały się kości lewego przedramienia. Prawy pas pękł i uwolniona z uwięzi ręka zaczęła walić o skraj noszy, gruchocząc kości dłoni.

— Przytrzymajcie go! Wstrzyknę mu pełną dawkę valium! — wrzasnęła, gorączkowo przeszukując apteczkę.

Griggs i Luther złapali Nikołaja, jednak nawet Luther nie miał dość siły, żeby unieruchomić uwolnioną rękę chorego. Odepchnięty przez Rosjanina, zaczepił stopą o policzek Diany i zerwał jej z oczu gogle.

Nikołaj wyprężył się nagle i rąbnął tyłem głowy w nosze. A potem zaczerpnął chrapliwie tchu. Jego pierś wypełniła się powietrzem, w gardle wezbrał gwałtowny kaszel.

Pecyna flegmy, która wyleciała mu z ust, trafiła Dianę prosto w twarz. Angielka jęknęła z odrazą, cofnęła się i otarła odsłonięte oko.

Globulka niebieskozielonego śluzu przepłynęła tuż obok Emmy. W galaretowatej masie tkwiło podobne do perły jądro. Globulka mijała właśnie panel oświetleniowy i Emma zdała sobie nagle sprawę, na co patrzy. Trzymając kurze jajo przed płomieniem świecy, możemy zobaczyć jego wnętrze. Panel pełnił teraz rolę świecy, jego blask przenikał błonę jądra.

W środku coś się poruszało. Coś żyło.

Nagle zabrzęczał kardiomonitor. Emma spojrzała na Nikołaja i zobaczyła, że przestał oddychać. Przez ekran sunęła płaska linia.

16 sierpnia

Jack założył na głowę słuchawki. Siedział sam na zapleczu sali kontroli lotu i teoretycznie miała to być prywatna rozmowa, lecz wiedział, że nic z tego, co powie dzisiaj on albo Emma, nie będzie przeznaczone wyłącznie dla ich uszu. Podejrzewał, że całą łączność z ISS kontrolują teraz siły powietrzne i amerykańskie dowództwo przestrzeni kosmicznej.

— CAPCOM, tu SURGEON — powiedział. — Jestem gotów do prywatnej rozmowy z członkiem rodziny.

— Przyjąłem, SURGEON — odparł CAPCOM. — Kontrola naziemna, proszę zabezpieczyć kanał łączności. Możesz mówić, SURGEON — dodał po krótkiej przerwie.

Jackowi waliło serce w piersi. Wziął głęboki oddech.

— To ja, Emmo.

— On mógłby żyć, gdyby wrócił na Ziemię — powiedziała. — Miałby jakąś szansę.

— To nie my wstrzymaliśmy ewakuację! Po raz któryś z rzędu uchylono decyzję NASA. Walczymy, żeby sprowadzić was na Ziemię tak szybko, jak to możliwe. Jeśli jeszcze trochę wytrzymacie...

— Nie wytrzymamy długo, Jack — powiedziała cicho. Rzeczowym tonem. Jej słowa zmroziły go do szpiku kości. — Diana jest zakażona — dodała.

— Jesteś pewna?

— Właśnie sprawdziłam jej poziom amylazy. Wzrasta. Teraz ją obserwujemy. Czekamy na pierwsze symptomy. To świństwo latało po całym module. Wysprzątaliśmy go, ale nie wiemy, kto jeszcze był narażony. — Przerwała na chwilę i usłyszał jej drżący oddech. — Pamiętasz te rzeczy, które widziałeś wewnątrz Andy'ego i Jill? Te rzeczy, które uważałeś za cysty? Obejrzałam jedną z nich pod mikroskopem. To nie są cysty, Jack. I to nie są spory.

— Więc co to takiego?

— To są jaja. Coś w nich jest. Coś rośnie.

— Rośnie? Chcesz powiedzieć, że to wielokomórkowce?

— Tak. To właśnie chcę powiedzieć.

Jack był zaskoczony. Zakładał, że mają do czynienia z mikrobem, z czymś, co nie jest większe od jednokomórkowej bakterii. Największymi wrogami rodzaju ludzkiego były zawsze mikroby, bakterie, wirusy i pierwotniaki, zbyt małe, by można je obejrzeć gołym okiem. Jeśli chimera składała się z wielu komórek, w takim razie była o wiele bardziej rozwinięta od zwykłej bakterii.

— To, co oglądałam, nie było jeszcze uformowane — oświadczyła Emma. — Przypominało bardziej grupę komórek niż cokolwiek innego. Ale zauważyłam układ naczyniowy. I skurcze. Cała ta rzecz pulsowała, podobnie jak hodowla komórek mięśnia sercowego.

— Może to była właśnie hodowla. Grupa połączonych ze sobą pojedynczych komórek.

— Nie. Nie, moim zdaniem, to był jeden organizm. Młody organizm, który wciąż się rozwijał.

— W co?

— To wie USAMRIID — odparła. — Te organizmy rozwijały się w martwym Kenichim Hirai. Pożerały jego organy. Kiedy jego ciało uległy dezintegracji, musiały rozprysnąć się po całym promie.

A wojskowi natychmiast go zabezpieczyli, pomyślał Jack, wspominając helikoptery i odzianych w kosmiczne kombinezony ludzi.

— Rozwijają się również w zwłokach Nikołaja — dodała.

— Pozbądźcie się ciała, Emmo! Nie traćcie czasu.

— Już się tym zajęliśmy. Luther chce je wyekspediować w przestrzeń ze śluzy powietrznej. Miejmy nadzieję, że próżnia zabije ten organizm. To historyczne wydarzenie, Jack. Pierwszy ludzki pogrzeb w kosmosie.

W słuchawkach rozległ się jej ironiczny śmiech, ale szybko go stłumiła.

— Posłuchaj mnie — powiedział. — Mam zamiar sprowadzić cię do domu. Nawet gdybym musiał sam wsiąść do pieprzonej rakiety i po ciebie polecieć.

— Nie pozwolą nam wrócić do domu. Teraz już to wiem.

Nigdy jeszcze nie słyszał w jej głosie takiej rezygnacji. Ogarnął go gniew. I desperacja.

— Przestań się mazgaić, Emma!

— Jestem tylko realistką. Widziałam, z czym przyszło nam się zmierzyć, Jack. Chimera jest skomplikowanym wielokomórkowym organizmem. Porusza się. Reprodukuje. Używa przeciwko nam naszego DNA, naszych genów. Jeśli to wytwór bioinżynierii, jakiś terrorysta stworzył właśnie idealną broń.

— W takim razie musiał zaprojektować również środki obrony. Nikt nie tworzy nowej broni, nie wiedząc, jak się przed nią bronić.

— Fanatyk może to zrobić. Terrorysta, którego interesuje wyłącznie zabijanie ludzi... bardzo wielu ludzi. A ta rzecz to potrafi. Nie tylko zabija, ale reprodukuje się. Rozprzestrzenia. — Emma urwała. W jej głosie słychać było znużenie. — Biorąc to wszystko pod uwagę, jest jasne, że nie wrócimy.

Jack ściągnął słuchawki i schował głowę w dłoniach. Przez dłuższy czas siedział sam w pokoju, wciąż słysząc w uszach głos Emmy. Nie wiem, jak cię uratować, myślał. Nie wiem nawet, od czego zacząć.

Nie usłyszał, jak otworzyły się drzwi. Podniósł głowę dopiero wtedy, gdy Liz Gianni z działu frachtów odezwała się do niego po imieniu.

— Mamy nazwisko — oznajmiła.

Zdezorientowany potrząsnął głową.

— Jakie nazwisko?

— Powiedziałam ci, że mam zamiar sprawdzić, jaki eksperyment trzeba było zniszczyć z powodu skażenia grzybiczego. Okazuje się, że to była kultura komórkowa. Badanie prowadziła doktor Helen Koenig, biolog organizmów morskich z Kalifornii.

— I co?

— Koenig zniknęła. Zwolniła się w zeszłym tygodniu z laboratorium w SeaScience, gdzie pracowała. Od tego czasu zaginął o niej wszelki słuch. Ale to nie wszystko. Właśnie rozmawiałam z facetką z SeaScience. Powiedziała mi, że agenci federalni odwiedzili dziewiątego sierpnia pracownię Koenig. Zabrali wszystkie akta.

Jack wyprostował się.

— Co to był za eksperyment? Jaką kulturę komórkową nam przysłała?

— Morskie jednokomórkowce. Nazywają się archaeony.

Rozdział dwudziesty pierwszy

— Eksperyment zaplanowany był na trzy miesiące — wyjaśniła Liz. — Chodziło o zbadanie, jak archaeony rozmnażają się w stanie nieważkości. Kultura zaczęła się dziwnie zachowywać. Doszło do gwałtownego wzrostu i zbrylenia. Rozmnażała się w zaskakującym tempie.

Szli jedną z alejek przecinających teren Centrum Kosmicznego Johnsona. Stojąca obok fontanna rozpylała wodę w nieruchomym powietrzu. Dzień był upalny i parny, ale doszli do wniosku, że bezpieczniej będzie wyjść na dwór; tylko tutaj mogli swobodnie rozmawiać.

— Komórki zachowują się inaczej w przestrzeni kosmicznej — mruknął Jack.

To była główna przyczyna, dla której wysyłano kultury komórkowe na orbitę. Na Ziemi tkanki rozrastają się na płaszczyźnie, pokrywając powierzchnię doświadczalnej płytki. Brak grawitacji pozwala rozrastać im się w trzech wymiarach i przybierać kształty, których nigdy nie osiągnęłyby na Ziemi.

— Zważywszy, jak bardzo ekscytujące były te wyniki — stwierdziła Liz — dziwi mnie, że eksperyment został przerwany po sześciu i pół tygodnia.

— Kto go przerwał? — zapytał Jack.

— Polecenie wydała sama Helen Koenig. Najwyraźniej poddała analizie próbki, które wróciły na Ziemię na pokładzie

Atlantis, i stwierdziła, że uległy zagrzybieniu. Kazała zniszczyć kulturę, która znajdowała się na ISS.

— I tak się stało?

— Owszem. Najdziwniejsze jest jednak to, w jaki sposób została zniszczona. Załodze nie pozwolono zapakować jej i wyrzucić do pojemnika ze skażonymi odpadami, tak jak normalnie robi się w przypadku mało groźnych organizmów. Nie, Koenig kazała im wsadzić kultury do pieca i spalić. A potem wyrzucić popioły w przestrzeń.

Jack zatrzymał się w miejscu i spojrzał na Liz.

— Jeśli doktor Koenig jest bioterrorystką, po co miałaby niszczyć własną broń?

— Podobnie jak ty, mogę tylko zgadywać.

Przez chwilę się zastanawiał, próbując doszukać się w tym wszystkim jakiegoś sensu, ale nic nie przychodziło mu do głowy.

— Opowiedz mi coś więcej o tym eksperymencie — poprosił. — Czym są dokładnie te archaeony?

— Petrovitch i ja przejrzeliśmy literaturę naukową. Archaeony to dziwna klasa jednokomórkowych organizmów, którym nadano nazwę *extremophiles*, czyli „tych, co lubią ekstremalne warunki". Odkryto je przed dwudziestu laty przy gorących źródłach wulkanicznych na dnie morza, gdzie całkiem dobrze im się wiodło. Znaleziono je także w polarnych czapach lodowych i w skałach głęboko w skorupie ziemskiej. W miejscach, gdzie w ogóle nie powinno istnieć życie.

— Więc to rodzaj superodpornych bakterii?

— Nie, to zupełnie oddzielna klasa organizmów. Ich nazwa oznacza w dosłownym tłumaczeniu „starodawne". Są rzeczywiście starodawne, pochodzą z czasów, gdy istniał uniwersalny przodek wszelkiego życia. Z czasów, kiedy nie było jeszcze bakterii. Archaeony były jednymi z pierwszych mieszkańców naszej planety i prawdopodobnie będą ostatnimi, które na niej przetrwają. Bez względu na to, co się zdarzy... wojna nuklearna czy zderzenie z asteroidem... zostaną tutaj długo po tym, gdy my wyginiemy. W pewnym sensie są ostatecznymi zdobywcami Ziemi.

— Czy są zaraźliwe?

— Nie. Dla ludzi są nieszkodliwe.

— W takim razie to nie jest nasz zabójca.

— Ale może w kulturze było coś innego? Może Koenig umieściła tam inny organizm tuż przed wysłaniem nam ładunku? Intryguje mnie, dlaczego zniknęła w momencie, kiedy zaczął się cały kryzys.

Jack nie odpowiedział. Nie dawało mu spokoju pytanie, dlaczego Helen Koenig kazała nagle spalić swoje kultury komórkowe. Pamiętał, co Gordon Obie powiedział podczas ich spotkania. Być może nie był to wcale akt sabotażu, ale coś równie przerażającego. Pomyłka.

— Jest coś jeszcze — dodała Liz. — Jeszcze jeden powód, dla którego ten eksperyment budzi moje podejrzenia.

— Tak?

— To, jak został opłacony. Eksperymenty spoza NASA muszą ubiegać się o miejsce na stacji. Naukowcy składają podania, w których wyjaśniają, jakie mogą być komercyjne zastosowania ich badań. Podania są przez nas opiniowane i muszą przejść przez różne komisje, zanim zdecydujemy, który projekt w pierwszej kolejności wyślemy na orbitę. Cały ten proces zajmuje dużo czasu: rok albo więcej.

— Jak długo to trwało w przypadku archaeonów?

— Sześć miesięcy.

Jack zmarszczył czoło.

— Tak prędko?

— Skorzystano z tak zwanej szybkiej ścieżki. W przeciwieństwie do większości eksperymentów, nie musieli się ubiegać o dotację NASA. Ktoś zapłacił, żeby wysłać ten eksperyment na orbitę.

W ten sposób agencja starała się zwiększyć finansową opłacalność stacji — sprzedając jej przestrzeń ładunkową komercyjnym użytkownikom.

— Dlaczego jakaś firma wybuliła ciężkie pieniądze... mam na myśli naprawdę ciężkie pieniądze... żeby rozmnożyć w próbówce bezwartościowe organizmy? Z naukowej ciekawości? — Liz prychnęła z niedowierzaniem. — Bardzo wątpię.

— Kto za to zapłacił?

— Firma, w której pracowała doktor Koenig. SeaScience w miejscowości La Jolla w Kalifornii. Zajmują się komercyjnym wykorzystaniem produktów morskich.

Jack czuł, jak ustępuje desperacja, którą jeszcze niedawno odczuwał. Miał teraz informację, którą musiał sprawdzić. Plan akcji. Nareszcie mógł coś zrobić.

— Potrzebny mi jest adres i telefon SeaScience — powiedział. — I nazwisko tej facetki, z którą rozmawiałaś.

Liz kiwnęła energicznie głową.

— Wszystko ode mnie dostaniesz, Jack.

17 sierpnia

Diana obudziła się z obolałą głową i resztkami snu pod powiekami. Śniła jej się Anglia, jej rodzinny dom w Kornwalii. Do frontowych drzwi wiodła ceglana alejka okolona pnącymi różami. W swoim śnie otworzyła niewielką furtkę, usłyszała jak zawsze skrzypienie jej nienaoliwionych zawiasów i zaczęła iść ścieżką do kamiennego domku. Od ganku dzieliło ją może pięć kroków. Zaraz zawoła, że jest w domu, nareszcie w domu. Czekała na uścisk matczynych dłoni, czekała na jej wybaczenie. Ale z pięciu kroków zrobiło się nagle dziesięć. A potem dwadzieścia. Ścieżka wydłużała się, dom był wciąż poza jej zasięgiem i w końcu zrobił się mały jak domek dla lalek.

Obudziła się z wyciągniętymi przed siebie rękoma i wzbierającym w krtani krzykiem.

Otworzyła oczy i zobaczyła Michaela, który bacznie jej się przyglądał. Mimo że miał na twarzy ochronną maskę i gogle, dostrzegła malujące się na niej przerażenie.

Rozpięła śpiwór i przepłynęła przez moduł rosyjski. Wiedziała, co zobaczy, zanim jeszcze przejrzała się w lusterku.

Na białku jej lewego oka widniała jaskrawoczerwona plama.

Emma i Luther rozmawiali półgłosem w słabo oświetlonym module mieszkalnym. Większa część stacji nadal nie miała pełnego zasilania; tylko w segmencie rosyjskim, który dysponował własnym źródłem energii, można było korzystać z niej bez większych ograniczeń. Amerykański koniec stacji zmienił się w labirynt mrocznych tuneli; w półmroku modułu mieszkalnego najjaśniejszym źródłem światła był ekran komputera, na którym widniał schemat systemu podtrzymania życia i kontroli środowiska kabinowego. Emma i Luther byli z nim w miarę obeznani; poznali jego komponenty i podsystemy w trakcie szkolenia na Ziemi. Teraz mieli ważny powód, by mu się dokładniej przyjrzeć. Na pokładzie doszło do skażenia i nie wiedzieli, czy została nim objęta cała stacja. Kiedy Nikołaj zakaszlał, rozsiewając jajeczka w module rosyjskim, właz był otwarty. W ciągu kilku sekund system wentylacyjny stacji, zaprojektowany tak, by zapobiec tworzeniu się zastoin zużytego powietrza, przeniósł drobiny w inne części stacji. Pytanie brzmiało, czy system kontroli środowiska kabinowego zatrzymał jajeczka w swoich filtrach, czy też skażone były teraz wszystkie moduły?

Na ekranie widzieli schemat przepływu powietrza wewnątrz stacji. Tlen dostarczany był z kilku niezależnych źródeł. Głównym źródłem był rosyjski generator Elektron, który wytwarzał wodór i tlen z elektrolizy wody oraz zapasowy generator na paliwo stałe, produkujący tlen z nabojów chemicznych. Były także butle, ładowane przy każdych odwiedzinach promu. System rur dostarczał tlen zmieszany z azotem do wszystkich zakątków stacji, a wentylatory podtrzymywały cyrkulację między modułami. Wentylatory przepuszczały również powietrze przez różne płuczki i filtry, które oczyszczały je z dwutlenku węgla, wody i innych cząsteczek.

— Te filtry powinny wyłapać wszystkie jajeczka w ciągu piętnastu minut — stwierdził Luther, pokazując zaznaczone na schemacie filtry wysokiej efektywności. — Skuteczność systemu wynosi dziewięćdziesiąt dziewięć i dziewięć dziesiątych procent. Zatrzymują wszystko, co jest większe od jednej trzeciej mikrona.

— Pod warunkiem, że jajeczka fruwały w powietrzu — odparła Emma. — Problem polega na tym, że one przywierają do różnych powierzchni. I widziałam, że się poruszają. Mogły wślizgnąć się w szpary i ukryć za panelami, gdzie ich nie widzimy.

— Demontaż wszystkich paneli i szukanie jajeczek zajmie nam całe miesiące. Zresztą i tak na pewno kilka przeoczymy.

— Dajmy sobie spokój z panelami. To beznadziejne. Zmienię pozostałe filtry wysokiej efektywności. A jutro sprawdzę jeszcze raz wkłady mikrobiologiczne. Musimy wierzyć, że zadziałają. Ale jeśli te larwy zakradły się do rurek kablowych, nigdy ich nie odnajdziemy — powiedziała Emma, wzdychając. Zmęczenie nie pozwalało jej się skupić. — Bez względu na to, co zrobimy, może to i tak nie mieć żadnego znaczenia — dodała. — Może być za późno.

— Na pewno jest już za późno dla Diany — stwierdził cicho Luther.

Tego dnia w oczach Diany pojawiły się wybroczyny twardówkowe. We włazie do modułu rosyjskiego zawiesili plastikową zasłonę i nikt nie mógł do niej wchodzić bez respiratora i gogli. Bezużyteczne zabezpieczenia, pomyślała Emma. Wszyscy oddychali tym samym powietrzem; wszyscy dotykali Nikołaja. Być może wszyscy byli zakażeni.

— Musimy zakładać, że rosyjski moduł służbowy jest teraz bezpowrotnie skażony — powiedziała.

— To jedyny nadający się do zamieszkania moduł z pełnym zasilaniem. Nie możemy go całkowicie zamknąć.

— W takim razie domyślasz się chyba, co powinniśmy zrobić. Luther ciężko westchnął.

— Czeka nas kolejne wyjście w przestrzeń.

— Musimy przywrócić pełne zasilanie w tej części stacji — stwierdziła Emma. — Musisz naprawić do końca ten przegub pierścieniowy, w przeciwnym razie znajdziemy się na skraju katastrofy. Jeśli nawali nam zasilanie zapasowe, zaraz potem może wysiąść system kontroli środowiska kabinowego. Albo komputery naprowadzania i nawigacji.

Było to coś, co Rosjanie nazywali „scenariuszem latającej trumny". Nie mogąc zachować właściwej pozycji, stacja zacznie wymykać się spod kontroli.

— Nawet jeśli przywrócimy pełne zasilanie — mruknął Luther — nie rozwiąże to naszego prawdziwego problemu, którym jest skażenie biologiczne.

— Gdyby udało nam się ograniczyć je do części rosyjskiej...

— Ale w Dianie właśnie rozwijają się larwy. Jest niczym bomba czekająca na detonację.

— Pozbędziemy się jej ciała, kiedy tylko umrze — powiedziała Emma. — Zanim wydali jakiekolwiek jaja albo larwy.

— Może być wtedy za późno. Nikołaj wyrzygał z siebie te jaja, kiedy jeszcze żył. Jeśli będziemy czekać, aż Diana umrze...

— Co ty sugerujesz, Luther? — Głos Griggsa zaskoczył ich oboje. Odwrócili się w stronę wejścia do modułu. Dowódca stacji łypał na nich groźnie okiem, w półmroku błyszczała jego spocona twarz. — Chcesz, żebyśmy wyrzucili ją na zewnątrz, kiedy jeszcze żyje?

Luther schował się głębiej w cień, jakby cofał się przed atakiem.

— Jezu, wcale tego nie mówiłem.

— W takim razie o co ci chodzi?

— O to, że te larwy... wszyscy wiemy, że w niej są. Wiemy, że to tylko kwestia czasu.

— Może są w nas wszystkich? Może są w tobie? Może dojrzewają i rosną w tobie właśnie w tej chwili. Czy powinniśmy pozbyć się twojego ciała?

— Owszem, jeśli w ten sposób powstrzymamy je przed rozprzestrzenianiem się. Słuchaj, wszyscy wiemy, że ona umrze. Nie możemy na to nic poradzić. Musimy wybiegać myślą w przyszłość...

— Stul dziób!

Griggs rzucił się na Luthera i złapał go za koszulę. Obaj mężczyźni wyrżnęli o przeciwległą ścianę i przez chwilę kręcili się w kółko w powietrzu. Luther próbował odepchnąć od siebie Griggsa, ale ten nie chciał go puścić.

— Przestańcie! — wrzasnęła Emma. — Puść go, Griggs!

Griggs posłuchał jej. Obaj mężczyźni odsunęli się od siebie, ciężko dysząc. Emma ustawiła się między nimi niczym bokserski sędzia.

— Luther ma rację — powiedziała do Griggsa. — Musimy

myśleć z wyprzedzeniem. Może nam się to nie podobać, ale nie mamy wyboru.

— A gdyby chodziło o ciebie, Watson? — odpalił Griggs. — Jak by ci się podobała dyskusja o tym, co zrobić z twoim ciałem? Jak szybko mamy zapakować cię do worka i wyrzucić za burtę?

— To ty powinieneś o tym myśleć! Stawką jest życie trzech innych osób i Diana o tym świetnie wie. Robię, co w mojej mocy, żeby utrzymać ją przy życiu, ale nie mam pojęcia, co odniesie skutek. Mogę tylko napompować ją antybiotykami i czekać, aż Houston udzieli odpowiedzi na moje pytania. Moim zdaniem, zostawili nas tutaj na łasce losu. Musimy się przygotować na najgorsze!

Griggs potrząsnął głową. Miał podkrążone oczy i twarz ściągniętą cierpieniem.

— Czy może być jeszcze gorzej niż jest? — zapytał cicho.

Emma nie odpowiedziała. Spojrzała na Luthera i wyczytała w jego oczach własne obawy. Najgorsze miało dopiero nadejść.

— ISS, mamy lekarza na linii — oznajmił CAPCOM. — Możesz mówić, ISS.

— Jack?

Ku swojemu rozczarowaniu usłyszała głos Todda Cutlera.

— To ja, Emmo. Niestety Jack musiał na jeden dzień opuścić Houston. Razem z Gordonem pojechali do Kalifornii.

Niech cię diabli, Jack, pomyślała. Potrzebuję cię.

— Zgadzamy się tutaj wszyscy co do kolejnego wyjścia w przestrzeń. Trzeba to zrobić i trzeba to zrobić szybko. Moje pierwsze pytanie brzmi: jak się czuje Luther Ames? Fizycznie i psychicznie? Czy jest na siłach to zrobić?

— Jest zmęczony. Wszyscy jesteśmy zmęczeni. W ciągu ostatnich dwudziestu czterech godzin prawie nie zmrużyliśmy oka. Bez przerwy sprzątamy.

— Czy jeśli damy mu dzień odpoczynku, zdoła wykonać zadanie?

— Dzień odpoczynku brzmi w tej chwili jak niezisczalne marzenie.

— Ale czy jeden dzień mu wystarczy?

Przez chwilę się zastanawiała.

— Chyba tak. Musi po prostu odespać zaległości.

— W porządku. A oto moje drugie pytanie: czy ty sama czujesz się na siłach wyjść w przestrzeń?

Emma milczała zaskoczona.

— Chcecie, żebym mu towarzyszyła?

— Nie wydaje nam się, żeby Griggs dał sobie radę. W ogóle nie kontaktuje się z Ziemią. Nasi psychologowie uważają, że jest w tym momencie zbyt niestabilny.

— On jest zrozpaczony, Todd. I bardzo rozgoryczony, że nie pozwalacie nam wrócić do domu. Może o tym nie wiecie, ale on i Diana...

— Wiemy. Problemy emocjonalne poważnie ograniczyły jego efektywność. Dlatego to ty musisz pomóc Lutherowi.

— Pomyśleliście o kombinezonie? Jest na mnie za duży.

— W starym *Sojuzie* jest skafander Orlan-M. Uszyto go dla Jeleny Sawickiej i zostawiono na pokładzie po którejś z poprzednich misji. Jelena była mniej więcej twojego wzrostu i wagi. Powinien pasować.

— To będzie moje pierwsze wyjście w przestrzeń.

— Przeszłaś szkolenie w basenie. Poradzisz sobie. Będziesz tylko asystowała Lutherowi.

— A co z moim pacjentem? Kto będzie się zajmował Dianą, kiedy będę na zewnątrz?

— Griggs może jej zmienić kroplówki i zrobić, co będzie trzeba.

— A jeśli jej stan nagle się pogorszy? Jeśli zaczną się konwulsje?

— Ona umiera, Emmo — stwierdził cicho Todd. — Nie wydaje nam się, żebyś była w stanie to zmienić.

— To dlatego, że nie dajecie mi żadnych użytecznych informacji, które mogłabym wykorzystać! Zależy wam tylko na ratowaniu samej stacji! Bardziej obchodzi was naprawa tych pieprzonych baterii niż życie załogi. Potrzebujemy jakiegoś leku, Todd, inaczej wszyscy tutaj umrzemy.

— Nie mamy żadnego leku. Jeszcze nie...

— W takim razie sprowadźcie nas, kurwa, na Ziemię!

— Myślisz, że to my chcemy was tam zostawić? Myślisz, że mamy tu w ogóle coś do powiedzenia? Centrum kontroli wygląda jak jakiś pieprzony sztab nazistów. Wszędzie siedzą te dupki z sił powietrznych...

W eterze zapadła nagle cisza.

— Todd? — zawołała. — Todd Cutler?

Bez odpowiedzi.

— CAPCOM, nie słyszę lekarza. Proszę o przywrócenie łączności.

Pauza. A potem po długiej przerwie:

— Nie rozłączaj się, ISS.

Czekała chyba całą wieczność. Kiedy ponownie usłyszała Todda, był bardzo cichy. Wystraszony.

— Podsłuchują nas, prawda? — zapytała.

— Tak.

— To miała być prywatna rozmowa!

— Nic nie jest już prywatne. Pamiętaj o tym.

Przełknęła z trudem ślinę, starając się opanować gniew.

— W porządku. W porządku. Oszczędzę ci tyrad. Powiedz mi tylko, co macie na temat tego organizmu. Co mogłabym użyć przeciw niemu.

— Obawiam się, że niewiele mam ci do powiedzenia. Właśnie rozmawiałem z USAMRIID. Z doktorem Isaakiem Romanem, który kieruje projektem „Chimera". Wieści nie są dobre. Leczenie antybiotykami oraz środkami przeciwko pasożytom nie dało żadnych rezultatów. Roman twierdzi, że chimera przyswoiła sobie tak dużo obcego DNA, że przypomina teraz ssaka bardziej niż cokolwiek innego. A to oznacza, że wszelkie lekarstwa, które przeciwko niej stosujemy, zabijają również nasze tkanki.

— Czy próbowali leków onkologicznych? Ta rzecz rozmnaża się tak szybko... zachowuje się jak guz. Nie moglibyśmy zwalczyć jej w ten sposób?

— UAMRIID stosował antymitotyki w nadziei, że zabiją chimerę w fazie podziału komórkowego. Niestety skuteczne dawki zabijają również organizmy gospodarzy. Martwicy ulega

282

cała śluzówka przewodu pokarmowego. Zwierzę wykrwawia się.

Najgorsza śmierć, jaką można sobie wyobrazić, pomyślała. W żołądku i jelitach dochodzi do potężnego krwotoku. Krew wypływa z ust i odbytu. Widziała to kiedyś na Ziemi. W kosmosie byłoby to jeszcze gorsze: wyobraziła sobie ogromne niczym balony bańki krwi, które unoszą się w kabinie, rozpryskują o każdą powierzchnię, ochlapują wszystkich.

— W takim razie nic nie da się zrobić — powiedziała. Todd milczał.

— Jest jakaś kuracja, która nie zabija nosiciela?

— Wspomnieli o jednej rzeczy. Ale Roman twierdzi, że efekty są wyłącznie tymczasowe. Że to nie jest skuteczna terapia.

— Co to takiego?

— Komora wysokociśnieniowa. Potrzebne jest ciśnienie minimum dziesięciu atmosfer. Ekwiwalent nurkowania na głębokość trzystu stóp. Poddane takiemu ciśnieniu zwierzęta wciąż żyją, sześć dni po zakażeniu.

— Musi być minimum dziesięć atmosfer?

— Przy mniejszym ciśnieniu infekcja rozwija się. Nosiciel umiera.

Emma jęknęła sfrustrowana.

— Nawet gdybyśmy zdołali podnieść ciśnienie do tego poziomu, dziesięć atmosfer to więcej, niż może wytrzymać ta stacja.

— Nawet dwie atmosfery zgniotłyby kadłub — odparł Todd. — Poza tym potrzebna jest mieszanka tlenowo-helowa. Nie można jej otrzymać na stacji. Dlatego nie chciałem o tym w ogóle wspominać. W waszej sytuacji to bezużyteczna informacja. Sprawdziliśmy już, czy istnieje możliwość dostarczenia komory wysokociśnieniowej na pokład ISS, ale tak potężne urządzenie musielibyśmy umieścić w ładowni *Endeavoura*. Problem polega na tym, że *Endeavour* przeszedł już fazę przygotowań w pozycji horyzontalnej. Załadowanie komory i jej wysłanie zajęłoby co najmniej dwa tygodnie. Poza tym wahadłowiec musiałby przycumować do stacji, a to oznacza, że jego załoga zostałaby narażona na skażenie. — Todd umilkł. — USAMRIID wyklucza taką opcję — dodał po chwili.

Emma czuła, jak jej frustracja zmienia się w gniew. Żeby skorzystać z jedynej szansy ratunku, czyli komory wysokociśnieniowej, musieliby wrócić na Ziemię. A ta opcja również była wykluczona.

— Zastanawiam się, w jaki sposób wykorzystać tę informację — mruknęła. — Wyjaśnij mi, dlaczego terapia wysokociśnieniowa okazała się skuteczna. Dlaczego w USAMRIID w ogóle pomyśleli o jej zastosowaniu?

— Zadałem to samo pytanie doktorowi Romanowi.

— I co powiedział?

— Że to nowy i dziwaczny organizm. To skłoniło ich do zastosowania niekonwencjonalnych metod.

— Więc właściwie nie odpowiedział na twoje pytanie.

— To wszystko, co od niego usłyszałem.

Ciśnienie dziesięciu atmosfer stanowiło górną granicę tego, co może znieść człowiek. Emma była zapalonym nurkiem, nigdy jednak nie odważyła się zanurzyć głębiej niż na sto dwadzieścia stóp. Na trzysta stóp schodzili tylko głupcy. Dlaczego USAMRIID testował tak ekstremalne ciśnienie?

Musiał być jakiś powód, pomyślała. Wiedzą coś na temat tego organizmu i to podsunęło im myśl, że wysokie ciśnienie może odnieść skutek.

Wiedzą coś, czego nam nie mówią.

Rozdział dwudziesty drugi

Przyczyna, dla której Gordona Obiego nazywano Sfinksem, nigdy nie była bardziej oczywista niż podczas ich lotu do San Diego. Zabrali jeden z odrzutowców T-38 z Ellington Field. Obie zasiadł za sterami, a Jack wcisnął się w jedyny fotel dla pasażera. Fakt, że prawie nie rozmawiali ze sobą w powietrzu, szczególnie go nie dziwił. T-38 nie sprzyja konwersacji, pasażer i pilot siedzą bowiem jeden za drugim niczym dwa groszki w strączku. Jednak nawet podczas tankowania w El Paso, gdzie wysiedli, żeby rozprostować nogi po półtoragodzinnym siedzeniu w ciasnej kabinie, Obie nie dał się wciągnąć w pogawędkę. Odezwał się tylko raz, kiedy stali na skraju płyty lotniska, popijając doktora peppersa z automatu.

— Gdyby chodziło o moją żonę, też srałbym ze strachu — stwierdził nagle, mrużąc oczy przed słońcem, które minęło już najwyższy punkt na nieboskłonie.

A potem rzucił pustą puszkę do kosza na śmieci i ruszył z powrotem do odrzutowca.

Po wylądowaniu na Lindbergh Field Jack siadł za kierownicą wynajętego przez nich samochodu i ruszyli na północ autostradą międzystanową nr 5 do La Jolli. Gordon wyglądał w milczeniu przez okno. Jackowi zawsze wydawał się bardziej podobny do maszyny niż do człowieka i wyobrażał sobie, że jego komputerowy umysł rejestruje elementy krajobrazu niczym bity informacji: PAGÓREK. ESTAKADA. OSIEDLE MIESZKANIOWE. Chociaż Gordon był kiedyś astronautą, nikt z tego środowiska tak naprawdę go nie znał. Pojawiał się sumiennie na każdym przyjęciu, ale zawsze stał na uboczu, milcząc i nie pijąc nic mocniejszego od swojego ulubionego doktora peppersa.

Samotność nie wydawała mu się w najmniejszym stopniu doskwierać; akceptował ją jako jeden z elementów swej osobowości, podobnie jak akceptował swoje komicznie wystające uszy i fatalną fryzurę. Jeśli nikt tak naprawdę nie znał Gordona Obiego, to dlatego, iż Gordon nigdy się nie odsłaniał.

Z tego powodu jego uwaga w El Paso zdumiała Jacka. Gdyby chodziło o moją żonę, też srałbym ze strachu.

Jack nie potrafił sobie wyobrazić srającego ze strachu Sfinksa. Nie potrafił go sobie wyobrazić nawet w roli męża. Z tego, co wiedział, Gordon zawsze był kawalerem.

Kiedy jechali w górę krętą drogą prowadzącą do La Jolli, od morza sunęła już popołudniowa mgiełka. O mało nie minęli zjazdu do SeaScience; zaznaczony był pojedynczą małą tablicą, za którą ciągnął się eukaliptusowy gaj. Dopiero po przejechaniu pół mili zobaczyli stojący nad samym morzem nierealny, podobny do fortecy budynek z białego betonu.

Przy biurku ochrony przywitała ich kobieta w białym laboratoryjnym fartuchu.

— Rebecca Gould — przedstawiła się, ściskając im dłonie. — Pracuję w pokoju przy tym samym korytarzu co Helen. Rozmawiałam z panami dziś rano.

Krótko ostrzyżona i mocno zbudowana, podobna była do mężczyzny. Jej gruby głos też mógł łatwo wprowadzić w błąd.

Zjechali windą do podziemi.

— Naprawdę nie wiem, dlaczego uparliście się tu przyjechać — powiedziała Rebecca. — Jak już mówiłam przez telefon, USAMRIID opróżnił do czysta jej laboratorium. Możecie sami zobaczyć — dodała, otwierając drzwi.

Jack i Gordon weszli do środka i omietli zdumionym wzrokiem pracownię. Niedomknięte szuflady ziały pustką. Z półek i blatów zabrano cały sprzęt; nie została ani jedna próbówka.

Oszczędzono tylko dekoracje ścian, w większości oprawione w ramki plakaty biur podróży, kuszące fotografie tropikalnych plaży, palm i brązowych kobiet wygrzewających się na słońcu.

— Byłam w mojej pracowni po drugiej stronie korytarza, kiedy tu wpadli. Usłyszałam podniesione głosy i brzęk tłuczonego szkła. Wyjrzałam przez drzwi i zobaczyłam mężczyzn, którzy wywozili na wózkach akta i komputery. Zabrali wszystko. Inkubatory z jej kulturami. Próbki morskiej wody. Nawet żaby, które trzymała w tym terrarium. Kiedy moi asystenci próbowali ich powstrzymać, zabrano ich na przesłuchanie. Zadzwoniłam naturalnie na górę, do doktora Gabriela.

— Gabriela?

— Palmera Gabriela. Prezesa naszej firmy. Zszedł osobiście na dół razem z adwokatem SeaScience. Ale im też nie udało się nic wskórać. Wojskowi zapakowali wszystko w kartonowe pudła. Zabrali nawet drugie śniadania pracowników! — Rebecca otworzyła lodówkę i pokazała puste półki. — Nie wiem, co u licha spodziewali się tu znaleźć. Nie wiem też, po co wy tutaj przyjechaliście — dodała, zwracając się do Jacka i Gordona.

— Wszyscy szukamy Helen Koenig.

— Mówiłam wam. Odeszła.

— Wie pani, dlaczego?

Rebecca wzruszyła ramionami.

— O to samo pytali ci z USAMRIID. Czy miała jakiś żal do SeaScience. Czy była psychicznie niestabilna. Z pewnością niczego takiego nie zauważyłam. Moim zdaniem, była po prostu zmęczona. Miała dosyć harówki przez siedem dni w tygodniu, nie wiadomo od ilu lat.

— A teraz nikt jej nie może znaleźć.

Rebecca wysunęła gniewnie podbródek.

— Wyjazd z miasta to chyba jeszcze nie zbrodnia. Nie oznacza wcale, że jest bioterrorystką. Ale USAMRIID potraktował jej pracownię, jakby popełniono w niej ciężkie przestępstwo. Jakby hodowała wirusa Ebola albo coś w tym rodzaju. Helen studiowała archaeony. Nieszkodliwe morskie mikroby.

— Jest pani pewna, że to był jedyny projekt, którym zajmowano się w tym laboratorium?

— Pyta pan, czy szpiegowałam Helen? Oczywiście, że nie. Mam dosyć własnej pracy. Ale co innego mogła tutaj robić? Całe lata poświęciła badaniom archaeonów. Ten szczep, który wysłała na pokład ISS, był jej odkryciem. Uważała to za swój triumf.

— Czy badania nad archaeonami mają jakieś praktyczne zastosowanie?

Rebecca zawahała się.

— Nic mi o tym nie wiadomo.

— W takim razie po co badać je w kosmosie?

— Nie słyszał pan nigdy o czystej nauce, doktorze McCallum? O wiedzy dla samej wiedzy? To dziwne, fascynujące stworzenia. Helen znalazła ten gatunek w Rowie Galapagos, nieopodal gorącego źródła wulkanicznego, na głębokości dziewiętnastu tysięcy stóp. W temperaturze wrzenia oraz w ciśnieniu wynoszącym sześćset atmosfer te organizmy doskonale się czują. To świadczy o tym, jak wielkie są zdolności adaptacyjne życia. Całkiem naturalna jest chęć dowiedzenia się, co się stanie, jeśli zabierzemy taką formę życia z jej ekstremalnego środowiska i umieścimy ją w o wiele przyjaźniejszych warunkach. Gdzie nie ma miażdżącego ciśnienia tysięcy funtów na cal kwadratowy. Gdzie w ogóle nie ma grawitacji, która mogłaby zakłócić jej rozwój.

— Przepraszam — odezwał się nagle Gordon i oboje odwrócili się w jego stronę.

W trakcie rozmowy Jacka z Rebeccą przechadzał się po pracowni, zaglądając do pustych szuflad i koszy na śmieci. Teraz stał przy jednym z wiszących na ścianie plakatów, wskazując palcem przyklejone taśmą w rogu ramki zdjęcie. Przedstawiało stojący na płycie lotniska duży samolot. Pod skrzydłem pozowało do fotografii dwóch pilotów.

— Skąd pochodzi to zdjęcie?

Rebecca wzruszyła ramionami.

— Nie wiem. To pracownia Helen.

— To jest KC-135.

Jack zrozumiał, dlaczego Gordon zwrócił uwagę na zdjęcie. W NASA korzystano z KC-135, żeby przyzwyczaić astronautów do mikrograwitacji. Samolot był niczym podniebna diabelska kolejka; przy każdym nurkowaniu w jego wnętrzu przez trzydzieści sekund panował stan nieważkości.

— Czy doktor Koenig korzystała z KC-135 podczas swoich badań? — zapytał Jack.

— Wiem, że spędziła cztery tygodnie w jakiejś bazie lotniczej w Nowym Meksyku. Nie mam pojęcia, jakim samolotem latała.

Jack i Gordon wymienili znaczące spojrzenia. Wynajęcie na cztery tygodnie KC-135 kosztowałoby fortunę.

— Kto zatwierdza tego rodzaju wydatki? — zapytał Jack.

— Musiałby je zaakceptować sam doktor Gabriel.

— Możemy z nim porozmawiać?

Rebecca potrząsnęła głową.

— Do Palmera Gabriela nie wpada się ot tak, bez uprzedzenia. Nawet pracujący tutaj naukowcy rzadko kiedy go widują. Ośrodki, które prowadzi, rozsiane są po całym kraju i całkiem możliwe, że w ogóle go tu dziś nie ma.

— Jeszcze jedno pytanie — przerwał jej Gordon, który podszedł tymczasem do pustego terrarium i patrzył na wyścielające dno mech i kamyki. — Jakie tu hodowano zwierzęta?

— Żaby. Mówiłam już, zapomnieliście? Należały do Helen. USAMRIID zabrał je razem z całą resztą.

Gordon wyprostował się nagle i zmierzył ją wzrokiem.

— Jakie dokładnie żaby?

Rebecca parsknęła śmiechem.

— Czy faceci z NASA zawsze zadają takie dziwne pytania?

— Ciekawi mnie po prostu, jaki gatunek można oswoić.

— To były chyba żaby leopardowe. Ja osobiście polecałabym raczej pudla. Przynajmniej nie jest śliski. — Rebecca spojrzała na zegarek. — Macie jeszcze jakieś pytania, panowie?

— Dowiedzieliśmy się chyba wszystkiego, dziękujemy — odparł Gordon, po czym nie mówiąc nic więcej wyszedł z laboratorium.

Siedzieli w wynajętym samochodzie, nadmorska mgła wpadała przez okna, pokrywając szyby parą. *Rana pipiens*, pomyślał

Jack. Północna żaba leopardowa. Jeden z gatunków wchodzących w skład chimery.

— Ten organizm pochodzi stąd — mruknął. — Z tego laboratorium.

Gordon pokiwał głową.

— USAMRIID wiedziało o tym ośrodku już tydzień temu — powiedział Jack. — Jak na to wpadli? Skąd wiedzieli, że chimera pochodzi z SeaScience? Musimy przyprzeć ich do muru. Niech podzielą się z nami swoimi informacjami.

— Nie zrobią tego, jeśli w grę wchodzi bezpieczeństwo narodowe.

— NASA nie jest przecież wrogiem.

— Może widzą w nas wroga. Może uważają, że zagrożenie tkwi wewnątrz agencji — odparł Gordon.

Jack przyjrzał mu się uważnie.

— Myślisz, że ktoś z nas...

— To jeden z dwóch powodów, dla których departament obrony trzyma nas na dystans.

— A drugi powód?

— Robią to, bo są dupkami.

Jack roześmiał się i odchylił do tyłu. Przez dłuższą chwilę żaden z nich się nie odzywał. Byli już porządnie zmęczeni, a czekał ich jeszcze lot powrotny do Houston.

— Mam wrażenie, jakbym boksował powietrze — stwierdził Jack, przyciskając oczy palcami. — Nie wiem, z kim i z czym walczę. Ale nie wolno mi dać za wygraną.

— Ja też bym tak łatwo z niej nie rezygnował — mruknął Gordon.

Żaden z nich nie wymienił imienia Emmy, ale obaj wiedzieli, o kim mówią.

— Pamiętam jej pierwszy dzień w Centrum Johnsona — dodał po chwili Gordon.

W przyćmionym przez zaparowane szyby świetle jego brzydka twarz składała się z różnych odcieni szarości. Siedział nieruchomo z wzrokiem utkwionym prosto przed siebie: posępny, bezbarwny mężczyzna.

— Witałem wtedy nową grupę astronautów. Wszedłem na

salę i przyjrzałem się tym wszystkim nowym twarzom. Ona stała pośrodku, na samym przedzie. Nie bała się, że ją wybiorę. Nie bała się upokorzenia. Nie bała się niczego. — Przerwał i pokręcił głową. — Nie chciałem jej wysyłać w przestrzeń. Za każdym razem, kiedy przydzielano ją do jakiejś załogi, miałem ochotę wymazać jej nazwisko z listy. Nie dlatego, żeby nie była dobra. Nie, do diabła. Nie chciałem po prostu oglądać jej startu... wiedząc to, co wiem. Że tyle rzeczy może nawalić.

Gordon nagle umilkł. Jeszcze nigdy w życiu Jack nie usłyszał z jego ust tak długiego przemówienia i nigdy nie dowiedział się tak wiele o tym, co czuł ten człowiek. Pomyślał o niezliczonych sposobach, na które sam kochał Emmę. Jaki mężczyzna mógłby jej nie pokochać? Nawet Gordon Obie nie był nieczuły na jej urok.

Zapalił silnik i wycieraczki zgarnęły z przedniej szyby welon mgły. Minęła już piąta; do Houston wrócą po zmroku. Wrzucił bieg i ruszył z miejsca.

— A to co, do diabła? — zaklął Gordon, gdy znajdowali się w połowie parkingu.

Z mgły przed nimi wyłoniła się nagle czarna limuzyna. Jack wcisnął hamulec. W tym samym momencie na parking wjechał z piskiem opon drugi samochód i zatrzymał się, dotykając niemal przednim zderzakiem ich zderzaka. Wyskoczyło z niego czterech mężczyzn.

Jeden z nich otworzył na oścież drzwi od strony Jacka.

— Proszę wysiąść z samochodu, panowie — rozkazał. — Obaj.

— Dlaczego?

— Wysiadajcie z samochodu. Natychmiast.

— Mam wrażenie, że negocjacje na nic się nie zdadzą — mruknął Gordon.

Niechętnie wysiedli na zewnątrz i zostali szybko przeszukani i pozbawieni portfeli.

— On chce z wami porozmawiać. Siadajcie z tyłu — powiedział ochroniarz, wskazując drugi samochód.

Jack przyjrzał się czterem obserwującym ich bacznie facetom. Opór wydawał się daremny. Wsiedli do limuzyny.

Na przednim fotelu siedział mężczyzna. Widzieli tylko tył jego głowy i ramiona. Ubrany w popielaty garnitur, miał zaczesane do tyłu, srebrzyste gęste włosy. Przednia szyba zjechała w dół i w jego ręku znalazły się skonfiskowane im portfele. Przez kilka minut je przeglądał. A potem obrócił się do swoich siedzących na tylnej kanapie gości. Miał ciemne, prawie obsydianowe oczy, w których nie odbijał się żaden blask. Dwie czarne dziury pochłaniające światło. Rzucił portfele na kolana Jacka.

— Przejechaliście kawał drogi z Houston, panowie.

— Wybraliśmy chyba zły zjazd w El Paso — odparł Jack.

— Czego chce tutaj NASA?

— Chcemy wiedzieć, co naprawdę znajdowało się w kulturach komórkowych, które wysłaliście na orbitę.

— Był tu już USAMRIID. Ogołocili to miejsce do czysta. Mają wszystko. Notatki doktor Koenig, jej komputery. Jeśli macie jakieś pytania, radziłbym zwrócić się do nich.

— USAMRIID nie chce z nami mówić.

— To wasz problem, nie mój.

— Helen Koenig pracowała dla pana, doktorze Gabriel. Czyżby pan nie wiedział, co się dzieje w pańskich własnych laboratoriach?

Po wyrazie twarzy mężczyzny Jack poznał, że jego przypuszczenie było trafne. Mieli przed sobą założyciela SeaScience, Palmera Gabriela. Człowieka o anielskim imieniu i oczach, które nie odbijały światła.

— Pracują dla mnie setki naukowców — oparł Gabriel. — Prowadzę ośrodki w Massachusetts i na Florydzie. Nie mogę wiedzieć o wszystkim, co się tam dzieje. I nie mogę ponosić odpowiedzialności za przestępstwa popełnione przez moich pracowników.

— To nie jest zwykłe przestępstwo. To wytworzona przy użyciu inżynierii genetycznej chimera. Organizm, który zabił całą załogę promu. Organizm ten pochodzi z pańskiego laboratorium.

— Moi uczeni pracują nad własnymi projektami. Ja się nie wtrącam. Sam jestem naukowcem, doktorze McCallum, i wiem, że naukowcy osiągają najlepsze wyniki, kiedy zapewni im się pełną niezależność. Swobodę zaspokajania własnej ciekawości. Cokolwiek robiła Helena, to była jej sprawa.

— Skąd wziął się pomysł studiowania archaeonów? Co spodziewała się odkryć?

Gabriel odwrócił się z powrotem do przodu i widzieli teraz tylko tył jego głowy i srebrzystą czuprynę.

— Wiedza jest zawsze użyteczna. Z początku możemy nie dostrzegać jej wartości. Jakie na przykład możliwe korzyści mogą wynikać z poznania zwyczajów reprodukcyjnych morskiego ślimaka? Dopiero po jakimś czasie dowiadujemy się o cennych hormonach, które możemy z niego wyekstrahować. I nagle jego reprodukcja staje się bardzo ważna.

— Co było takiego ważnego w archaeonach?

— Oto jest pytanie, prawda? Właśnie tym się tutaj zajmujemy. Badamy organizm tak długo, aż dowiemy się, jak można go wykorzystać. — Gabriel wskazał ręką spowity we mgle budynek. — Zauważcie, że ośrodek stoi nad morzem. Wszystkie moje ośrodki stoją nad morzem. To moje pola naftowe. Tam szukam następnego środka przeciwko rakowi, następnego cudownego leku. Szukanie go w morzu ma sens, ponieważ stamtąd właśnie pochodzimy. To nasze miejsce urodzenia. Całe życie wywodzi się z morza.

— Nie odpowiedział pan na moje pytanie. Jaka jest praktyczna wartość archaeonów?

— To się jeszcze okaże.

— I po co wysyłaliście je w przestrzeń? Czy Koenig odkryła coś podczas lotów na pokładzie KC-135? Coś, co wiązało się ze stanem nieważkości?

Gabriel opuścił szybę i dał znak swoim ludziom. Tylne drzwi otworzyły się.

— Proszę wysiąść.

— Zaczekajcie — odparł Jack. — Gdzie jest Helen Koenig?

— Nie miałem od niej wiadomości, odkąd złożyła dymisję.

— Dlaczego kazała spalić swoje własne kultury?

Mężczyźni wyciągnęli z limuzyny Jacka i Gordona i popchnęli ich w stronę wynajętego samochodu.

— Czego ona się bała? — zawołał Jack.

Gabriel nie odpowiedział. Okno z przodu zamknęło się i jego twarz zniknęła za tarczą przyciemnianej szyby.

Rozdział dwudziesty trzeci

18 sierpnia

Luther wypuścił resztki powietrza ze śluzy załogowej i otworzył prowadzący na zewnątrz właz.

— Ja wyjdę pierwszy — powiedział. — Ty nie musisz się spieszyć. Pierwszy spacer jest zawsze trochę straszny.

Widok rozciągającej się za wyjściem przestrzeni sprawił, że Emma złapała się kurczowo skraju włazu. Wiedziała, że to normalne uczucie i że wkrótce minie. Krótki paraliżujący strach ogarniał prawie wszystkich podczas pierwszego kosmicznego spaceru. Człowiek nie potrafi zaakceptować bezmiaru przestrzeni, braku „góry" oraz „dołu". Miliony lat ewolucji wyryły w jego mózgu lęk przed spadaniem i właśnie ten lęk starała się teraz pokonać. Instynkt podpowiadał jej, że jeśli puści właz i ośmieli się wyjść na zewnątrz, runie z krzykiem w bezdenną pustkę. Na poziomie racjonalnym wiedziała, że nic takiego się nie zdarzy. Ze śluzą łączyła ją pępowina przewodów. Gdyby przewody pękły, mogła posłużyć się odrzutowym silniczkiem SAFER i wrócić do stacji. Do katastrofy mogła doprowadzić tylko cała seria mało prawdopodobnych, niezależnych od siebie niepomyślnych zdarzeń.

Ale dokładnie coś takiego działo się na stacji, pomyślała. Nieszczęście za nieszczęściem. Mieli tu swój własny kosmiczny *Titanic*. Nie potrafiła pozbyć się złych przeczuć.

Już wcześniej zmuszeni byli naruszyć ustalony protokół.

Zamiast spędzić w śluzie całą noc, przesiedzieli tam tylko cztery godziny. Teoretycznie powinno to ich uchronić przed chorobą kesonową, ale każda zmiana procedury zwiększała czynnik ryzyka.

Emma kilka razy głęboko odetchnęła i poczuła, że paraliż mija.

— Jak się czujesz? — usłyszała głos Luthera w słuchawkach.

— Podziwiałam... podziwiałam tylko przez chwilę widok — odparła.

— Wszystko w porządku?

— Tak. Czuję się świetnie — odpowiedziała, po czym puściła właz i wypłynęła w przestrzeń.

Diana umierała.

Griggs obserwował na monitorze Luthera i Emmę, którzy pracowali na zewnątrz stacji. Trutnie, pomyślał z rosnącą goryczą. Posłuszne roboty, skaczące tak, jak im zagra Houston. Przez wiele lat on także był trutniem. Dopiero ostatnio zrozumiał, jakie miejsce zajmuje w szerszym porządku rzeczy. On i wszyscy inni spisani byli na straty. Stanowili części zamienne, których jedynym zadaniem było doglądanie wspaniałego sprzętu NASA. Możemy tutaj wszyscy zdechnąć, ale tak jest, panie dyrektorze, stacja będzie lśniła jak złoto.

Nie mogli już na niego liczyć. NASA zdradziła go, zdradziła ich wszystkich. Niech Watson i Ames grają role małych dzielnych żołnierzyków; on nie chciał w tym dalej brać udziału.

Obchodziła go teraz tylko Diana.

Opuścił moduł mieszkalny, skierował się do rosyjskiej części stacji i wślizgnął do środka pod plastikową kotarą, która zasłaniała właz. Nie założył maski ani gogli: jakie to w końcu miało znaczenie? I tak wszyscy skazani byli na śmierć.

Diana leżała przywiązana do noszy. Miała podkrążone oczy i spuchnięte powieki. Jej brzuch, niegdyś tak płaski i twardy, teraz był wzdęty. Wypełniony jajeczkami, pomyślał. Wyobraził sobie, jak rosną w niej, rozprzestrzeniając się pod bladym namiotem skóry.

Delikatnie dotknął jej policzka. Otworzyła podbiegłe krwią oczy i próbowała skoncentrować wzrok na jego twarzy.

— To ja — wyszeptał.

Widział, jak próbuje uwolnić rękę z pasów. Ścisnął jej dłoń.

— Nie możesz poruszać ręką, Diano. Ze względu na kroplówkę.

— Nie widzę cię — zaszlochała. — Nic nie widzę.

— Jestem tutaj. Jestem przy tobie.

— Nie chcę umierać w ten sposób.

Zamrugał oczyma, odpędzając łzy, i zaczął coś mówić. Chciał zapewnić ją, że nie umrze i że on jej nie opuści. Ale brakowało mu słów. Byli ze sobą zawsze tacy szczerzy; nie będzie jej przecież okłamywał. Po chwili umilkł.

— Nigdy nie myślałam... — szepnęła.

— Że co? — zapytał łagodnie.

— Że to... że to się stanie w ten sposób. To takie mało bohaterskie. Człowiek leży po prostu chory i bezużyteczny. — Roześmiała się, a potem skrzywiła z bólu. — Nie tak sobie wyobrażałam... odejście w blasku chwały.

W blasku chwały. Tak każdy astronauta wyobraża sobie śmierć w kosmosie. Krótki moment przerażenia i szybka śmierć. W wyniku nagłej dekompresji albo pożaru. Nigdy nie spodziewali się czegoś takiego: powolnego i bolesnego odpływania, gdy człowieka pożera i trawi inna forma życia. Gdy jest opuszczony przez Ziemię. Poświęcony na ołtarzu ludzkości.

Spisany na straty. Griggs mógł zaakceptować to w przypadku samego siebie, ale nie Diany. Nie potrafił przyjąć do wiadomości tego, że ją straci.

Trudno było uwierzyć, że kiedy ją po raz pierwszy zobaczył, podczas szkolenia w Centrum Johnsona, wydała mu się chłodna i odpychająca: lodowata blondynka z wygórowanym mniemaniem o sobie samej. Raził go także jej brytyjski akcent: taki dźwięczny i kulturalny w porównaniu z jego teksaskim zaśpiewem. Po pierwszym tygodniu nie lubili się tak bardzo, że prawie się do siebie nie odzywali.

W trzecim tygodniu, na wyraźne życzenie Gordona Obiego, zawarli zawieszenie broni.

W ósmym tygodniu Griggs zaczął odwiedzać ją w domu. Z początku tylko na drinka: dwoje zawodowców omawiających zbliżającą się misję. A potem kwestie misji zeszły na dalszy plan i zaczęli poruszać bardziej osobiste tematy. Nieszczęśliwe małżeństwo Griggsa. Tysiąc innych spraw, które, jak się okazało, ich łączyły. Wszystko to mogło się oczywiście zakończyć tylko w jeden sposób.

Ukrywali swój romans przed całym personelem. Dopiero tutaj, na stacji, koledzy zdali sobie sprawę z tego, co ich łączy. Gdyby wcześniej powstał jakiś cień podejrzenia, Blankenship niechybnie skreśliłby ich z misji. Nawet w dzisiejszych czasach rozwód astronauty oznaczał czarną krechę przy jego nazwisku. A gdyby przyczyną rozwodu okazał się romans z koleżanką z zespołu, delikwent mógł się śmiało pożegnać z następnymi przydziałami. Griggs na zawsze zasiadłby na ławce rezerwowych.

Kochał ją od dwóch lat. Przez dwa lata za każdym razem, gdy kładł się obok swojej śpiącej żony, marzył o Dianie i wspólnej przyszłości. Któregoś dnia będą razem, nawet jeśli trzeba będzie odejść z NASA. To było marzenie, którym karmił się przez wszystkie te żałosne noce. Nawet po dwóch miesiącach wspólnego życia w zamkniętej przestrzeni, mimo wybuchających co jakiś czas między nimi kłótni, nie przestał jej kochać i nie zrezygnował ze swego marzenia. Aż do tej chwili.

— Jaki mamy dzień? — wymamrotała.

— Piątek — odparł, gładząc ją po ręce. — W Houston jest wpół do szóstej po południu. Szczęśliwa godzina.

Diana uśmiechnęła się.

— Dzięki Bogu już piątek.

— Ludzie siedzą teraz w barze. Popijają margarity. Boże, oddałbym wszystko za łyk czegoś mocniejszego. Piękny zachód słońca. Ty i ja na jeziorze...

Widok łez, które zalśniły w jej oczach, łamał mu serce. Miał w nosie skażenie i groźbę, że sam się zarazi. Otarł je gołą ręką.

— Boli cię? — zapytał. — Chcesz więcej morfiny?

— Nie. Zachowaj ją.

Ktoś będzie jej wkrótce potrzebował. Nie powiedziała tego, ale i tak się domyślił.

— Powiedz, czego chcesz. Co mogę dla ciebie zrobić.

— Chce mi się pić — odparła. — Całe to gadanie o margaritach...

Roześmiał się.

— Przygotuję ci jedną. Wersję bezalkoholową.

— Proszę.

Wycofał się do kuchenki i otworzył spiżarnię. W środku były rosyjskie zapasy, różniące się od tego, co mieli w amerykańskim module mieszkalnym. Zobaczył zapakowaną próżniowo wędzoną rybę. Kiełbaski. Cały asortyment mało apetycznych rosyjskich specjałów. I wódkę — małą butelkę, przysłaną przez Rosjan, rzekomo do celów medycznych.

To może być ostatni drink, jaki razem wypijemy, pomyślał.

Wlał trochę wódki do dwóch plastikowych torebek i dodał do nich wody, rozcieńczając napój Diany tak, żeby ledwie poczuła alkohol. Może jego smak przywoła szczęśliwe wspomnienia. Przypomni jej wieczory, które spędzili razem, oglądając zachody słońca na jej patio. Potrząsnął torebkami, żeby wymieszać wódkę z wodą, i obrócił się, żeby na nią spojrzeć.

Z jej ust wykwitał jaskrawoczerwony balon krwi.

Miała drgawki. Oczy stanęły jej w słup, zęby zacisnęły się na języku. Jego odgryziony kawałek trzymał się na luźnej nitce tkanki.

— Diano! — wrzasnął.

Balon krwi odpłynął od jej twarzy, ale przy ustach natychmiast zaczął formować się następny, zasilany krwią płynącą z języka.

Griggs złapał plastikowy gryzak, już wcześniej przymocowany taśmą do noszy, i próbował wsadzić go Dianie między zęby, żeby uchronić miękkie tkanki przed dalszymi urazami. Nie był jednak w stanie rozsunąć zębów. Mięśnie szczęki należą do najsilniejszych w ludzkim ciele, a jej była zaciśnięta z całej siły. Chwycił strzykawkę z odmierzoną dawką valium i wsunął końcówkę w kranik kroplówki. Nacisnął tłoczek i prawie natychmiast konwulsje zaczęły słabnąć. Dał jej całą dawkę.

Jej twarz zwiotczała. Dolna szczęka opadła.

— Diano? — szepnął.

Nie odpowiedziała.

Przy jej ustach rósł nowy balon krwi. Musiał zastosować ucisk, żeby przestała płynąć.

Otworzył zestaw medyczny, znalazł opakowanie ze sterylną gazą i rozerwał je. Kilka gazików odpłynęło w bok. Griggs ustawił się za głową Diany i delikatnie otworzył jej usta, żeby odsłonić pogryziony język.

Diana zakaszlała i próbowała odwrócić głowę. Krztusiła się własną krwią. Wdychała ją do płuc.

— Nie ruszaj się, Diano.

Przyciskając prawym nadgarstkiem zęby jej dolnej szczęki, żeby nie zamknęła ust, wziął w lewą dłoń garść gazików i zaczął ścierać nimi krew. Kark Diany wyprężył się nagle w nowym ataku konwulsji i w tym samym momencie zwarły się jej szczęki.

Griggs wrzasnął głośno. Jej zęby wbiły się w miękką część jego dłoni. Ból był tak straszny, że zrobiło mu się ciemno przed oczyma. Czuł, jak ciepła krew pryska mu na twarz, widział tryskające wokół jasne krople swojej i jej krwi. Próbował się wyrwać, ale zęby Diany wbiły się zbyt głęboko. Balon krwi miał teraz rozmiary piłki do koszykówki. Przegryzła mi tętnicę, pomyślał. Nie mógł rozewrzeć jej szczęki; skurcz spowodował, że zacisnęła się z nadludzką siłą.

Spowijała go fala mroku.

Zdesperowany zacisnął wolną dłoń w pięść i walnął Dianę w zęby. Szczękościsk nie ustąpił.

Uderzył ją ponownie. Piłka do koszykówki pękła na kilkanaście mniejszych baloników, zachlapując mu oczy i twarz. Nadal nie mógł otworzyć szczęki Diany. Wszędzie było teraz tyle krwi, że miał wrażenie, że w niej pływa, tonie, że nie może zaczerpnąć powietrza.

Zamachnął się na oślep pięścią. Poczuł, jak w twarzy Diany pękają kości, nadal jednak nie mógł się wyrwać. Ból był nie do zniesienia. Ogarnięty paniką, nie dbał już o nic, chciał tylko położyć mu kres. Nie zdając sobie prawie sprawy z tego, co robi, raz po raz walił Dianę pięścią w twarz.

Z głośnym rykiem wyrwał w końcu rękę i poleciał do tyłu,

ściskając nadgarstek i brocząc krwią, która oplatała go jasnymi wstęgami. Dopiero po chwili przestał się obijać o ściany i rozjaśniło mu się przed oczyma. Spojrzał na pogruchotaną twarz Diany, na jej pokrwawione, powybijane zęby. Na obrażenia, które zadał jej swoją własną ręką.

Krzyk rozpaczy, który wydarł mu się z gardła, odbił się echem od ścian modułu. Co ja zrobiłem? Co ja zrobiłem?

Podpłynął do Diany i wziął jej zmasakrowaną twarz w ręce. Nie czuł już bólu; przyćmiło go przerażenie i wyrzuty sumienia.

Z gardła wydarł mu się kolejny krzyk, tym razem wściekłości. Walnął pięścią w ścianę modułu i zerwał zawieszoną przy wejściu plastikową zasłonę. Wszyscy i tak umrzemy. A potem jego wzrok padł na zestaw medyczny. Sięgnął do niego i wziął do ręki skalpel.

Siedzący przy konsoli lekarza lotu Todd Cutler poczuł nagłe ukłucie niepokoju. Na ekranie widział odczyty biotelemetryczne Diany Estes. Jej EKG skoczyło nagle w górę i w dół: linia upodobniła się do zębów piły. Ku jego uldze nie trwało to długo. Tak samo gwałtownie linia wróciła do szybkiego rytmu zatokowego.

— FLIGHT — powiedział. — Widzę nieprawidłowy rytm serca mojej pacjentki. EKG pokazało pięciosekundowy odcinek częstoskurczu komorowego.

— Co to oznacza? — zapytał szybko Woody Ellis.

— Skutki mogą być fatalne, jeśli to dłużej potrwa. W tej chwili wrócił rytm zatokowy, puls mniej więcej sto trzydzieści. Szybszy niż w trakcie biegu. Nie jest niebezpieczny, ale niepokoi mnie.

— Co doradzasz?

— Dałbym jej leki przeciwko arytmii. Lidokainę i amiodarone, dożylnie. I jedno, i drugie mają na pokładzie.

— Ames i Watson są nadal na zewnątrz. Leki będzie musiał jej podać Griggs.

— Powiem mu, jak to zrobić.

— W porządku. CAPCOM, połącz się z Griggsem.

Czekając na połączenie z Griggsem, Todd nie spuszczał oczu z monitora. To, co widział, niepokoiło go. Puls Diany był coraz szybszy. 135. 140. Szybki skok do 160. Szczyty wykresu rozmazały się wskutek nagłego ruchu pacjentki albo elektrycznej interferencji.

— Griggs nie odpowiada — oznajmił CAPCOM.

— Trzeba jej podać tę lidokainę — stwierdził Todd.

— Nie możemy nawiązać z nim łączności.

Albo nas nie słyszy, albo nie chce odpowiedzieć, pomyślał Todd. Martwił ich jego stan emocjonalny. Czy tak kompletnie zamknął się w sobie, że ignoruje nawet pilne wezwania?

Nagle utkwił wzrok w ekranie. EKG Diany Estes ponownie pokazało częstoskurcz komorowy. Komory kurczyły się tak gwałtownie, że nie mogły skutecznie pompować krwi. Nie były w stanie utrzymać ciśnienia krwi na odpowiednim poziomie.

— Trzeba jej natychmiast podać ten lek! — krzyknął.

— Griggs nie odpowiada — odparł CAPCOM.

— W takim razie sprowadźcie kogoś z zewnątrz!

— Nie — sprzeciwił się Ellis. — To, co robią w tej chwili Ames i Watson, jest bardzo ważne. Nie możemy im przerywać.

— Stan Diany jest krytyczny.

— Jeśli sprowadzimy ich z powrotem, naprawa odwlecze się co najmniej o dwadzieścia cztery godziny.

Pracujący na zewnątrz astronauci nie mogli wpaść tak po prostu do środka i wyjść z powrotem w przestrzeń. Woody Ellis nie powiedział tego na głos, ale myślał prawdopodobnie to samo co wszyscy w centrum kontroli lotu: nawet jeśli wezwą do pomocy pracujących na zewnątrz astronautów, w niczym nie zmieni to sytuacji. Diana Estes umrze tak czy owak.

Ku przerażeniu Todda EKG na ekranie nie wracało już do normalnego stanu.

— Ona umiera! — zawołał. — Sprowadźcie któreś z nich do środka. Sprowadźcie Watson!

Ellis przez chwilę się wahał.

— Każ jej wracać — powiedział w końcu.

Dlaczego Griggs nie odpowiada?

Emma wspinała się najszybciej, jak mogła, po kolejnych

szczeblach głównej kratownicy. W skafandrze Orlan-M czuła się powolna i niezgrabna. Dłonie bolały ją od wysiłku, jakiego wymagało zginanie palców w grubych rękawicach. Zmachała się porządnie przy naprawie przegubu; mięśnie drżały jej ze zmęczenia, a teraz świeży pot wsiąkał w podszewkę wewnętrznego kombinezonu.

— Griggs, odpowiedz. Odpowiedz, do diabła! — warknęła do mikrofonu.

Stacja milczała.

— Jaki jest stan Diany? — zapytała w przerwie między jednym i drugim zdyszanym oddechem.

— Ma w dalszym ciągu tachykardię komorową — usłyszała głos Todda.

— Cholera.

— Nie spiesz się, Watson. Zachowaj ostrożność.

— Ona nie będzie długo czekać. Gdzie się, kurwa, podziewa Griggs?

Oddychała tak głośno, że nie mogła dalej prowadzić rozmowy. Całą uwagę skupiła na tym, żeby złapać następny szczebel i nie zaplątać się w przewody. Zsunąwszy się z kratownicy, skoczyła w stronę drabinki i nagle coś ją zatrzymało. Rękaw kombinezonu zaczepił o skraj platformy roboczej.

Zwolnij, bo się zabijesz.

Ostrożnie uwolniła rękaw i zobaczyła, że nie ma rozdarcia. Z wciąż walącym sercem zeszła w dół po drabince i wczołgała się do śluzy załogowej. Szybko zatrzasnęła właz i otworzyła zawór wyrównujący ciśnienie.

— Mów do mnie, Todd! — zawołała, kiedy w śluzie zaczęło rosnąć ciśnienie. — Jaki jest jej rytm?

— Ma migotanie komór. Nadal nie możemy nawiązać łączności z Griggsem.

— Tracimy ją!

— Wiem, wiem.

— W porządku, ciśnienie wynosi pięć funtów na cal...

— Nie zapomnij o kontroli szczelności śluzy.

— Nie mam czasu.

— Nie skracaj procedury, Watson!

Emma wzięła głęboki oddech. Todd miał rację. We wrogim środowisku przestrzeni kosmicznej nie wolno nigdy chodzić na skróty. Sprawdziła szczelność śluzy załogowej, zaczekała, aż wyrówna się ciśnienie, i dopiero wtedy otworzyła następny właz prowadzący do śluzy wyposażeniowej. Tam szybko zdjęła rękawice. Rosyjski kombinezon zdejmuje się łatwiej niż amerykański, ale i tak zrzucenie plecaka z systemami podtrzymania życia i wyślizgnięcie się ze skafandra zajęło jej dużo czasu. Na pewno nie zdążę na czas, pomyślała, wierzgając wściekle, żeby oswobodzić stopy z górnej części kombinezonu.

— Jaki jest stan chorej? — wysapała do mikrofonu.

— Migotanie komór zmieniło się z poszarpanego w łagodne.

To rytm agonalny, przemknęło jej przez głowę. Miała ostatnią szansę, żeby uratować Dianę.

Ubrana tylko w chłodzoną wodą bieliznę otworzyła właz prowadzący do stacji. Chcąc jak najszybciej dotrzeć do pacjentki, odepchnęła się od ściany i zanurkowała głową naprzód w otwór włazu.

Coś mokrego chlapnęło jej w twarz, na chwilę ją oślepiając. Minęła uchwyt, zderzyła się z przeciwległą ścianą i przez kilka sekund dryfowała oszołomiona, mrugając powiekami i czekając, aż ustąpi piekący ból. Co mi wpadło do oczu? — zastanawiała się. Tylko nie jajeczka! Proszę, tylko nie jajeczka... Powoli odzyskiwała wzrok, w dalszym ciągu nie rozumiała jednak, co przed sobą widzi.

W pogrążonym w półmroku węźle unosiły się gigantyczne bańki. Poczuła, jak coś mokrego dotyka jej ręki, a potem zobaczyła czarny kleks, który rozlał się na jej rękawie. W różnych miejscach chłodzonej wodą bielizny zakwitały kolejne ciemne plamy. Przysunęła rękaw do światła.

To była krew.

Przerażona spojrzała na wiszące w cieniu wielkie bąble. Było ich tak dużo...

Szybko zamknęła właz, żeby uchronić przed skażeniem śluzę. Było zbyt późno, żeby zabezpieczyć resztę stacji; bańki dotarły już wszędzie. Dała nurka do modułu mieszkalnego, otworzyła zestaw ochronny i założyła maskę i gogle. Może krew nie była zakażona. Może zdoła się jakoś uratować.

— Watson? — usłyszała głos Cutlera.

— Widzę krew... wszędzie widzę krew!

— Rytm Diany jest agonalny... nie zostało ci wiele czasu na defibrylację!

— Idę do niej!

Odepchnęła się od ściany węzła i wpłynęła do *Zarii*. W porównaniu z amerykańską częścią stacji moduł rosyjski wydawał się skąpany w świetle. Krople krwi przypominały fruwające w powietrzu wesołe baloniki. Niektóre rozprysły się o ściany, barwiąc je na czerwono. Nie udało jej się ominąć jednej z olbrzymich baniek, która znalazła się dokładnie na jej drodze. Instynktownie zamknęła oczy, gdy krew zachlapała jej gogle. Dryfując na oślep, wytarła je rękawem i zobaczyła tuż przed sobą kredowobiałą twarz Michaela Griggsa.

Wrzasnęła ze strachu i machając rękoma, próbowała się na próżno cofnąć.

— Watson?

Nie mogła oderwać wzroku od wielkich czerwonych bąbli, wciąż przylegających do ziejącej na jego szyi rany. Stąd wzięła się cała ta krew — z przeciętej tętnicy szyjnej. Mobilizując całą siłę woli, dotknęła szyi Griggsa z drugiej strony i poszukała pulsu.

Nie wyczuła go.

— EKG Diany jest płaskie! — zawołał Todd.

Oszołomiona Emma zerknęła na właz prowadzący do rosyjskiego modułu służbowego. Plastikowa zasłona zniknęła: nic nie oddzielało modułu od reszty stacji.

Przejęta grozą wpłynęła do środka.

Diana była w dalszym ciągu przymocowana do noszy. Miała zmasakrowaną nie do poznania twarz i powybijane zęby. Do jej warg przylgnęła krwawa bańka.

Dopiero po kilku chwilach uwagę Emmy zwrócił pisk kardiomonitora. Wyciągnęła dłoń, żeby go wyłączyć, i ręka zawisła jej w powietrzu. Do wyłącznika przywarła błyszcząca, galaretowata niebieskozielona masa.

Jajeczka. Diana wydaliła jajeczka. Chimera znajduje się już w powietrzu.

Alarm monitora potężniał niczym krzyk, lecz Emma wpatrywała się nadal jak skamieniała w zbrylone kulki. Wydawały się rozpływać w powietrzu. Zamrugała powiekami i przypomniała sobie ciecz, która zalała jej twarz, gdy wynurzyła się ze śluzy powietrznej. Ciecz, od której zapiekły ją oczy. Nie miała wtedy gogli. Na policzku nadal czuła wilgoć, zimną i lepką.

Dotknęła policzka, spojrzała na koniuszki palców i zobaczyła na nich drżące zielone perły.

Alarm wwiercał jej się w uszy. Wyłączyła monitor i sygnał ucichł. Lecz cisza, która zapadła, była równie alarmująca. Nie słyszała szumu wentylatorów. Powinny zasysać powietrze i kierować je do filtrów wysokiej efektywności. W powietrzu było za dużo krwi. Zatkała wszystkie filtry. Znajdujące się w nich czułe na zmianę ciśnienia sensory automatycznie wyłączyły wentylatory.

— Odezwij się, Watson! — usłyszała głos Todda.

— Nie żyją — wyszeptała załamującym się głosem. — Oboje nie żyją!

— Wchodzę — odezwał się Luther.

— Nie — zawołała. — Nie...

— Zaczekaj chwilę, Emmo. Zaraz tam będę.

— Nie możesz tu wejść, Luther. Wszędzie jest krew i jajeczka. Stacja nie nadaje się dłużej do zamieszkania. Musisz pozostać w śluzie.

— To nie jest rozwiązanie na dłuższą metę.

— Nie ma żadnego pieprzonego rozwiązania na dłuższą metę!

— Posłuchaj, jestem teraz w śluzie załogowej. Zamykam zewnętrzny właz. Uruchamiam zawór wyrównujący ciśnienie.

— Wszystkie wentylatory są unieruchomione. Nie ma jak oczyścić powietrza.

— Ciśnienie wynosi pięć funtów na cal. Sprawdzam szczelność.

— Jeśli tu wejdziesz, zarazisz się!

— Włączam z powrotem zawór.

— Ja też jestem zarażona, Luther! Chlapnęło mi w oczy! — Emma wzięła głęboki oddech i głośno załkała. — Zostałeś tylko ty. Tylko ty masz szansę przeżyć.

Luther przez dłuższy czas się nie odzywał.

— Jezu, Emmo — jęknął w końcu.

— Posłuchaj mnie... — Przerwała, żeby się uspokoić. I móc logicznie pomyśleć. — Chcę, żebyś przeszedł do śluzy wyposażeniowej. Powinno tam być względnie czysto, więc możesz zdjąć hełm. Potem wyłącz swój osobisty zestaw łącznościowy.

— Co?

— Zrób to. Idę teraz do Węzła numer jeden. Będę po drugiej stronie włazu.

— Emmo? Emmo? — odezwał się nagle Todd. — Nie przerywaj łączności z Ziemią.

— Przykro mi, SURGEON — mruknęła i wyłączyła swój zestaw.

Chwilę później usłyszała Luthera w głośnikach zamkniętego systemu łączności stacji.

— Jestem w śluzie wyposażeniowej.

Mówili teraz „w cztery oczy". W centrum kontroli misji nie słyszeli ich rozmowy.

— Zostało ci tylko jedno wyjście — oznajmiła Emma. — To, o którym bez przerwy mówiłeś. Ja nie mogę z niego skorzystać, ale ty możesz. Jesteś nadal czysty. Nie zawleczesz tej choroby na Ziemię.

— Chyba już to uzgodniliśmy. Nikt nie zostaje na stacji.

— W kombinezonie masz nieskażone powietrze. Powinno ci go starczyć na trzy godziny. Jeśli w kapsule ratunkowej nie zdejmiesz hełmu i zejdziesz od razu z orbity, może zdążysz wylądować.

— Nie będziesz już mogła wrócić na Ziemię.

— I tak nie mogę! — krzyknęła i po raz kolejny głęboko odetchnęła. — Posłuchaj, oboje wiemy, że to niezgodne z rozkazami — dodała trochę spokojniej. — To może być bardzo zły pomysł. Nikt nie wie, jak zareagują... to loteria. Ale wybór należy do ciebie, Luther.

— Nie będziesz mogła się ewakuować...

— Mnie wyłącz z tego równania. Nawet o mnie nie myśl. Jestem już martwa — dodała ciszej.

— Emma, nie...

— Co chcesz zrobić? Odpowiedz mi. Myśl tylko o sobie.

Usłyszała, jak Luther bierze głęboki oddech.

— Chcę wrócić do domu — stwierdził.

Ja też, pomyślała, hamując łzy. Boże, ja też chcę wrócić do domu.

— Załóż hełm — powiedziała. — Otwieram właz.

Rozdział dwudziesty czwarty

Jack wbiegł po schodach do budynku numer 30, pokazał odznakę strażnikowi i ruszył prosto do sali kontroli misji.

Gordon Obie złapał go tuż przed wejściem.

— Zaczekaj, Jack. Jeśli wejdziesz tam i zrobisz awanturę, od razu cię wyrzucą. Postaraj się trochę ochłonąć, w przeciwnym razie wcale jej nie pomożesz.

— Chcę, żeby moja żona natychmiast wróciła na Ziemię!

— Wszyscy chcą, żeby wrócili! Robimy, co w naszej mocy, ale sytuacja się zmieniła. W tej chwili skażona jest cała stacja. Wysiadł system filtrów. Nie udało im się zakończyć naprawy przegubu i nadal nie mają pełnego zasilania. W dodatku nie chcą z nami rozmawiać.

— Co?

— Emma i Luther zerwali z nami łączność. Nie wiemy, co się tam na górze dzieje. Dlatego tak nagle cię wezwali: żebyś pomógł z powrotem się z nimi skontaktować.

Jack zerknął przez otwarte drzwi do środka. Siedzący przy konsolach mężczyźni i kobiety wypełniali jak zwykle swoje obowiązki. Wkurzyło go, że są tacy opanowani i efektywni. Że śmierć kolejnych dwojga astronautów najwyraźniej nie wpływa na ich chłodny profesjonalizm. Spokój i zimna krew kontrolerów potęgowały tylko jego własną rozpacz.

Wszedł do sali kontroli misji. Dwaj umundurowani oficerowie sił powietrznych stali za dyrektorem lotu, Woodym Ellisem, śledząc kanały łączności. Ich obecność w przykry sposób przypominała, że w gruncie rzeczy misja nie jest wcale kontrolowana przez NASA.

Kiedy przesuwał się wzdłuż tylnego rzędu w stronę konsoli lekarza lotu, kilku kontrolerów posłało mu pełne współczucia spojrzenia. Nic nie mówiąc, usiadł na krześle obok Todda Cutlera. Zdawał sobie świetnie sprawę, że tuż za nim z galeryjki dla widzów salę obserwują kolejni oficerowie z amerykańskiego dowództwa przestrzeni kosmicznej.

— Słyszałeś ostatnie wiadomości? — zapytał szeptem Todd.

Jack kiwnął głową. Na ekranie nie było już widać EKG. Diana nie żyła. Podobnie jak Griggs.

— Połowa stacji nadal nie ma pełnego zasilania. A teraz w powietrzu unoszą się jajeczka.

I oczywiście krew. Jack doskonale mógł sobie wyobrazić, jak w tej chwili wygląda stacja. Przyćmione światła. Odór śmierci. Krew rozpryskująca się na ścianach i zatykająca filtry wysokiej efektywności. Orbitalny gabinet strachów.

— Musimy porozmawiać z Emmą, Jack. Niech nam powie, co się tam stało.

— Dlaczego zerwali łączność?

— Nie wiemy. Może są na nas wkurzeni. Mają w końcu prawo. Może są po prostu w szoku.

— Nie, muszą mieć jakiś powód. — Jack spojrzał na główny ekran, na którym zaznaczona była orbita stacji. Co ty kombinujesz, Emmo? Nałożył na głowę słuchawki. — CAPCOM, tu Jack McCallum. Jestem gotów.

— Przyjąłem, SURGEON. Spróbujemy się z nimi ponownie połączyć.

Czekali. Stacja nie odpowiadała.

Siedzący w trzecim rzędzie dwaj kontrolerzy zerknęli nagle na dyrektora Ellisa. Jack nie słyszał nic w swoich słuchawkach, zobaczył jednak, że ODIN, kontroler sieci pokładowej, podniósł się z krzesła i szepnął coś do kontrolerów w drugim rzędzie.

309

Po chwili siedzący w trzecim rzędzie kontroler OPS zdjął z głowy słuchawki, wstał i przeciągnął się. A potem ruszył niedbałym krokiem w stronę wyjścia, jakby musiał skorzystać z toalety. Mijając konsolę Todda, upuścił mu na kolana zmiętą karteczkę.

Todd rozwinął ją i spojrzał zaskoczony na Jacka.

— Komputery stacji zostały zrekonfigurowane na tryb ASCR — szepnął. — Rozpoczęła się procedura odłączania kapsuły ratunkowej.

Jack nie wierzył własnym uszom. Konfiguracja ASCR wykorzystywana była podczas ewakuacji załogi. Rozejrzał się szybko po sali. Żaden z kontrolerów nie zająknął się jednym słowem na ten temat. Widział tylko szereg wyprostowanych sztywno ramion i oczy utkwione w konsolach. Zerknął na dyrektora lotu. Ellis zastygł w absolutnym bezruchu. On wie, co się dzieje. I też nic nie mówi — przemknęło przez głowę Jacka.

Oblał się zimnym potem. To dlatego załoga odcięła z nimi łączność. Podjęli na własną rękę decyzję i teraz kuli żelazo, póki gorące. Ale siły powietrzne nie dadzą się długo wodzić za nos. Dzięki radarom i czujnikom optycznym systemu nadzoru przestrzeni mogli obserwować obiekty wielkości piłki do koszykówki, poruszające się na niskich orbitach okołoziemskich. Kiedy tylko kapsuła oddzieli się od stacji, kiedy tylko stanie się niezależnym obiektem orbitalnym, zwróci na siebie uwagę centrum kontrolnego Dowództwa Przestrzeni Kosmicznej w bazie Cheyenne Mountain. Pytanie za milion dolarów brzmiało: jak zareagują?

W Bogu nadzieja, że wiesz, co robisz, Emmo.

Po oddzieleniu się od stacji dwadzieścia minut powinno zająć przejęcie kapsuły przez system naprowadzający i ustalenie miejsc lądowania. Kolejne piętnaście minut — wyznaczenie punktu zejścia z orbity. Kolejną godzinę lądowanie. Wojskowi zidentyfikują ich i namierzą długo przedtem, zanim CRV dotknie ziemi.

Siedzący w drugim rzędzie kontroler OSO podniósł niby przypadkiem kciuk w górę. Tym gestem dał do zrozumienia, że kapsuła odłączyła się od stacji. Na dobre czy na złe, załoga była teraz w drodze do domu.

Zaczęła się gra.

Napięcie na sali rosło. Jack zaryzykował i rzucił okiem na dwóch oficerów sił powietrznych, ale obaj najwyraźniej nie zdawali sobie sprawy z sytuacji; jeden z nich bez przerwy zerkał na zegar, jakby chciał jak najprędzej znaleźć się gdzie indziej.

Mijały minuty. Na sali zapadła dziwna cisza. Jack pochylił się do przodu z walącym sercem i w mokrej od potu koszuli. Kapsuła powinna już znaleźć się poza bezpośrednim sąsiedztwem stacji. Jej system naprowadzający połączył się z satelitami GPS, ustalone zostały miejsca lądowania.

Szybciej, szybciej, popędzał ich w myśli Jack. Schodźcie z orbity!

Ciszę przerwał nagle dzwonek telefonu. Jack zerknął w bok i zobaczył, że odbiera go jeden z wojskowych. Po chwili oficer zesztywniał i odwrócił się do Woody'ego Ellisa.

— Co tu się, do diabła, dzieje? — zapytał.

Ellis nie odpowiedział.

Oficer wystukał szybko na jego klawiaturze kilka komend i z niedowierzaniem spojrzał na ekran.

— Tak jest, niestety potwierdzam informację. Kapsuła oddzieliła się. Nie, nie wiem... tak, monitorowaliśmy całą łączność, ale...

Oficer poczerwieniał i spocił się, słuchając tyrady przełożonego. Odkładając słuchawkę, trząsł się ze złości.

— Zawróćcie ich! — rozkazał.

— To nie jest kapsuła *Sojuza* — odparł z ledwie skrywaną pogardą Ellis. — Nie można kazać, żeby jeździła w kółko jak jakiś pieprzony samochód.

— W takim razie nie pozwólcie im lądować!

— Nie możemy. To podróż w jedną stronę i musi skończyć się na Ziemi.

Na salę weszło szybkim krokiem trzech kolejnych oficerów sił powietrznych. Jack rozpoznał generała Gregoriana z Dowództwa Przestrzeni Kosmicznej, który nadzorował teraz wszystkie operacje NASA.

— Jaka jest sytuacja? — warknął Gregorian.

— Kapsuła oddzieliła się, ale wciąż jest na orbicie — odparł czerwony jak burak oficer.

— Kiedy zetkną się z atmosferą?

— Nie... nie wiem, panie generale.

— Kiedy to się stanie, panie Ellis? — zapytał Gregorian, zwracając się do dyrektora lotu.

— To zależy. Jest wiele możliwości.

— Niech pan mi tu nie wygłasza pieprzonego wykładu. Chcę konkretnej odpowiedzi. Konkretnych liczb.

— Dobrze. — Ellis wyprostował się i spojrzał mu prosto w oczy. — To może potrwać od jednej do ośmiu godzin. Mogą okrążyć Ziemię maksymalnie cztery razy. Mogą też zejść z orbity i wylądować za godzinę.

Gregorian podniósł słuchawkę.

— Obawiam się, że nie zostało dużo czasu na podjęcie decyzji, panie prezydencie. Mogą zejść z orbity w każdej chwili. Tak, panie prezydencie, wiem, że to trudny wybór. Zalecam podjęcie takich samych działań, jakie zaproponował pan Profitt.

Jakich działań? Jack czuł, że ogarnia go panika.

— Zaczęli schodzić z orbity — zawołał oficer stojący przy jednej z konsoli.

— Mamy coraz mniej czasu, panie prezydencie. Musimy podjąć jakieś kroki. — Gregorian przez dłuższy czas czekał, a potem z wyraźną ulgą kiwnął głową. — Podjął pan właściwą decyzję. Dziękuję. Mamy zgodę — powiedział, odkładając słuchawkę i zwracając się do swoich podwładnych.

— Zgodę na co? — zapytał Ellis. — Co wy takiego knujecie?

Jego pytania zostały zignorowane. Oficer sił powietrznych podniósł słuchawkę.

— Przygotować się do wystrzelenia EKV — rozkazał spokojnie.

Co to jest, do diabła, EKV? Jack spojrzał na Todda i poznał po jego minie, że on też nie ma pojęcia, co oznacza ten skrót.

Dowiedzieli się tego od kontrolera trajektorii, który podszedł do ich konsoli.

— To pocisk przeznaczony do zwalczania celów w przestrzeni kosmicznej — szepnął.

— Cel musi zostać zneutralizowany, zanim wejdzie w atmosferę — oświadczył Gregorian.

— Nie! — zawołał Jack, zrywając się na nogi.

Prawie równocześnie ze swoich krzeseł poderwali się, protestując, inni kontrolerzy. Głos CAPCOM-a utonął we wściekłym gwarze. Musiał wrzeszczeć na całe gardło, żeby go usłyszeli:

— Mam ISS na łączach! Mam ISS na łączach!

ISS? W takim razie ktoś nadal jest na pokładzie stacji. Ktoś tam pozostał.

Jack przyłożył dłoń do słuchawki i słuchał głosu, który docierał na Ziemię.

To była Emma.

— Houston, mówi Watson z pokładu ISS. Specjalista misji Ames nie jest zarażony. Powtarzam, Ames nie jest zarażony. Jest jedynym członkiem załogi, który wraca na pokładzie CRV. Stanowczo żądam, żebyście pozwolili mu bezpiecznie wylądować.

— Przyjąłem, ISS — powiedział CAPCOM.

— Widzicie? Nie ma powodu go strącać — stwierdził Ellis, zwracając się do Gregoriana.

— Skąd wiecie, że Watson mówi prawdę? — zaoponował generał.

— Musi mówić prawdę. Po co w takim razie zostawałaby na stacji? Ugrzęzła tam teraz na dobre. Mogła się stamtąd ewakuować tylko na pokładzie CRV.

Słowa Ellisa wprawiły Jacka w odrętwienie. Nie słyszał już gorącego sporu między dyrektorem lotu i Gregorianem. Przestał go obchodzić los CRV. Myślał tylko o Emmie, uwięzionej na stacji, bez żadnej drogi ratunku. Ona wie, że jest zarażona. Została tam, żeby umrzeć.

— CRV zakończył zejście z orbity. Obniża się. Jego trajektorię widzimy na głównym ekranie.

Po mapie świata na przedniej ścianie przesuwał się maleńki

punkcik symbolizujący kapsułę i jej samotnego pasażera. Usłyszeli go teraz w słuchawkach.

— Tu specjalista misji, Luther Ames. Przystępuję do wejścia w atmosferę, wszystkie systemy w normie.

Oficer spojrzał na Gregoriana.

— Jesteśmy nadal gotowi do odpalenia EKV — powiedział.

— Nie musicie tego robić — zaprotestował Ellis. — On nie jest chory! Możemy pozwolić mu wrócić na Ziemię!

— Skażona jest prawdopodobnie sama kapsuła — oświadczył Gregorian.

— Nie możecie tego wiedzieć!

— Nie wolno mi podejmować takiego ryzyka. Nie wolno mi narażać życia ludzi na Ziemi.

— Do jasnej cholery, to morderstwo!

— Ames naruszył rozkazy. Wiedział, jaka będzie nasza reakcja.

Gregorian dał znak oficerowi.

— EKV został odpalony, panie generale.

Na sali zapadła nagła cisza. Blady i roztrzęsiony Woody Ellis wpatrywał się w główny ekran, na którym widać było zbliżające się do siebie trajektorie dwóch obiektów.

Minuty mijały w martwej ciszy. Siedząca w pierwszym rzędzie kontrolerka zaczęła cicho płakać.

— Houston, zbliżam się do punktu wejścia. — Wszyscy wzdrygnęli się, słysząc trzeszczący w głośnikach wesoły głos Luthera. — Byłbym bardzo wdzięczny, gdybyście wysłali kogoś, żeby powitał mnie na Ziemi. Będę potrzebował pomocy przy zdejmowaniu tego pancerza.

Nikt nie odpowiedział. Nikt nie miał odwagi.

— Houston? — zapytał po chwili Luther. — Jesteście tam jeszcze?

CAPCOM wziął się w końcu w garść.

— Tak, słyszę cię, CRV — odpowiedział nierównym głosem. — Czeka tu na ciebie cała beczka piwa, Luther, staruszku. Tańczące dziewczyny, wszystko...

— Jezu, widzę, że wreszcie się trochę wyluzowaliście. Schłodźcie dobrze ten browar, żeby...

W głośnikach usłyszeli donośny trzask. Sekundę później transmisja urwała się.

Punkt na przednim ekranie wybuchł niczym fajerwerk, a potem na wszystkie strony posypały się drobne iskierki.

Woody Ellis opadł na krzesło i schował głowę w dłoniach.

19 sierpnia

— Zabezpieczam kanał łączności z Ziemią — oznajmił CAPCOM. — Przygotuj się, ISS.

Odezwij się do mnie, Jack. Proszę, odezwij się, modliła się Emma w duchu.

Moduł mieszkalny pogrążony był w półmroku. Przy wyłączonych wentylatorach panowała w nim taka cisza, że słyszała własny puls i szum powietrza, które wdychała i wydychała z płuc.

Wzdrygnęła się, słysząc nagle głos CAPCOM-a:

— Kanał łączności zamknięty dla prywatnej rozmowy z członkiem rodziny.

— Jack? — zapytała.

— Jestem tu. Jestem tutaj, kochanie.

— On był zdrowy. Mówiłam wam, że jest zdrowy...

— Próbowaliśmy temu zapobiec! Rozkaz został wydany bezpośrednio przez Biały Dom. Nie chcieli podejmować ryzyka.

— To moja wina. — Nie miała już siły powstrzymywać łez. Była sama i bała się, a poza tym czuła się odpowiedzialna za śmierć Luthera. — Myślałam, że pozwolą mu wrócić. Myślałam, że to dla niego najlepsze wyjście.

— Dlaczego zostałaś na stacji, Emmo?

— Musiałam — odparła i wzięła głęboki oddech. — Jestem zarażona.

— Miałaś styczność z tym organizmem, ale to jeszcze nie znaczy, że jesteś zarażona.

— Przed chwilą zbadałam sobie krew, Jack. Mam podwyższony poziom amylazy.

Jack milczał.

— Minęło osiem godzin od zarażenia. Zostało mi od dwudziestu czterech do czterdziestu ośmiu godzin, zanim... przestanę normalnie funkcjonować.

Jej głos stwardniał. Mówiła teraz dziwnie spokojnie, jakby informowała o bliskiej śmierci pacjenta. Nie o swojej własnej.

— To dosyć czasu, żeby uporządkować pewne sprawy. Usunąć ciała. Wymienić niektóre filtry i uruchomić z powrotem wentylatory. Powinno to ułatwić sprzątanie następnej załodze. Jeśli ktoś tu jeszcze w ogóle przyleci...

Jack nadal milczał.

— Co się tyczy moich szczątków... — Mówiła pozbawionym wszelkich emocji, drewnianym głosem. — Gdy nadejdzie pora, najlepsze, co moim zdaniem mogę zrobić dla dobra stacji, to wyjść w przestrzeń. Gdzie nie będę mogła niczego zakazić, kiedy umrę. Kiedy moje ciało... — Na chwilę przerwała. — Kombinezon Orlan można założyć bez cudzej pomocy. Mam valium i narkotyki. Dosyć, żeby się uśpić. Więc gdy skończy mi się powietrze, będę spała. Wiesz, Jack, to wcale nie jest taka zła śmierć. Będę unosiła się na zewnątrz, patrzyła na Ziemię, na gwiazdy. I powoli zasypiała...

Teraz go usłyszała. Płakał.

— Kocham cię, Jack — powiedziała cicho. — Nie wiem, dlaczego coś się między nami popsuło. Częściowo to musiała być moja wina.

Jack zaczerpnął z trudem powietrza.

— Emmo, nie.

— To głupie, że tak długo czekałam z tym wyznaniem. Myślisz pewnie, że mówię to, bo niedługo umrę. Ale to szczera prawda, Jack...

— Nie umrzesz — powiedział nagle i powtórzył to jeszcze raz, z gniewem: — Nie umrzesz.

— Znasz wyniki doktora Romana. Nic na to nie pomaga.

— Z wyjątkiem komory wysokociśnieniowej.

— Nie zdołają tu jej na czas dostarczyć. A bez kapsuły ratunkowej nie mogę wrócić na ziemię. Nawet gdyby mi na to pozwolili.

— Musi być jakiś sposób. Coś, co możesz zrobić, żeby

316

odtworzyć efekt wysokiego ciśnienia. To podziałało na zarażone myszy. Trzyma je przy życiu, więc w jakiś sposób im pomaga. Przeżyły tylko myszy umieszczone w komorze.

Nie, uświadomiła sobie nagle. Nie tylko one.

Powoli odwróciła się i spojrzała na właz prowadzący do Węzła numer 1.

Mysz. Czy ta mysz jeszcze żyje?

— Emmo?

— Poczekaj. Muszę coś sprawdzić w laboratorium.

Popłynęła przez Węzeł 1 do laboratorium amerykańskiego. Odór skrzepłej krwi był tu tak samo mocny. Mimo półmroku widziała ciemne plamy na ścianach. Zbliżyła się do regału, wyciągnęła klatkę z myszami i zaświeciła do środka.

W świetle latarki ukazał się żałosny widok. Wzdęta mysz znajdowała się w ostatnim stadium agonii. Jej łapki dygotały w konwulsjach, otwarty pyszczek łapał kurczowo powietrze.

Nie możesz umrzeć, pomyślała. Jesteś tą, która przetrwała, jesteś odstępstwem od reguły. Dowodem, że wciąż istnieje dla mnie jakaś nadzieja.

Mysz kręciła się i wiła w agonii. Spomiędzy tylnych łapek wypłynęła strużka krwi i rozpadła się na wirujące krople. Emma wiedziała, co zaraz nastąpi: ostatnia seria konwulsji, kiedy mózg zmienia się w zupę przetrawionych protein. Ujrzała kolejną plamę krwi na białym futerku. A potem coś jeszcze, coś różowego, co wyłoniło się spomiędzy tylnych łapek.

To coś poruszało się.

Mysz ponownie zadygotała.

Na zewnątrz wysunął się wijąc bezwłosy mysi noworodek. Przy jego brzuchu lśniła wąska nitka. Pępowina.

— Jack — szepnęła. — Jack.

— Słucham cię.

— Ta mysz... ta samica...

— Co z nią?

— W ciągu ostatnich trzech tygodni miała wielokrotnie styczność z chimerą i nie zachorowała. Jest jedyną myszą, która przetrwała.

— Wciąż żyje?

— Tak. I chyba wiem, dlaczego. Była w ciąży.

Mysz zaczęła się znowu wić. Kolejne małe wyślizgnęło się na zewnątrz w lśniącym welonie krwi i śluzu.

— To musiało zdarzyć się tamtej nocy, kiedy Kenichi umieścił ją razem z samcami — powiedziała. — Nie zajmowałam się nią. Nie miałam pojęcia...

— Dlaczego ciąża ma takie znaczenie? Dlaczego ją chroni?

Emma unosiła się w półmroku, starając się znaleźć odpowiedź na to pytanie. Ostatni spacer w kosmosie i wstrząs po śmierci Luthera wyczerpały ją fizycznie. Wiedziała, że Jack jest tak samo skonany. Dwa zmęczone umysły walczyły z tykającą bombą zegarową jej choroby.

— Dobrze. Dobrze, skupmy się na ciąży — powiedziała. — To złożony stan fizjologiczny. Coś więcej niż tylko donoszenie płodu. Zmieniony jest cały metabolizm.

— Hormony. Ciężarne samice są chemicznie pobudzane przez hormony. Gdybyśmy zdołali to odtworzyć, być może osiągnęlibyśmy takie same rezultaty.

Terapia hormonalna. Pomyślała o różnych związkach chemicznych krążących w ciele ciężarnej kobiety. Estrogen. Progesteron. Prolaktyna. Gonadotropina kosmówkowa.

— Tabletki antykoncepcyjne — powiedział Jack. — Możesz symulować ciążę, biorąc antykoncepcyjne hormony.

— Nie mamy nic takiego na pokładzie. Nie wchodzi to w skład apteczki.

— Sprawdziłaś szafkę Diany?

— Nie brałaby środków antykoncepcyjnych bez mojej wiedzy. Jestem lekarzem stacji. Wiedziałabym o tym.

— Mimo to sprawdź jej szafkę. Zrób to, Emmo.

Pomknęła do rosyjskiego modułu służbowego i wysunęła szuflady z szafki Diany. Wstyd jej było grzebać w rzeczach innej kobiety, nawet jeśli ta kobieta już nie żyła. Między poukładanymi schludnie ubraniami odkryła torebkę cukierków. Nie wiedziała, że Diana lubiła słodycze; tyle było rzeczy, których nigdy się już o niej nie dowie. W innej szufladzie znalazła szampon, pastę do zębów i tampony. Nie było tabletek antykoncepcyjnych.

Zatrzasnęła szufladę.

— Na stacji nie ma niczego, czego mogłabym użyć!

— Gdybyśmy wystrzelili jutro prom... gdybyśmy dostarczyli ci hormony...

— Nie wystrzelą promu! A nawet gdyby udało ci się dostarczyć tu całą pieprzoną aptekę, i tak zajmie to co najmniej trzy dni!

Za trzy dni najprawdopodobniej będę martwa, pomyślała. Trzymając kurczowo ochlapaną krwią szafkę, szybko oddychała. Paraliżowała ją frustracja. I rozpacz.

— W takim razie musimy spróbować czegoś innego — stwierdził Jack. — Nie wyłączaj się, Emmo! Musisz pomóc mi myśleć!

— Nigdzie się nie wybieram — sapnęła zniecierpliwiona.

— Jakie jest zadanie hormonów? Jaki jest ich mechanizm? Wiemy, że są chemicznymi sygnałami... systemem wewnętrznej łączności na poziomie komórkowym. Że pobudzają bądź też tłumią działanie genów. Zmieniają program komórki... — Mówił chaotycznie, pozwalając, by strumień świadomości doprowadził go do właściwego rozwiązania. — Żeby hormon zadziałał, musi związać się z określonym receptorem komórki. Jest jak klucz, który szuka pasującego zamka. Może gdybyśmy przyjrzeli się bliżej danym z SeaScience... gdybyśmy odkryli, jakie jeszcze DNA doktor Koenig wszczepiła do genomu tego organizmu... wiedzielibyśmy wtedy, jak wstrzymać reprodukcję chimery.

— Co wiesz o doktor Koenig? Jakie jeszcze prowadziła badania? To może być klucz.

— Mamy jej życiorys. Przejrzeliśmy prace, które opublikowała na temat archaeonów. Poza tym jest dla nas zagadką. Podobnie jak SeaScience. Wciąż usiłujemy zdobyć więcej informacji.

To wszystko wymaga drogocennego czasu, pomyślała. Niewiele mi go zostało.

Poczuła ból w zaciśniętych kurczowo na szafce Diany palcach. Puściła ją i odpłynęła w bok, jakby dała się porwać fali rozpaczy. W powietrzu wokół niej unosiły się świadczące o łakomstwie Diany słodycze: czekoladowe batony, MM-y. Celofanowe opakowanie krystalizowanych cukierków imbirowych. Ta ostatnia rzecz przykuła nagle jej uwagę. Skrystalizowany imbir.

Kryształy.

— Mam pewien pomysł, Jack — powiedziała.

Z bijącym mocno sercem popłynęła z powrotem do laboratorium amerykańskiego i włączyła komputer frachtów. Jego ekran rzucał niesamowity bursztynowy poblask w mrocznym module. Weszła w dane operacyjne i otworzyła plik „ESA". Mieściły się tutaj wszystkie informacje dotyczące ładunków dostarczonych przez Europejską Agencję Kosmiczną.

— Co to za pomysł, Emmo? — usłyszała w słuchawkach głos Jacka.

— Diana zajmowała się wzrostem kryształów proteinowych, pamiętasz? W ramach badań farmaceutycznych.

— Jakie to były proteiny? — zapytał szybko i domyśliła się, że zrozumiał dokładnie, o co jej chodziło.

— Przeglądam teraz listę. Mam ich tu dziesiątki.

Sunące po ekranie nazwy protein zlewały się ze sobą. Kursor zatrzymał się w końcu na haśle, którego szukała. Gonadotropina kosmówkowa.

— Myślę, że kupiłam sobie trochę czasu, Jack — szepnęła.

— Co znalazłaś?

— Gonadotropinę kosmówkową. Diana hodowała kryształy. Żeby się do nich dostać, muszę wejść do modułu ESA, gdzie jest próżnia. Ale jeśli zaraz zacznę dekompresję, będę je miała za cztery albo pięć godzin.

— Ile gonadotropiny jest na pokładzie?

— Sprawdzam.

Otworzyła plik eksperymentu i szybko przejrzała dane pomiaru masy.

— Emma?

— Poczekaj, poczekaj! Mam tu najnowsze wyniki pomiarów. Sprawdzam, jaki jest normalny poziom gonadotropiny podczas ciąży.

— Mogę ci to podać.

— Nie, już znalazłam. Dobrze. No więc, jeśli rozpuszczę te kryształy w soli fizjologicznej... przyjąwszy, że ważę czterdzieści pięć kilogramów...

Wstukała liczby. Wiele danych brała z powietrza. Nie wiedziała, jak szybko gonadotropina się metabolizuje i jaki jest jej okres połowicznego rozpadu. W końcu na ekranie pojawił się wynik.

— Ile wyszło ci dawek? — zapytał Jack.

Zamknęła oczy.

Leku nie starczy na długo. Nie uratuje mnie.

— Emma?

Jej westchnienie przeszło w szloch.

— Na trzy dni — odpowiedziała.

POCHODZENIE

Rozdział dwudziesty piąty

20 sierpnia

Była pierwsza czterdzieści pięć w nocy i Jackowi robiło się ciemno przed oczyma ze zmęczenia. Nie widział dobrze liter na ekranie komputera.

— Musi być coś jeszcze — powiedział. — Szukaj dalej.

Siedząca przy klawiaturze Gretchen Liu posłała mu poirytowane spojrzenie. Kiedy on i Gordon zatelefonowali do niej, słodko spała i przyjechała tu nieumalowana i bez soczewek kontaktowych, które zakładała zwykle na użytek kamer. Nigdy jeszcze nie widzieli swojej eleganckiej pani rzecznik tak mało atrakcyjnie wyglądającej. Na dodatek w okularach — w grubych rogowych oprawkach, które powiększały sińce pod jej oczyma.

— Powtarzam wam, że to wszystko, co mogę znaleźć w Lexis-Nexis. Prawie nic o Helen Koenig. Jeśli chodzi o SeaScience, są tylko sztampowe informacje o firmie. Co do Palmera Gabriela, widzicie sami, że facet nie szuka popularności. W ciągu ostatnich pięciu lat jedynym miejscem, w którym jego nazwisko pojawiło się w mediach, były finansowe kolumny „Wall Street Journal". W artykule na temat SeaScience i ich produktów. Nie ma danych biograficznych. Nie mamy nawet jego fotografii.

Jack odsunął się do tyłu w fotelu i pomasował oczy. Dwie ostatnie godziny spędzili w biurze public relations, przeglądając wszystkie artykuły na temat Helen Koenig i SeaScience, jakie udało im się znaleźć za pośrednictwem wyszukiwarki Lexis-Nexis. Hasło „SeaScience" pojawiło się wiele razy: w dziesiątkach artykułów pisano o wytwarzanych przez nich produktach, od szamponów po farmaceutyki i nawozy sztuczne. Prawie nic nie znaleźli jednak na temat Helen Koenig ani Gabriela.

— Wpisz jeszcze raz nazwisko Koenig — nalegał Jack.

— Próbowałam każdej możliwej pisowni jej nazwiska — mruknęła Gretchen. — I nic.

— Więc wpisz słowo „archaeony".

Wzdychając, Gretchen wpisała „archaeony" i kliknęła „Szukaj".

Na ekranie ukazał się deprymująco długi spis artykułów.

„Obce organizmy na ziemi. Naukowcy ogłosili odkrycie nowego typu życia" („Washington Post").

„Archaeony przedmiotem międzynarodowej konferencji" („Miami Herald").

„Głębokowodne organizmy pomagają rozwikłać zagadkę pochodzenia życia" („Philadelphia Inquirer").

— To beznadziejne — stwierdziła Gretchen. — Przeczytanie tych artykułów zajmie nam całą noc. Może dajmy sobie po prostu spokój i pójdźmy spać...

— Zaczekaj! — przerwał jej Gordon. — Zjedź tutaj — poprosił, wskazując widniejący na dole ekranu tytuł.

„Naukowiec zginął w batyskafie na Galapagos" („New York Times").

— Galapagos — ożywił się Jack. — To tam doktor Koenig odkryła nowy szczep archaeonów.

Gretchen kliknęła ponownie i na ekranie pojawił się pełen tekst artykułu. Pochodził sprzed dwóch lat.

COPYRIGHT: New York Times
SEKCJA: Wiadomości międzynarodowe
TYTUŁ: „Naukowiec zginął w batyskafie na Galapagos".
AUTOR: Julio Perez, korespondent NYT
TEKST: Amerykański naukowiec badający morskie organizmy, archaeony, zginął wczoraj, kiedy jego jednoosobowy

batyskaf utknął w podmorskim kanionie w Rowie Galapagos. Ciało doktora Stephena D. Ahearna wydobyto dopiero dziś rano, kiedy ze statku badawczego *Gabriella* udało się wyciągnąć batyskaf na powierzchnię.

„Wiedzieliśmy, że jeszcze żyje, ale nie mogliśmy nic zrobić", oświadczyła koleżanka zmarłego, która przebywała na pokładzie *Gabrielli*. „Utknął na głębokości dziewiętnastu tysięcy stóp. Uwolnienie batyskafu i wyciągnięcie go na powierzchnię zajęło nam kilka godzin".

Doktor Ahearn był profesorem geologii na Uniwersytecie Kalifornijskim. Mieszkał w La Jolla w Kalifornii.

— Statek nazywał się *Gabriella* — powiedział Jack.

On i Gordon spojrzeli na siebie. Obu uderzyła ta sama myśl. *Gabriella*. Palmer Gabriel.

— Założę się, że to był statek SeaScience — oświadczył Jack. — I że na pokładzie była Helen Koenig.

Gordon spojrzał ponownie na ekran.

— Intryguje mnie to, że doktor Ahearn był geologiem — stwierdził.

— No i co z tego? — mruknęła Gretchen, ziewając.

— Co robił geolog na morskim statku badawczym?

— Badał skały na dnie morza?

— Sprawdźmy jego nazwisko.

Gretchen westchnęła.

— Nie zdołacie mi się odwdzięczyć nigdy w życiu — mruknęła, po czym wpisała nazwisko „Stephen D. Ahearn" i kliknęła „Szukaj".

Na ekranie pojawiła się lista siedmiu artykułów. Sześć z nich dotyczyło wypadku na Galapagos.

Jeden artykuł opublikowany był rok wcześniej.

„Profesor Uniwersytetu Kalifornijskiego w San Diego zaprezentuje najnowsze odkrycia w badaniach nad tektytami. Jego referat będzie głównym wydarzeniem Międzynarodowej Konferencji Geologicznej w Madrycie" („San Diego Union").

Dwaj mężczyźni wpatrywali się przez chwilę w ekran, zbyt przejęci, by coś powiedzieć.

— To jest to, Jack — powiedział w końcu Gordon. — To jest to, co próbują przed nami ukryć.

Jackowi zdrętwiały dłonie i zaschło mu w gardle. Wzrok miał skupiony na jednym słowie, słowie, które mówiło im wszystko.

Tektyty.

Dyrektor Centrum Kosmicznego Johnsona, Ken Blankenship, mieszkał w jednym z anonimowych, budowanych pod sznurek domów w Clear Lake, gdzie osiedliło się wiele osób z kierownictwa centrum. Jak na kawalera, dom był duży i w blasku lamp Jack zobaczył, że trawnik jest nieskazitelnie utrzymany, a żaden krzak nie wychyla się z szeregu. Ten trawnik, jaskrawo oświetlony o trzeciej nad ranem, dawał dokładne wyobrażenie, czego się można spodziewać po Blankenshipie, znanym zarówno ze swego perfekcjonizmu jak i obsesji na punkcie bezpieczeństwa. Na pewno śledzi nas jakaś kamera, pomyślał Jack, czekając razem z Gordonem, aż Blankenship otworzy frontowe drzwi. Musieli kilkakrotnie wcisnąć dzwonek, zanim w środku zapaliło się światło. W końcu drzwi się otworzyły i pojawił się w nich gospodarz, mały krępy Napoleon w szlafroku.

— Jest trzecia w nocy — oznajmił. — Co wy tutaj robicie?

— Musimy porozmawiać — powiedział Gordon.

— Czy coś złego stało się z moim telefonem? Nie mogliście najpierw zadzwonić?

— Nie możemy używać telefonu. Nie w tej sprawie.

Wszyscy trzej weszli do środka.

— Wiemy, co próbuje ukryć Biały Dom. Wiemy, skąd pochodzi chimera — oświadczył Jack, kiedy zamknęły się za nimi drzwi.

Blankenship wbił w niego wzrok, natychmiast zapominając, że przerwali mu sen. A potem spojrzał na Gordona, szukając potwierdzenia tego, co usłyszał.

— To wszystko wyjaśnia — dodał Gordon. — Tajemnicę, jaką robi z tego USAMRIID. Paranoję Białego Domu. I fakt, że ten organizm zachowuje się inaczej niż wszystko, z czym do tej pory zetknęli się nasi lekarze.

— Co takiego odkryliście?

— Wiemy, że chimera ma ludzkie, mysie i płazie DNA — odparł Jack. — Ale USAMRIID nie chce nam powiedzieć, czyje jeszcze DNA znajduje się w genomie. Nie chcą nam powiedzieć, czym naprawdę jest chimera i skąd pochodzi.

— Wczoraj wieczorem mówiłeś, że ten zarazek był wysłany w ładunku SeaScience. W kulturze archaeonów.

— Tak myśleliśmy. Ale archaeony nie są niebezpieczne. Nie mogą spowodować choroby u ludzi. Dlatego eksperyment został zaakceptowany przez NASA. Jest jednak coś, co różni ten konkretny szczep archaeonów od innych. Coś, o czym SeaScience nas nie poinformowało.

— Co masz na myśli?

— Miejsce, z którego pochodzi. Rów Galapagos.

Blankenship potrząsnął głową.

— Nie widzę, jakie to ma znaczenie.

— Ta kultura została odkryta podczas rejsu należącego do SeaScience statku *Gabriella*. Jednym z naukowców był doktor Stephen Ahearn, którego przyleciał tam w ostatniej chwili jako konsultant. Po tygodniu już nie żył. Jego batyskaf zakleszczył się na dnie rowu i doktor zmarł w wyniku uduszenia.

Blankenship w ogóle się nie odzywał.

— Doktor Ahearn znany był z badań nad tektytami — podjął Jack. — Są to szkliste fragmenty skał, powstałe przy zderzeniu meteorytów z ziemią. W tej dziedzinie się specjalizował. W geologii meteorów i asteroidów.

Blankenship nadal milczał. Dlaczego on w ogóle nie reaguje, zastanawiał się Jack. Czy nie rozumie, co to oznacza?

— SeaScience sprowadziła Ahearna na Galapagos, ponieważ potrzebowali opinii geologa — kontynuował. — Miał potwierdzić, czy to, co znaleźli na dnie morza, to asteroid.

Rysy Blankenshipa nagle stężały. Odwrócił się i ruszył w kierunku kuchni.

Jack i Gordon szli za nim.

— Dlatego Biały Dom tak się boi chimery — podsumował Jack. — Wiedzą, skąd ona pochodzi. Wiedzą, czym jest.

Blankenship podniósł słuchawkę i wystukał numer.

— Mówi dyrektor Centrum Johnsona, Kenneth Blankenship — oznajmił po chwili. — Muszę rozmawiać z Jaredem Profittem. Tak, wiem, która jest godzina. To sprawa nie cierpiąca zwłoki, więc byłbym wdzięczny, gdyby połączył mnie pan z jego domem... Oni wiedzą — powiedział po krótkiej pauzie. — Nie, nie ode mnie. Odkryli to sami. — Kolejna pauza. — Jack McCallum i Gordon Obie. Tak, stoją teraz przy mnie w mojej kuchni. — Podał słuchawkę Jackowi. — On chce z tobą mówić.

Jack wziął telefon.

— Mówi McCallum.

— Ilu ludzi wie? — zainteresował się przede wszystkim Jared Profitt.

Jego pytanie natychmiast uświadomiło Jackowi, jak ważna jest ta informacja.

— Nasi lekarze — odparł. — I kilka osób z działu nauk przyrodniczych.

Nie powiedział ani słowa więcej; zdawał sobie sprawę, że nie wolno mu podawać nazwisk.

— Czy potraficie trzymać język za zębami? — zapytał Profitt.

— To zależy.

— Od czego?

— Od tego, czy wasi ludzie będą z nami współpracować. Czy podzielą się z nami swoją wiedzą.

— Czego pan chce, doktorze McCallum?

— Pełnego dostępu do informacji. Wszystkich informacji o chimerze. Wyników sekcji. Danych klinicznych.

— A jeśli się nie zgodzimy? Co wtedy?

— Moi koledzy w NASA wyślą faksy do wszystkich agencji prasowych w tym kraju.

— Co dokładnie chcecie im przekazać?

— Prawdę. Że ten organizm nie pochodzi z Ziemi.

Zapadła długa cisza. Jack słyszał w słuchawce bicie własnego serca. Czy nasze domysły są słuszne? Czy rzeczywiście odkryliśmy prawdę?

— Upoważnię doktora Romana, żeby panu wszystko powiedział — oznajmił wreszcie Profitt. — Będzie na pana czekał w White Sands.

Połączenie urwało się.

Jack odwiesił słuchawkę i spojrzał na Blankenshipa.

— Od jak dawna wiedziałeś? — zapytał.

Milczenie dyrektora jeszcze bardziej go rozgniewało. Dał krok w jego stronę i Blankenship cofnął się pod ścianę.

— Od jak dawna wiedziałeś?

— Dopiero... dopiero od paru dni. Przysiągłem zachować to w tajemnicy.

— Tam na górze umierają nasi ludzie!

— Nie miałem wyboru. To przeraziło wszystkich. Biały Dom. Departament obrony. — Blankenship wziął głęboki oddech i spojrzał Jackowi prosto w oczy. — Zrozumiesz, o czym mówię, kiedy znajdziesz się w White Sands.

21 sierpnia

Trzymając jeden koniec stazy w zębach, Emma zacisnęła ją mocno i żyły jej lewego ramienia uwypukliły się niczym błękitne czerwie pod bladą skórą. Przetarła żyłę odłokciową alkoholem, skrzywiła się, wbijając igłę, i niczym ćpun nie mogący się doczekać działki, wstrzyknęła całą zawartość strzykawki, rozluźniając jednocześnie stopniowo zacisk. Kiedy skończyła, zamknęła oczy i dryfując w powietrzu, wyobraziła sobie molekuły gonadotropiny kosmówkowej, które szybują jak małe gwiazdy nadziei jej żyłami, wpływają do serca i płuc, wędrują tętnicami i naczyniami włoskowatymi. Wyobraziła sobie, że już teraz odczuwa efekty zastrzyku, że ustępuje ból głowy i przygasa ogień trawiącej ją gorączki. Zostały jeszcze trzy dawki. Trzy kolejne dni.

Wyobraziła sobie, że unosi się nad własnym ciałem i widzi samą siebie z pewnej odległości, skurczoną w trumnie niczym pożyłkowany płód. Z jej ust wypływa bąbel śluzu i pęka, rozpadając się na jasne, podobne do larw nitki.

Nagle otworzyła oczy i uświadomiła sobie, że spała. I wszystko to jej się śniło. Koszulkę miała mokrą od potu. To był dobry znak. Oznaczał, że gorączka się zmniejsza.

Pomasowała skronie, próbując pozbyć się sennych wizji, ale nie udało jej się: rzeczywistość i koszmar zmieszały się w jedno.

Zdjęła przepoconą koszulkę i założyła świeżą, z szafki Diany. Mimo złych snów krótka drzemka odświeżyła ją; odzyskała nadzieję i znowu gotowa była szukać nowych rozwiązań. Popłynęła do laboratorium amerykańskiego i zaczęła przeglądać pliki dotyczące chimery. Todd Cutler poinformował ją już, że to pozaziemski organizm, i wszystko, co wiedziała obecnie NASA na temat tej formy życia, zostało przesłane do jej pokładowych komputerów. Czytała teraz te dane w nadziei, że coś ją zainspiruje, że wymyśli rzecz, która nie przyszła dotąd do głowy nikomu.

Jednak wszystko, co widziała, było irytująco znajome.

Otworzyła plik z genomem. Na ekranie pojawiła się sekwencja nukleotydów z niekończącym się łańcuchem A, C, T i G. Miała przed sobą kod genetyczny chimery... w każdym razie jego fragmenty. Te, które USAMRIID uznał za stosowne ujawnić Agencji. Patrzyła jak zahipnotyzowana na maszerujące po ekranie linijki kodu. To była esencja dojrzewającego w niej obcego życia. Klucz do przeciwnika.

Gdyby tylko wiedziała, jak go użyć.

Jak użyć tego klucza.

Nagle przypomniała sobie to, co Jack powiedział wcześniej o hormonach. Żeby hormon zadziałał, musi związać się z określonym receptorem komórki. Jest niczym klucz, który szuka pasującego zamka.

Dlaczego występujący u ssaków hormon, gonadotropina kosmówkowa, hamuje reprodukcję obcej formy życia? Dlaczego pozaziemski organizm, tak obcy wszystkiemu, co istnieje na Ziemi, ma zamki, do których najwyraźniej pasują nasze klucze?

Na ekranie sekwencja nukleotydów dotoczyła się do końca. Patrząc na migający kursor, myślała o zrodzonych na Ziemi gatunkach, których DNA zostało zawłaszczone przez chimerę. Uzyskując nowe geny, ta obca forma życia, stawała się po części człowiekiem, po części myszą i po części płazem.

Połączyła się z Houston.

— Muszę mówić z kimś z działu nauk przyrodniczych — powiedziała.

— Z kimś konkretnym? — zapytał CAPCOM.

— Z ekspertem od płazów.

— Zaczekaj, Watson.

Po dziesięciu minutach przy konsoli zasiadł doktor Wang z działu nauk przyrodniczych NASA.

— Ma pani jakieś pytanie dotyczące płazów?

— Tak, na temat *Rana pipiens*, żaby leopardowej.

— Co chciałaby pani o niej wiedzieć?

— Co się stanie, jeśli wystawimy ją na działanie ludzkich hormonów?

— Na działanie jakiego konkretnie hormonu?

— Na przykład estrogenu. Albo gonadotropiny kosmówkowej.

— Płazy na ogół negatywnie reagują na obecność estrogenów w środowisku — odparł bez wahania doktor Wang. — Prowadzono nawet na ten temat badania. Wielu specjalistów uważa, że zmniejszanie się na całym świecie populacji żab jest spowodowane zanieczyszczeniem stawów i strumieni substancjami estrogenopodobnymi.

— Co to za substancje?

— Niektóre pestycydy mogą mieć działanie podobne do estrogenów. Niszczą układ dokrewny żab, uniemożliwiając im reprodukcję i prawidłowy rozwój.

— Ale ich nie zabijają?

— Nie, zakłócają tylko reprodukcję.

— I żaby są na nie szczególnie wrażliwe?

— Och tak, w znacznie większym stopniu niż ssaki. Żaby mają w dodatku przepuszczalną skórę, więc są w ogóle bardziej wrażliwe na toksyny. To jest jakby ich pięta achillesowa.

Pięta achillesowa. Emma przez chwilę milczała, analizując tę informację.

— Doktor Watson? — odezwał się Wang. — Ma pani jakieś inne pytania?

— Owszem. Czy jest jakaś choroba albo toksyna, która zabiłaby żabę, ale nie uczyniłaby krzywdy ssakowi?

— To ciekawe pytanie. Jeśli chodzi o toksyny, zależałoby to od dawki. Jeśli da się żabie trochę arszeniku, zabije się ją. Ale arszenik zabije również człowieka, jeśli da mu się większą dawkę. Z drugiej strony, są pewne choroby, pewne bakterie i pewne wirusy, które zabijają tylko żaby. Nie jestem lekarzem, w związku z czym nie mogę wiedzieć na pewno, czy nie są szkodliwe dla ludzi, ale...

— Wirusy? — przerwała mu. — Jakie wirusy?

— Na przykład ranawirusy.

— Nigdy o nich nie słyszałam.

— Znają je tylko specjaliści od płazów. To wirusy DNA. Należą do rodziny irydowirusów. Uważamy, że wywołują puchlinę wodną u kijanek. Kijanki puchną i krwawią.

— Czy choroba kończy się ich śmiercią?

— Zdecydowanie.

— Czy te wirusy zabijają również ludzi?

— Nie wiem. I nie sądzę, żeby ktokolwiek to wiedział. Wiem, że ranawirusy doprowadziły do zagłady całe populacje żab na świecie.

Pięta achillesowa, pomyślała. Znalazłam ją.

Włączając DNA żaby leopardowej do swojego genomu, chimera stała się po części płazem. I stała się podatna na atakujące płazy choroby.

— Czy można w jakiś sposób uzyskać żywe próbki któregoś z tych ranawirusów? — zapytała. — I wypróbować je przeciwko chimerze?

Doktor Wang przez chwilę milczał.

— Rozumiem — oświadczył w końcu. — Nikt tego jeszcze nie próbował. Nikt na to w ogóle nie wpadł.

— Może pan zdobyć ten wirus? — przerwała mu.

— Tak. Wiem o dwóch laboratoriach w Kalifornii, w których prowadzi się badania nad żywymi ranawirusami.

— Więc niech pan go zdobędzie. I skontaktuje się z Jackiem McCallumem. On musi o tym wiedzieć.

— Jack McCallum i Gordon Obie wyjechali właśnie do White Sands. Zadzwonię tam do nich.

Drogą toczyły się suche krzaki niesione przez wiatr wraz z tumanem kłującego piasku. Jack i Gordon minęli wartownię i druty pod wysokim napięciem i podjechali pod obskurny wojskowy gmach. Wysiedli z pojazdu i mrużąc oczy, spojrzeli na niebo. Zasłonięte chmurą pyłu słońce miało przydymiony pomarańczowy kolor, który normalnie przybiera o zachodzie, a nie w południe. Przed odlotem z Ellington zdołali się przespać tylko kilka godzin i oczy piekły Jacka od dziennego światła.

— Tędy, panowie — powiedział kierowca.

Ruszyli za żołnierzem do budynku.

Przyjęto ich w inny sposób niż za pierwszej bytności Jacka. Tym razem eskortujący żołnierz był grzeczny i pełen szacunku. Tym razem doktor Isaac Roman czekał na nich przy wejściu. Jednak podobnie jak poprzednio nie wydawał się szczególnie uszczęśliwiony ich przyjazdem.

— Tylko pan może mi towarzyszyć, doktorze McCallum — oświadczył. — Pan Obie musi tu zaczekać. Tak zostało uzgodnione.

— Niczego takiego nie uzgadniałem — stwierdził Jack.

— Zrobił to pan Profitt, w pańskim imieniu. Tylko dzięki niemu pozwolono panu wejść do tego budynku. Nie mam zbyt wiele czasu, więc załatwmy to jak najprędzej.

Powiedziawszy to, Roman odwrócił się i skierował w stronę windy.

— Typowa zupacka gadka — mruknął Gordon. — Idź. Ja tutaj zaczekam.

Jack ruszył w ślad za Romanem do windy.

— Najpierw zjedziemy na poziom drugi — poinformował go doktor. — Tam trzymamy n— świadczalne.

Drzwi windy otworzyły się i zobaczyli ścianę.

Jack podszedł do niej i przyjrzał się

szybą laboratorium. Kilkunastu pracowników miało na sobie ochronne kombinezony. W klatkach siedziały małpy szerokonose i psy. Blisko szyby stały szklane zagrody dla szczurów. Roman wskazał jedną z nich.

— Jak pan widzi, na każdej klatce znajduje się tabliczka z datą i godziną zarażenia. To najlepszy sposób zilustrowania morderczej natury chimery.

W klatce z tabliczką „Dzień 1" sześć szczurów sprawiało wrażenie zdrowych i z wigorem obracało swoje młynki.

W klatce oznaczonej napisem „Dzień 2" widać było pierwsze objawy choroby. Dwa z sześciu szczurów miało drgawki i oczy podbiegłe jasną krwią. Pozostała czwórka skupiła się razem i wydawała się pogrążona w letargu.

— Pierwsze dwa dni — powiedział Roman — stanowią stadium reprodukcyjne chimery. Rozumie pan, to coś zupełnie odwrotnego niż proces, jaki obserwujemy na Ziemi. Na ogół forma życia musi osiągnąć dojrzałość, zanim zacznie się rozmnażać. Chimera najpierw się reprodukuje, a potem zaczyna dojrzewać. Dzieli się w błyskawicznym tempie, wytwarzając do stu kopii samej siebie w ciągu czterdziestu ośmiu godzin. Na początku są mikroskopijnych rozmiarów... niewidoczne gołym okiem. Dość małe, by można było zarazić się nimi drogą oddechową albo przez błonę śluzową, nie wiedząc nawet, że miało się z nimi styczność.

— Więc są zaraźliwe już w tym wczesnym stadium cyklu życiowego?

— Są zaraźliwe w każdym stadium cyklu życiowego. Muszą tylko znaleźć się w powietrzu. Dzieje się to na ogół w chwili śmierci ofiary lub też kiedy jej ciało pęka kilka dni później. Gdy chimera już pana zarazi, gdy rozmnoży się w pańskim ciele, wtedy zaczynają się rozwijać jej indywidualne kopie. Rozwijać się w... właściwie nie wiemy, jak to nazwać. Chyba w kokony, ponieważ zawierają w sobie larwalną formę życia.

Wzrok Jacka pobiegł ku klatce trzeciego dnia. Wszystkie szczury miały drgawki i wierzgały łapkami, jakby bez przerwy ~~były~~ poddawane elektrowstrząsom.

Trzeciego dnia — podjął Roman — larwy zaczynają

szybko dojrzewać. W wyniku samego wzrostu swojej masy zajmują miejsce materii mózgowej i kompletnie zakłócają funkcje neurologiczne gospodarza. A czwartego dnia...

Spojrzeli na czwartą klatkę. Wszystkie szczury z wyjątkiem jednego były martwe. Ich ciała nie zostały usunięte; leżały z zesztywniałymi łapkami i rozwartymi pyszczkami. Do obejrzenia mieli jeszcze trzy klatki; pozostawiono w nich martwe szczury, by obserwować proces rozkładu.

Piątego dnia ciała zaczynały puchnąć.

Szóstego dnia brzuchy wzdymały się jeszcze bardziej, a skóra na nich napinała się jak bęben. Lepka ciecz sączyła się z otwartych oczu i lśniła na nozdrzach.

A siódmego dnia...

Jack zatrzymał się przy szybie, z wzrokiem utkwionym w siódmej klatce. Leżące w niej popękane ciała przypominały balony, z których spuszczono powietrze. Z otwartych ran wyzierała czarna miazga rozpuszczonych organów. Do pyszczka jednego ze szczurów przyczepiona była galaretowata masa składająca się z nieprzezroczystych kulek. Kulki drżały.

— Kokony — powiedział Roman. — W tym stadium wszystkie jamy ciała są nimi zapchane. Rozwijają się w zaskakującym tempie, żywiąc się tkanką gospodarza, trawiąc jego mięśnie i organy. Zna pan cykl życiowy pasożytniczych os? — zapytał.

Jack potrząsnął głową.

— Dorosła osa wstrzykuje swoje jajeczka żywej gąsienicy. Larwa dojrzewa, karmiąc się hemolimfą swojego gospodarza. Przez cały ten czas gąsienica żyje. Jest inkubatorem obcej formy życia, która zjada ją od środka aż do momentu, gdy larwa wydobywa się w końcu z martwej gąsienicy. — Roman spojrzał na martwe szczury. — Te larwy również rozmnażają się i rozwijają wewnątrz żywej ofiary. I to właśnie w końcu ją zabija. Wszystkie te larwy gnieżdżą się w czaszce. Podgryzają płaty szarej substancji. Niszczą naczynia włosowate, powodując krwawienie wewnątrzczaszkowe. Ciśnienie rośnie. Naczynia krwionośne w oczach pękają. Ofiara doświadcza o... bólu głowy i poczucia dezorientacji. Zatacza si... W ciągu trzech albo czterech dni umiera. A ten o...

żywi się jej ciałem. Atakuje jej DNA. Używa tego DNA, żeby przyspieszyć własną ewolucję.

— W co ewoluuje?

— Nie znamy punktu docelowego. W każdym nowym pokoleniu chimera przyswaja część DNA gospodarza. Chimera, którą teraz badamy, nie jest tą samą, którą badaliśmy na początku. Genom stał się bardziej złożony. A forma życia bardziej zaawansowana.

Coraz bardziej ludzka, pomyślał Jack.

— To powód, dla którego musimy zachować wszystko w absolutnej tajemnicy — dodał Roman. — Każdy terrorysta, każde wrogie państwo może rozkopać Rów Galapagos, żeby uzyskać więcej tych rzeczy. Gdyby ten organizm znalazł się w niepowołanych rękach... — nie skończył zdania.

— Więc nic w nim nie jest dziełem ludzkich rąk? — zapytał Jack.

— Nie. Organizm został odnaleziony przypadkiem w Rowie Galapagos i wydobyty na powierzchnię morza przez załogę *Gabrielli*. Doktor Koenig myślała z początku, że to nowy gatunek archaeonów. W rzeczywistości odkryła chimerę — stwierdził, wskazując podbródkiem poruszające się jajeczka. — Przez tysiące lat uwięziona była w szczątkach asteroidu. Na głębokości dziewiętnastu tysięcy stóp. To właśnie spowodowało, że była niegroźna. Fakt, że spoczywała w głębi morza, a nie na lądzie.

— Teraz rozumiem, dlaczego testował pan działanie komory wysokociśnieniowej.

— Przez cały ten czas chimera była nieszkodliwa. Myśleliśmy, że odtwarzając panujące w Rowie Galapagos ciśnienie, sprawimy, że znów taka się stanie.

— I udało wam się?

Roman potrząsnął głową.

— Tylko tymczasowo. Stan nieważkości trwale odmienił tę formę życia. Na pokładzie ISS włączona została w jakiś sposób jej reprodukcja. Tak, jakby zaprogramowano ją, żeby zabijała, lecz potrzebowała braku grawitacji, żeby znowu zacząć działać.

— Jak długo trwa działanie komory?

— Zarażone myszy są zdrowe, dopóki się w niej znajdują. Przebywają tam od dziesięciu dni. Kiedy jednak tylko którąś wyjmiemy, choroba czyni błyskawiczne postępy.

— Co sądzicie o ranawirusach? — pytał dalej Jack. Zaledwie przed godziną doktor Wang z działu nauk przyrodniczych NASA poinformował go o pomyśle Emmy. W tym momencie wirusy leciały odrzutowcem sił powietrznych do laboratorium doktora Romana. — Nasi naukowcy uważają, że mogą odnieść skutek.

— Teoretycznie to możliwe. Ale jest zbyt wcześnie, żeby wysyłać z misją ratunkową następny prom. Najpierw musimy przekonać się, że ranawirusy działają, w przeciwnym razie narazimy życie kolejnych astronautów. Potrzebujemy czasu, żeby je przetestować. Co najmniej kilku tygodni.

Emma nie ma przed sobą kilku tygodni, pomyślał Jack. Gonadotropiny starczy jej tylko na trzy dni. W milczeniu patrzył na klatkę z martwymi szczurami. Na jajeczka lśniące w swoim szlamowatym gnieździe. Gdyby udało się zyskać na czasie...

Zyskać na czasie. Nagle dotarło do niego znaczenie tego, co przed chwilą usłyszał od Romana.

— Powiedział pan, że myszy przebywają w komorze wysokociśnieniowej już od dziesięciu dni.

— Zgadza się.

— Ale minęło przecież dopiero dziesięć dni od katastrofy *Discovery*...

Roman spuścił wzrok.

— Planowaliście testy z komorą od samego początku. A to oznacza, że wiedzieliście dobrze, z czym macie do czynienia. Zanim jeszcze przeprowadziliście sekcję.

Roman odwrócił się i zaczął iść w stronę windy. Sapnął zaskoczony, kiedy Jack złapał go za kołnierz i obrócił do siebie.

— To nie był komercyjny ładunek. Prawda?

Roman odepchnął go i zatoczył się na ścianę.

— Wojsko użyło SeaScience jako przykrywki — stwierdził Jack. — Zapłaciliście im, żeby wysłali za was ten ładunek. Żeby ukryć fakt, że ta forma życia interesuje wojskow

Roman próbował się wyrwać i uciec do windy. Jac

go za laboratoryjny fartuch i zacisnął mocniej palce na kołnierzu.

— To nie był żaden bioterroryzm! To wasza cholerna głupota!

Twarz Romana przybrała kolor purpury.

— Nie mogę... nie mogę oddychać! — jęknął.

Jack puścił go. Pod doktorem ugięły się kolana i osunął się w dół po ścianie. Przez chwilę milczał, siedząc na podłodze i starając się złapać oddech. Kiedy się w końcu odezwał, był w stanie mówić tylko szeptem.

— Nie mogliśmy wiedzieć, że tak to się skończy. Że chimera zmieni się w stanie nieważkości...

— Ale wiedzieliście, że to obcy organizm?

— Tak.

— I wiedzieliście, że to chimera. Że ma już płazie DNA.

— Nie. Tego nie wiedzieliśmy.

— Niech pan mi nie wciska kitu!

— Nie mamy pojęcia, w jaki sposób żabie DNA dostało się do genomu! To musiało się stać w laboratorium doktor Koenig. W wyniku jakiegoś błędu. To ona znalazła ten organizm w podmorskim rowie, ona zdała sobie sprawę z tego, czym jest. W SeaScience wiedzieli, że się nim interesujemy. Pozaziemski organizm... nie mogło być inaczej! Departament obrony zapłacił za wynajęcie KC-135. Wykupiliśmy przestrzeń ładunkową na pokładzie ISS. Ładunek nie mógł zostać wysłany przez wojsko. To sprowokowałoby zbyt wiele pytań, za dużo byłoby komisji kontrolnych. W NASA zastanawialiby się, dlaczego wojsko interesuje się nieszkodliwymi morskimi mikrobami. Ale sektora prywatnego nikt nie pyta o takie rzeczy. Wysłaliśmy to więc jako komercyjny ładunek, sponsorowany przez SeaScience. Z doktor Koenig jako prowadzącą badanie.

— Gdzie jest doktor Koenig?

Roman powoli dźwignął się na nogi.

— Nie żyje.

Ta informacja kompletnie zaskoczyła Jacka.

— Jak to się stało? — zapytał cicho.

— Wypadek.

— Myśli pan, że w to uwierzę?

— To prawda.

Jack przyglądał się przez chwilę Romanowi i doszedł do wniosku, że doktor mówi prawdę.

— To się wydarzyło w zeszłym tygodniu, w Meksyku — powiedział Roman. — Zaraz po tym, jak odeszła z SeaScience. Taksówka, którą jechała, została kompletnie zniszczona.

— A zajęcie przez USAMRIID jej laboratorium? Nie chodziło wam o zbadanie spawy, ale dopilnowanie, żeby zniszczona została cała dokumentacja.

— Mówimy o obcej formie życia. O organizmie bardziej groźnym, niż nam się wydawało. Tak, ten eksperyment okazał się błędem. Katastrofą. Niech pan sobie wyobrazi, co by się stało, gdyby ta informacja przeciekła do międzynarodowych terrorystów.

Dlatego NASA nie została wtajemniczona. A prawda nigdy nie miała wyjść na jaw.

— Nie zobaczył pan jeszcze najgorszego, doktorze McCallum — stwierdził Roman.

— Co ma pan na myśli?

— Jest jeszcze jedna rzecz, którą chcę panu pokazać.

Zjechali windą niżej, na poziom trzeci. Głębiej w czeluście Hadesu, pomyślał Jack. Ponownie stanęli przed szklaną ścianą, za którą krzątali się ludzie odziani w kosmiczne kombinezony.

Roman nacisnął guzik interkomu.

— Możecie dostarczyć okaz? — powiedział.

Jedna z laborantek skinęła głową. Podeszła do stalowych drzwi sejfu, otworzyła masywny szyfrowy zamek i zniknęła w środku. Po chwili pojawiła się z powrotem, pchając przed sobą wózek ze stalowym kontenerem na tacy. Podjechała z nim pod szybę.

Roman skinął głową.

Laborantka otworzyła kontener, po czym wyjęła z niego pleksiglasowy cylinder i postawiła go na tacy. Zawartość pływała w formalinie.

— Znaleźliśmy to wewnątrz rdzenia kręgowego Kenichiego Hirai — powiedział Roman. — Jego kręgosłup ochronił to przed siłą uderzenia, gdy prom się rozbił. Kiedy to wyjmowaliśmy, jeszcze żyło... ale było bardzo osłabione.

Jack chciał coś powiedzieć, lecz nie był w stanie wykrztusić słowa. Przyglądając się zawartości cylindra, słyszał tylko szum wentylatorów i walenie własnego pulsu.

— W to właśnie przeobraża się larwa — powiedział Roman. — To jest następne stadium.

Teraz zrozumiał powód, dla którego chcieli zachować to w tajemnicy. Zakonserwowany w formalinie okaz wyjaśniał wszystko. Chociaż w trakcie ekstrakcji organizm został uszkodzony, jego podstawowe cechy były całkiem widoczne. Lśniąca płazia skóra. Larwalny ogon. I zarys kręgów — wcale nie płazich, lecz o wiele bardziej przerażających, ponieważ nietrudno było rozpoznać ich genetyczną przynależność. Przynależność do gromady ssaków. A może nawet do rodzaju ludzkiego. Organizm zaczął upodabniać się do swojego gospodarza.

Gdyby pozwolono mu zarazić inne gatunki, ponownie zmieniłby swój wygląd. Zawładnąłby każdym DNA na Ziemi, przybrałby dowolny kształt. W końcu doszedłby do momentu, w którym do reprodukcji i rozwoju nie byłby mu potrzebny żaden gospodarz. Stałby się niezależny i samowystarczalny. Być może nawet inteligentny.

A Emma była teraz jego żywym inkubatorem. Jej ciało stało się pożywnym kokonem, w którym dojrzewały jego larwy.

Stojąc na betonowej płycie lotniska, Jack poczuł, jak przechodzi go dreszcz. Wojskowy dżip, który odwiózł jego i Gordona do bazy powietrznej White Sands, był już tylko błyszczącym punkcikiem, za którym wlókł się tuman kurzu. Oczy zaszły mu łzami od jasnego blasku słońca i przez moment pustynia zafalowała, jakby znajdował się pod wodą.

Obrócił się i spojrzał na Gordona.

— Nie ma innego sposobu — stwierdził. — Musimy to zrobić.

— Jest tysiąc rzeczy, które mogą nawalić.

— Zawsze jest tysiąc rzeczy, które mogą nawalić. Podczas

każdego startu, podczas każdej misji. Dlaczego tym razem ma być inaczej?

— Nie będzie żadnej asekuracji. Żadnych zabezpieczeń. Wiem, jak to wygląda. To kompletna partyzantka.

— Dzięki temu cała rzecz jest możliwa. Jak brzmi ich motto? Mniej, szybciej, taniej.

— No dobrze — mruknął Gordon. — Powiedzmy, że nie zginiesz przy starcie. Powiedzmy, że nie zestrzelą cię wojskowi. Ale dopiero tam, na górze, przyjdzie ci się zmierzyć z największą niewiadomą. Ranawirus może w ogóle nie zadziałać.

— Jest jedna rzecz, Gordon, której od początku nie bardzo rozumiałem: dlaczego w genomie znalazł się fragment płaziego DNA? W jaki sposób chimera przyswoiła żabie geny? Roman uważa, że to przypadek. Przypadek, do którego doszło w laboratorium Koenig. — Jack potrząsnął głową. — Moim zdaniem to wcale nie był przypadek. Moim zdaniem Koenig specjalnie je tam umieściła. Żeby się zabezpieczyć.

— Nie rozumiem.

— Może wybiegała myślą naprzód, brała pod uwagę ewentualne zagrożenia, na przykład jeśli nowa forma życia zmieni się w stanie nieważkości. Chciała mieć jakąś broń przeciwko chimerze, gdyby wymknęła się spod kontroli. Dziurę w jej systemie obronnym. I to jest to.

— Żabi wirus.

— To odniesie skutek, Gordon. Musi odnieść skutek. Daję za to głowę.

Tuman kurzu zawirował między nimi, sypiąc im w oczy piaskiem i strzępami papieru. Gordon odwrócił się i spojrzał na T-38, który przyleciał po nich z Houston.

— Bałem się, że to powiesz — westchnął.

Rozdział dwudziesty szósty

22 sierpnia

Casper Mulholland połykał trzecie opakowanie tumsów, ale jego żołądek nadal przypominał kociołek z wrzącym kwasem. Błyszcząca w oddali *Apogee II* wyglądała niczym nabój postawiony na sztorc na pustynnym piasku. Jej widok nie wywierał zbyt dużego wrażenia, szczególnie na publiczności. Większość widzów słyszała poruszający ziemię grzmot rakiet NASA, podziwiała olbrzymie strzelające z promu kolumny ognia. *Apogee* nie przypominała wcale promu. Podobna była raczej do dziecinnej rakiety i kiedy grupa kilkunastu gości wdrapała się na świeżo wzniesione trybuny i spojrzała w stronę wyrzutni, Casper zobaczył na ich twarzach rozczarowanie. Wszyscy pragnęli czegoś dużego. Małe, eleganckie i proste w ogóle ich nie interesowało.

Na miejsce podjechał kolejny mikrobus i wysypali się z niego następni goście, osłaniając od razu oczy przed porannym słońcem. Rozpoznał Marka Lucasa i Hashemi Rashada, dwóch biznesmenów, którzy odwiedzili firmę przez trzema tygodniami. Zezując w stronę rakiety, również nie kryli rozczarowania.

— Nie możemy podjechać bliżej do wyrzutni? — zapytał Lucas.

— Niestety nie — odparł Casper. — Ze względu na wasze własne bezpieczeństwo. Mamy do czynienia z wybuchowymi materiałami pędnymi.

— Wydawało mi się, że będziemy mogli przyjrzeć się z bliska waszej operacji.

— Będziecie panowie mieli pełny dostęp do stanowiska kontroli naziemnej... to nasz odpowiednik kontroli misji w Houston. Kiedy tylko rakieta wystartuje z wyrzutni, pojedziemy do tego budynku i zobaczycie, jak kierujemy ją na niską orbitę okołoziemską. To prawdziwy test naszego systemu, panie Lucas. Pierwszy lepszy absolwent uczelni technicznej potrafi wystrzelić rakietę. Jednak bezpieczne wyniesienie jej na orbitę, a następnie doprowadzenie w pobliże stacji kosmicznej, to rzecz znacznie bardziej skomplikowana. Dlatego właśnie przyspieszyliśmy pokaz o cztery dni: żeby trafić w odpowiednie okienko startowe dla ISS. I pokazać wam, że nasz system dostosowany jest do kosmicznego rendez-vous. *Apogee II* jest dokładnie taką rakietą, jaką pragnie kupić NASA.

— Ale nie zamierzacie przycumować do stacji? — zapytał Rashad. — Słyszałem, że ISS jest objęta kwarantanną.

— Nie, nie mamy zamiaru do niej przycumować. *Apogee* jest dopiero prototypem. Nie może fizycznie połączyć się z ISS, ponieważ nie ma orbitalnego systemu cumowniczego. Ale doprowadzimy ją dostatecznie blisko stacji, żeby zademonstrować, że potrafimy to zrobić. Już sam fakt, że niemal w ostatniej chwili byliśmy w stanie zmienić nasz termin startu, przemawia na naszą korzyść. W lotach kosmicznych najważniejsza jest elastyczność. Zawsze może się zdarzyć coś nieprzewidzianego. Weźmy na przykład niedawny wypadek mojego wspólnika. Zwróćcie uwagę, że chociaż pan Obie leży w szpitalu ze złamaną miednicą, nie odwołaliśmy startu. Będziemy kontrolować całą misję z Ziemi. To się nazywa elastyczność, panowie.

— Rozumiałbym, gdyby opóźnił pan start — mruknął Lucas. — Powiedzmy, z powodu złej pogody. Ale dlaczego musiał pan przyspieszyć go o cztery dni? Niektórzy z naszych partnerów nie dojechali na czas.

Casper poczuł, jak ostatnia tabletka tumsa rozpuszcza się w świeżej strudze kwasu żołądkowego.

— To naprawdę bardzo proste — powiedział i wyjął chusteczkę, żeby otrzeć pot z czoła. — Chodzi o okienko startowe, o którym przed chwilą wspomniałem. Orbita stacji kosmicznej jest nachylona pod kątem 51,6 stopnia do płaszczyzny równika. Jeśli spojrzycie na jej tor, zakreśla on sinusoidę pomiędzy 51,6 stopnia szerokości północnej i 51,6 stopnia szerokości południowej. Ponieważ Ziemia się obraca, stacja mija za każdym razem inne miejsca. Ziemia nie jest również idealnie okrągła i to dodatkowo komplikuje sprawę. Najlepszy moment na odpalenie rakiety przypada wtedy, gdy tor orbitalny przebiega nad miejscem startu. Biorąc pod uwagę te wszystkie czynniki, mamy do dyspozycji szereg opcji. Poza tym jest jeszcze kwestia wyboru między startem w dzień i startem w nocy. Dopuszczalnego kąta startu. Najświeższej prognozy pogody...

Ich oczy zaszkliły się. Już go nie słuchali.

— Tak czy inaczej — zakończył Casper z głębokim poczuciem ulgi — dzisiaj rano o godzinie siódmej dziesięć przypada najlepsza pora. Wszystko to jest oczywiście dla panów jasne?

Lucas wzdrygnął się, jak pies obudzony nagle z drzemki.

— Tak. Oczywiście.

— Mimo to wolałbym znaleźć się bliżej — rzucił tęsknym tonem Rashad, nie spuszczając z oczu stojącej na horyzoncie płaskonosej rakiety. — Z tej odległości nie wygląda zbyt imponująco, prawda? Taka mała.

Casper uśmiechnął się, chociaż czuł, że kwas trawi ścianki jego żołądka.

— Zna pan chyba to powiedzenie, panie Rashad: nieważny jest rozmiar, ważne jest to, co potrafi pan nim zdziałać.

To ostatni moment, żeby zrezygnować, pomyślał Jack. Kropla potu pociekła po jego skroni i wsiąkła w wyściółkę hełmu. Próbował uspokoić puls, ale jego serce było niczym przerażone zwierzę, usiłujące wyrwać się z klatki. Od tylu lat marzył o tej chwili: kiedy siedzi przypięty pasami do fotela, w zamkniętym hermetycznie hełmie, a odliczanie zbliża się do zera. W tych marzeniach nie było miejsca na strach, wyłącznie na podniecenie. Na radość. Nie spodziewał się, że będzie przerażony.

346

— Do startu zostało pięć minut. Możesz się jeszcze wycofać — odezwał się w słuchawkach łączności przewodowej Gordon Obie.

Po drodze Gordon wielokrotnie powtarzał, że może jeszcze zmienić zdanie. Podczas lotu z White Sands do Nevady. W nocy, kiedy Jack zakładał kombinezon w hangarze Apogee Engineering. I na koniec podczas jazdy na wyrzutnię przez czarną jak smoła pustynię. Teraz Jack miał ostatnią szansę.

— Możemy wstrzymać odliczanie — powiedział Gordon.

— Odwołać całą misję.

— Nadal jestem zdecydowany.

— W takim razie będzie to nasz ostatni kontakt głosowy. Od tej pory nie możesz się z nikim łączyć. Ani z Ziemią, ani z ISS. Jeśli to zrobisz, wszystko diabli wezmą. Kiedy usłyszymy twój głos, natychmiast odwołujemy całą misję i sprowadzamy cię z powrotem.

O ile będziemy jeszcze w stanie to zrobić, dodał w myśli Gordon.

— Potwierdzam.

Gordon przez chwilę milczał.

— Nie musisz tego robić — odezwał się w końcu. — Nikt tego po tobie nie oczekuje.

— Dajmy już temu spokój. Po prostu zapalcie pode mną tę cholerną świeczkę, dobrze?

W słuchawkach usłyszał głośne westchnienie Gordona.

— Okay... Masz zgodę. Jesteśmy w punkcie T minus trzy minuty i nadal odliczamy.

— Dziękuję, Gordie. Za wszystko.

— Powodzenia i niech Bóg cię prowadzi, Jacku McCallum.

Połączenie przewodowe zostało przerwane.

Być może to ostatni ludzki głos, jaki w życiu słyszałem, pomyślał Jack. Od tego momentu między kontrolą naziemną Apogee Engineering i rakietą będą przepływać wyłącznie dane sterujące, przetwarzane przez komputery naprowadzania i nawigacji. Rakieta nie potrzebowała pilota; zamiast Jacka w fotelu równie dobrze mogła siedzieć niema małpa.

Zamknął oczy i skoncentrował się na biciu własnego serca.

Zwolniło. Czuł się teraz dziwnie spokojny, gotów na nieuniknione, cokolwiek to miało być. Słyszał kliknięcia i trzaski przygotowujących się do startu systemów pokładowych. Wyobraził sobie bezchmurne niebo, atmosferę gęstą niczym woda... gęstą niczym morze, z którego musiał się wynurzyć, by dotrzeć do chłodnej, czystej próżni kosmosu.

Gdzie umierała Emma.

Na trybunach zapadła złowroga cisza. Widoczny na dużym ekranie zegar minął punkt oznaczający sześćdziesiąt sekund do startu i tykał dalej. Zmieszczą się w okienku startowym, pomyślał Casper i świeże kropelki potu pojawiły się na jego czole. W głębi duszy nigdy nie wierzył, że do tego dojdzie. Spodziewał się opóźnień, odwołania, nawet anulowania całej misji. Przeżył już tak wiele rozczarowań, tak wielki był pech prześladujący tę przeklętą rakietę, że przerażenie odbierało mu oddech. Spojrzał na twarze widzów i zobaczył, że wielu liczy po cichu mijające sekundy. Zaczęło się to od rytmicznego szeptu.

— Dwadzieścia dziewięć. Dwadzieścia osiem. Dwadzieścia siedem...

Szept przeszedł w pomruk, potężniejący przy każdej mijającej sekundzie.

— Dwanaście. Jedenaście. Dziesięć...

Ręce trzęsły mu się tak bardzo, że musiał złapać się barierki. W koniuszkach palców pulsowała mu krew.

— Siedem. Sześć. Pięć...

Casper zamknął oczy. O Boże, na co oni się poważyli?

— Trzy. Dwa. Jeden...

Z tłumu wydarło się zbiorowe westchnienie podziwu. A potem usłyszał ryk silników i oczy same mu się otworzyły. Wpatrywał się w niebo, we wznoszącą się w górę smugę ognia. To mogło się wydarzyć w każdej chwili. Najpierw oślepiający błysk, potem dobiegający z wolniejszą prędkością dźwięku, rozrywający bębenki huk eksplozji. Tak to wyglądało w czasie startu *Apogee I*.

Ale ognista smuga wznosiła się coraz wyżej, aż w końcu zmieniła się w blady punkcik na ciemnym błękicie.

Czyjaś ręka klepnęła go mocno w plecy. Wzdrygnął się, obrócił i zobaczył Marka Lucasa, który szczerzył do niego zęby.

— Wchodzimy w to, Mulholland! Co za wspaniały start!

Casper kolejny raz spojrzał z obawą na niebo. Nadal nie było eksplozji.

— Chyba nie miał pan żadnych wątpliwości? — zapytał Lucas.

Casper przełknął ślinę.

— Najmniejszych.

Ostatnia dawka.

Emma wciskała tłoczek, powoli wstrzykując zawartość strzykawki do żyły. Wyjęła igłę, przycisnęła gazik do miejsca nakłucia i zgięła ramię, żeby nie odpadł, gdy będzie wyrzucała igłę. W tym, co robiła, było coś z uświęconej ceremonii; każdy jej fragment wykonywała z nabożeństwem i głęboką świadomością, że to po raz ostatni. Po raz ostatni czuła ukłucie igły i szorstki dotyk gazy w zgięciu łokcia. Jak długo ta ostatnia dawka gonadotropiny utrzyma ją przy życiu?

Odwróciła się i spojrzała na mysią klatkę, którą przeniosła do rosyjskiego modułu służbowego, ponieważ było tu więcej światła. Zwinięta w dygoczący kłębek samica zdychała. Działanie hormonu było tylko tymczasowe. Młode zdechły nad ranem. Jutro, pomyślała, pozostanę jedyną żywą istotą na pokładzie tej stacji.

Nie, nie jedyną. Będzie jeszcze żyjąca w jej wnętrzu chimera. Setki larw, które wkrótce zbudzą się z uśpienia i zaczną żerować i rosnąć.

Przycisnęła rękę do brzucha niczym ciężarna kobieta, która pragnie wyczuć płód w swoim łonie. Podobnie jak prawdziwy płód, ta forma życia będzie zawierać fragmenty jej DNA. W tym sensie będzie jej biologicznym potomstwem. W tym sensie posiadała biologiczną pamięć każdego swojego nosiciela. Kenichiego Hirai. Nikołaja Rudenko. Diany Estes. A teraz Emmy.

Ona będzie ostatnia. Nie będzie nowych nosicieli, nowych ofiar, ponieważ nikt nie przybędzie jej tu ratować. Stacja była teraz skażonym sarkofagiem, tak samo zakazanym i niedostępnym jak średniowieczna kolonia trędowatych.

Wypłynęła z rosyjskiego modułu służbowego do części stacji, w której nadal nie było pełnego zasilania. Z trudem odnajdywała drogę w pogrążonym w półmroku węźle. Kompletną ciszę przerywał tylko jej miarowy oddech. Ocierała się o te same molekuły powietrza, które wirowały niegdyś w płucach jej kolegów. Nawet teraz czuła ich obecność, wyobrażała sobie, że słyszy zamierające w ciszy ostatnie echa ich głosów. Jeszcze niedawno oddychali tym powietrzem, a teraz pozostało po nich tylko wspomnienie.

Wkrótce, pomyślała, po mnie też zostanie wyłącznie wspomnienie.

24 sierpnia

Jared Profitt obudził się tuż po północy. Wystarczyły dwa dzwonki telefonu, by wyrwany z głębokiego snu odzyskał pełną jasność umysłu. Sięgnął po słuchawkę.

— Tu generał Gregorian — przedstawił się zwięźle jego rozmówca. — Rozmawiałem właśnie z naszym centrum kontroli w Cheyenne Mountain. Tak zwana próbna rakieta wystrzelona z Nevady nadal leci w kierunku ISS.

— Czyja to rakieta?

— Apogee Engineering.

Profitt zmarszczył czoło, próbując skojarzyć z czymś tę nazwę. Co tydzień z różnych miejsc na Ziemi startowało wiele rakiet. Liczne komercyjne firmy kosmiczne wciąż testowały jakieś silniki, wysyłały na orbitę satelity, a nawet wyrzucały w przestrzeń skremowane ludzkie szczątki. Dowództwo Przestrzeni Kosmicznej śledziło w tym momencie dziewięć tysięcy krążących wokół ziemi sztucznych obiektów.

— Odśwież moją pamięć. Co to za firma? — zapytał.

— Apogee testuje nową rakietę wielokrotnego użytku. Wystrzelili ją o godzinie siódmej dziesięć wczoraj rano. Poinformowali zgodnie z obowiązującymi wymogami Federalną Agencję Lotniczą, ale my dowiedzieliśmy się o tym już po fakcie. Lot jest określany jako orbitalny test ich nowej rakiety wielokrotnego użytku. Wejście na niską orbitę okołoziemską, przelot obok ISS i powrót na ziemię. Śledzimy ją przez cały dzień i z ostatnich manewrów na orbicie wynika, że mogą przelecieć koło stacji bliżej, niż informowali.

— Jak blisko mogą do niej dotrzeć?

— To zależy od następnych manewrów.

— Czy dostatecznie blisko, żeby mogło dojść do spotkania? Żeby mogli przycumować do stacji?

— W przypadku tej konkretnej rakiety to nie jest możliwe. Mamy jej wszystkie dane techniczne. To tylko prototyp pozbawiony orbitalnego systemu cumowniczego. Mogą najwyżej przelecieć obok i pomachać.

— Pomachać? — Profitt usiadł nagle na łóżku. — Chce pan powiedzieć, że tam jest pilot?

— Nie. To tylko taka przenośnia. W Apogee twierdzą, że to lot bezzałogowy. Na pokładzie jest kilka zwierząt, w tym małpa szerokonosa, ale nie ma pilota. Nie wykryliśmy żadnej komunikacji głosowej między rakietą i ziemią.

Małpa szerokonosa, pomyślał Profitt. Fakt, że była na pokładzie, oznaczał, że nie mogli wykluczyć obecności pilota. Monitory środowiska kabinowego, śledzące poziom dwutlenku węgla, nie potrafiły odróżnić człowieka od zwierzęcia. Brak tej informacji wprawiał go w niepokój. W jeszcze większy niepokój wprawiał go moment, w którym doszło do tego startu.

— Nie wiem, czy jest jakiś powód do obaw — odezwał się znowu Gregorian — ale prosił pan, żeby zawiadamiać go o każdym obiekcie, który zbliża się do stacji.

— Niech pan powie mi coś więcej o Apogee.

Gregorian parsknął lekceważąco.

— To pętaki. Zatrudniają dwanaście osób. Nie mieli dotąd zbyt wiele szczęścia. Przed półtora rokiem ich pierwszy prototyp rozleciał się dwadzieścia sekund po starcie i wszyscy ówcześni inwestorzy ulotnili się. Jestem trochę zdziwiony, że w ogóle utrzymali się w branży. Ich silniki oparte są na rosyjskiej technologii. Sam orbiter to prosta, prymitywna sonda powracająca na Ziemię za pomocą spadochronu. Może wynieść na orbitę trzysta kilo, nie licząc pilota.

— Natychmiast lecę do Nevady. Musimy dokładnie sprawdzić, co się tam dzieje.

— Możemy śledzić każdy ruch, jaki wykona ta sonda, panie doradco. W tym momencie nie mamy żadnego powodu, żeby podejmować jakąś akcję. To tylko mała firma, starająca się przyciągnąć nowych inwestorów. Gdyby wynikło jakieś realne zagrożenie, nasze systemy przechwytujące są w gotowości i mogą zawsze zestrzelić ptaszka.

Generał Gregorian miał prawdopodobnie rację. Fakt, że jacyś zapaleńcy postanowili wystrzelić w kosmos małpę, nie stwarzał jeszcze ogólnokrajowego zagrożenia. Profitt nie mógł podejmować pochopnych kroków. Śmierć Luthera Amesa wywołała gwałtowne protesty w całym kraju. To nie był odpowiedni moment na zestrzelenie kolejnego statku kosmicznego — skonstruowanego w dodatku przez prywatną amerykańską firmę.

Ale tyle rzeczy nie dawało mu spokoju. Moment, w którym *Apogee* została wystrzelona. Manewry zbliżeniowe. Fakt, że nie mogli potwierdzić ani wykluczyć obecności człowieka.

Czym mógł być ten lot, jeśli nie misją ratowniczą?

— Lecę do Nevady — powtórzył.

Czterdzieści pięć minut później wyjechał samochodem spod domu. Noc była bezchmurna, gwiazdy świeciły jak dziurki od szpilek w granatowym aksamicie. We wszechświecie jest być może sto miliardów galaktyk, każda z nich liczy sto miliardów gwiazd. Ile z tych gwiazd ma własne planety, na ilu z nich istnieje życie? Panspermia, teoria, wedle której życie przemieszcza się po całym wszechświecie, nie była już czystą spekulacją. Wiara, że życie istnieje tylko na tej jasnobłękitnej kropce, w tym peryferyjnym układzie słonecznym, wydawała się obecnie równie absurdalna jak naiwne przekonanie starożytnych, że Słońce i gwiazdy kręcą się wokół Ziemi. Do tego, by powstało życie, potrzebne są tylko oparte na węglu cząsteczki i trochę wody. Obie te rzeczy są powszechne we wszechświecie. Co oznacza, że życie, choć prymitywne, może być również powszechne i że

352

międzygwiezdny pył może nieść ze sobą bakterie i spory. Od tych prostych organizmów pochodzą wszelkie inne formy życia.

A co się zdarzy, jeśli te proste formy przybywające wraz z gwiezdnym pyłem napotkają na swojej drodze planetę, na której życie istniało już wcześniej?

To był koszmar prześladujący Jareda Profitta.

Kiedyś gwiazdy wydawały mu się piękne. Patrzył na wszechświat z podziwem i zachwytem. Teraz, spoglądając na nocne niebo, widział tylko nieskończone zagrożenie. Widział biologiczny Armagedon.

Widział zstępującego z niebios najeźdźcę.

Pora umierać.

Emmie trzęsły się ręce; łupanie w głowie było tak bolesne, że zgrzytała zębami, żeby nie krzyczeć. Ostatni zastrzyk morfiny stępił tylko nieco ból. Oszołomiona narkotykiem, z trudem mogła skupić uwagę na ekranie i na klawiaturze pod palcami. Zaczekała chwilę, aż uspokoją się jej dłonie. A potem zaczęła pisać.

Osobisty e-mail do Jacka McCalluma.

Gdyby mogło spełnić się jedno moje życzenie, chciałabym znowu usłyszeć twój głos. Nie wiem, gdzie jesteś ani dlaczego nie mogę z tobą mówić. Wiem tylko, że to coś w moim wnętrzu odnosi zwycięstwo. Pisząc te słowa, czuję, jak zdobywa pole. Czuję, jak opuszczają mnie siły. Walczyłam z tym tak długo, jak mogłam. Ale teraz jestem już zmęczona. Jestem gotowa zasnąć.

Póki mogę jeszcze pisać, to właśnie chciałabym ci powiedzieć: kocham cię. Nigdy nie przestałam cię kochać. Mówią, że nikt, kto staje na progu wieczności, nie przekracza go z kłamstwem na ustach. Mówią, że należy zawsze wierzyć wyznaniom złożonym na łożu śmierci. A to jest właśnie moje wyznanie.

Ręce drżały jej tak gwałtownie, że nie mogła dłużej pisać. Zamknęła dokument i kliknęła „Wyślij".

W apteczce znalazła opakowanie valium. Zostały jeszcze dwie tabletki. Popiła je obie wodą. Robiło jej się ciemno przed oczyma i drętwiały nogi. Miała wrażenie, jakby nie należały w ogóle do niej, ale do kogoś innego.

Nie zostało jej zbyt wiele czasu.

Nie miała siły, żeby założyć kombinezon. Jakie to zresztą miało znaczenie po jej śmierci? Stacja i tak była skażona. Jej ciało będzie kolejnym przedmiotem, który trzeba będzie usunąć.

Po raz ostatni skierowała się ku pogrążonej w półmroku części stacji.

Miejscem, w którym chciała spędzić ostatnie chwile, była kopuła. Przez okna zobaczyła niebieskoszary łuk Morza Kaspijskiego. A potem chmury kłębiące się nad Kazachstanem i śnieg na szczytach Himalajów. Tam na dole miliardy ludzi krzątają się wokół swoich spraw, pomyślała. A ja jestem tylko znikającym punkcikiem na niebie.

— Emma? — odezwał się półgłosem w jej słuchawkach Todd Cutler. — Jak się czujesz?

— Niezbyt dobrze — mruknęła. — Boli mnie. Coraz gorzej widzę. Wzięłam ostatnie valium.

— Musisz się trzymać, Emma. Posłuchaj mnie. Nie wolno ci się poddawać. Jeszcze nie teraz.

— Przegrałam już tę walkę, Todd.

— Nie, nie przegrałaś! Musisz wierzyć...

— W cuda? — Roześmiała się cicho. — Prawdziwym cudem jest to, że w ogóle się tu znalazłam. Że patrzę na Ziemię z miejsca, gdzie było dotąd tak niewielu ludzi... — Dotknęła okna kopuły i poczuła przez szybę ciepło słońca. — Żałuję tylko, że nie mogę porozmawiać z Jackiem.

— Staramy się, żebyś mogła to zrobić.

— Gdzie on jest? Dlaczego nie jesteście w stanie się z nim skontaktować?

— Robi wszystko, żeby sprowadzić cię na Ziemię. Musisz w to wierzyć.

Zamrugała powiekami, powstrzymując łzy. Wierzę.

— Czy jest coś, co możemy dla ciebie zrobić? — zapytał Todd. — Ktoś, z kim chciałabyś porozmawiać?

— Nie — westchnęła. — Tylko z Jackiem.

Zapadło milczenie.

— Myślę, że najbardziej chciałabym teraz...

— Tak?

— Chciałabym zasnąć. To wszystko. Po prostu zasnąć.

Cutler odchrząknął.

— Oczywiście. Odpocznij trochę. Gdybyś mnie potrzebowała, jestem tutaj. Dobranoc, ISS — zakończył cicho.

Dobranoc, Houston, pomyślała. A potem zdjęła z głowy słuchawki i pozwoliła, żeby zawisły w półmroku.

Rozdział dwudziesty siódmy

Konwój czarnych limuzyn zatrzymał się przed siedzibą Apogee Engineering, wzbijając gęstą chmurę kurzu spod opon. Jared Profitt wysiadł z pierwszego samochodu i spojrzał na budynek. Przypominał z wyglądu lotniczy hangar: szary i pozbawiony okien, z satelitarnym sprzętem na dachu.

Profitt dał znak generałowi Gregorianowi.

— Zabezpieczcie teren.

Po niespełna minucie ludzie Gregoriana potwierdzili wykonanie rozkazu i Profitt wszedł do środka.

Zobaczył tam grupkę zagonionych w ciasny krąg, rozeźlonych osób. Natychmiast rozpoznał dwie twarze: dyrektora operacji lotów załogowych, Gordona Obiego, i dyrektora lotu wahadłowca, Randy'ego Carpentera. A więc było tak, jak się tego spodziewał, NASA maczała w tym palce. Ten niepozorny budynek pośrodku pustyni okazał się sztabem rebelii.

W przeciwieństwie do ośrodka kontroli lotu NASA wszystko tu funkcjonowało na słowo honoru. Wszędzie biegły poskręcane niczym spaghetti przewody i kable. Groteskowo tłusty kocur przemykał między stertami porzuconego sprzętu.

Jared podszedł do konsoli lotu i zobaczył na ekranie napływające dane.

— Jaki jest status orbitera? — zapytał.

— Zakończył już fazę Ti-burn i wchodzi na pozycję R, panie doradco — oznajmił jeden z ludzi Gregoriana, kontroler lotu z Dowództwa Przestrzeni Kosmicznej. — Może się połączyć z ISS za czterdzieści pięć minut.

— Wstrzymać podejście.

— Nie! — zawołał Gordon Obie, przebijając się przez grupkę pracowników Apogee i dając kilka kroków do przodu. — Niech pan tego nie robi! Nie rozumie pan...

— Ewakuacja stacji jest niemożliwa — stwierdził kategorycznym tonem Profitt.

— To nie jest ewakuacja!

— W takim razie co robi tam ten orbiter? Najwyraźniej przygotowuje się do połączenia ze stacją.

— Nie, to nieprawda. Nie może tego zrobić. Nie ma systemu cumowniczego. Nie jest w stanie się z nią połączyć. Na pewno nie dojdzie do skażenia.

— Nie odpowiedział pan na moje pytanie, panie Obie. Co tam robi *Apogee II*?

Gordon zawahał się.

— Przechodzi procedurę bliskiego podejścia, to wszystko. To test sprawności.

— Dostrzegam poważną anomalię, panie doradco — wtrącił wojskowy kontroler lotu.

Wzrok Profitta pobiegł z powrotem ku konsoli.

— Jaką anomalię?

— W ciśnieniu panującym w kabinie. Spadło do ośmiu funtów na cal. Powinno wynosić czternaście i siedem dziesiątych. Albo doszło do poważnego wycieku powietrza, albo celowo obniżyli ciśnienie.

— Od jak dawna jest obniżone?

Kontroler szybko wystukał komendy na klawiaturze i na ekranie pojawił się wykres ciśnienia w przekroju czasowym.

— Według ich komputerów ciśnienie w kabinie wynosiło czternaście przecinek siedem przez pierwsze dwanaście godzin po starcie. Potem, mniej więcej przed trzydziestoma sześcioma godzinami, obniżyło się do dziesięciu przecinek dwa. Przed

357

godziną zaczęło ponownie spadać. — Kontroler nagle podniósł głowę. — Wiem, co oni robią. To procedura „przedwdechu".

— Jaka procedura?

— Poprzedzająca wyjście w przestrzeń. Kosmiczny spacer. Moim zdaniem ktoś jest na pokładzie tego orbitera.

Profitt zmierzył wzrokiem Gordona Obiego.

— Kto jest na pokładzie? Kogo tam wysłaliście?

Gordon widział, że dalsze ukrywanie prawdy nic nie da.

— To Jack McCallum — powiedział z cichą rezygnacją. — Mąż Emmy Watson.

— A więc to misja ratunkowa — stwierdził Profitt. — Jak to sobie wyobrażaliście? Miał wyjść w przestrzeń i potem co?

— Jego kombinezon Orlan-M jest zaopatrzony w silnik odrzutowy SAFER. Przy jego pomocy miał przelecieć z *Apogee* na stację i dostać się do środka przez śluzę powietrzną.

— A potem zabrać żonę i wrócić z nią na Ziemię.

— Nie. Tego nie było w planie. Niech pan posłucha, on rozumie... wszyscy tutaj rozumiemy... dlaczego ona nie może wrócić na Ziemię. Jack poleciał tam, żeby dostarczyć jej ranawirusa.

— A jeśli wirus nie zadziała?

— To loteria.

— Wejdzie na teren skażonej stacji. Nigdy nie pozwolimy mu wrócić do domu.

— On nie miał wcale zamiaru wracać do domu! Orbiter miał wrócić bez niego... — Gordon przerwał, patrząc Profittowi prosto w oczy. — To podróż w jedną stronę i Jack doskonale o tym wie. Zaakceptował warunki. Tam na górze umiera jego żona! Nie chce... nie może pozwolić, żeby umarła sama.

Zaskoczony Profitt umilkł. Patrzył na konsolę i na monitory, na których płynął strumień danych. Sekundy mijały, a on myślał o swojej własnej żonie, Amy, umierającej w szitalu Bethesda. Pamiętał, jak biegł przez terminal lotniska w Denver, żeby zdążyć na następny lot do domu, pamiętał swoją rozpacz, gdy zdyszany stanął przy wyjściu i zobaczył startujący samolot. Myślał o desperacji, która musiała napędzać Jacka McCalluma, i o bólu, jakiego zazna, będąc tak bardzo blisko celu i widząc, jak się od niego nieubłaganie oddala. To nie zaszkodzi nikomu tutaj, na Ziemi, pomyślał. Nikomu oprócz Jacka McCalluma, który dokonał wyboru, zdając sobie w pełni sprawę z konsekwencji. Jakie mam prawo, by mu w tym przeszkodzić?

— Niech pan przekaże kontrolę ludziom z Apogee — powiedział do wojskowego kontrolera lotu. — Mogą kontynuować misję.

— Słucham?

— Powiedziałem: *Apogee II* może kontynuować zbliżenie.

Przez chwilę panowała cisza. A potem cywilni kontrolerzy zasiedli z powrotem w swoich fotelach.

— Chyba pan rozumie, panie Obie, że będziemy śledzili każdy ruch, jaki wykona McCallum — oświadczył Profitt, zwracając się do Gordona. — Nie jestem pańskim wrogiem. Ale moim obowiązkiem jest obrona większego dobra i zrobię to, co konieczne. Jeśli pańskie działania będą wskazywały, że chce pan sprowadzić którąś z tych osób na ziemię, wydam polecenie zniszczenia *Apogee II*.

Gordon Obie kiwnął głową.

— Dokładnie tego się po panu spodziewałem.

— W takim razie obaj wiemy, na czym stoimy. — Profitt wziął głęboki oddech i odwrócił się do kontrolerów. — A teraz postarajcie się, panowie, żeby ten człowiek dotarł do swojej żony.

Jack zawisł na skraju nieskończoności.

Żaden trening w basenie nie przygotował go na ten chwytający za trzewia lęk, na paraliż, który ogarnął go, gdy patrzył w pustkę przestrzeni. Otworzył właz prowadzący do przegrody ładunkowej i pierwszą rzeczą, jaką zobaczył przez ziejące otworem rozsuwane drzwi, była Ziemia unosząca się w przyprawiającej o zawrót głowy otchłani. Nie widział stacji; znajdowała się nad statkiem, poza jego polem widzenia. Żeby do niej dotrzeć, powinien wypłynąć przez otwarte drzwi modułu ładunkowego i okrążyć *Apogee*. Najpierw jednak musiał zignorować głos instynktu, który kazał mu cofnąć się do śluzy powietrznej.

— Emma — powiedział i jej imię zabrzmiało niczym modlitwa.

Odetchnął głęboko i zaczął przygotowywać się do tego, by puścić właz i powierzyć ciało przestrzeni.

— *Apogee II*, tu CAPCOM Houston. *Apogee*... Jack... proszę, odpowiedz.

Głos w słuchawkach kompletnie go zaskoczył. Nie spodziewał się żadnego kontaktu z Ziemią. Fakt, że w Houston otwarcie wymienili jego imię, oznaczał, że cała tajemnica wyszła na jaw.

— *Apogee*, prosimy cię pilnie o odpowiedź.

Nadal się nie odzywał, nie wiedząc, czy powinien potwierdzić swoją obecność na orbicie.

— Jack, zostaliśmy poinformowani, że Biały Dom nie będzie usiłował przerwać twojej misji. Pod warunkiem, że zrozumiesz podstawową rzecz: to jest podróż w jedną stronę... — CAPCOM urwał i dopiero po chwili dodał cicho: — Jeśli wejdziesz na pokład stacji, nie będziesz mógł już jej opuścić. Nie będziesz mógł wrócić do domu.

— Tu *Apogee II* — odparł w końcu Jack. — Wiadomość przyjąłem i zrozumiałem.

— Czy w związku z tym zamierzasz kontynuować misję? Zastanów się.

— A po co waszym zdaniem tutaj przyleciałem? Podziwiać pierdolone widoki?

— Tak jest, przyjąłem. Zanim jednak zrobisz następny krok, powinieneś wiedzieć o jednym. Mniej więcej przed sześcioma godzinami straciliśmy kontakt z ISS.

— Co to znaczy „straciliśmy kontakt"?

— Emma przestała odpowiadać.

Sześć godzin, pomyślał. Co mogło wydarzyć się w ciągu sześciu ostatnich godzin? Wystartował przed dwoma dniami. Tyle trwało dogonienie stacji przez *Apogee II* oraz wykonanie manewrów zbliżeniowych. W tym czasie, odcięty od wszelkiej łączności, nie miał pojęcia, co dzieje się na stacji.

— Niewykluczone, że się spóźniłeś. Może będziesz chciał to jeszcze rozważyć...

— Jakie są odczyty biotelemetryczne? — wtrącił. — Jaki jest jej rytm serca?

— Nie jest podłączona do aparatury.

— W takim razie nic nie wiecie. Nie możecie mi powiedzieć, co się dzieje.

— Zanim zamilkła, wysłała ci ostatni e-mail — dodał łagodnie CAPCOM. — Pożegnała się z tobą, Jack.

Nie! Natychmiast puścił właz i dał nurka do otwartej przegrody ładunkowej. Nie! Złapał za uchwyt i wygramolił się przez rozsuwane drzwi na zewnątrz. Stacja kosmiczna ukazała się nagle w całej okazałości, dokładnie nad jego głową, tak wielka i rozległa, że przez chwilę zaparło mu dech z podziwu. Nagle ogarnęła go panika. Gdzie jest śluza powietrzna? Nie widzę śluzy! Tyle było modułów, tyle baterii słonecznych, rozciągających się na płaszczyźnie dwóch piłkarskich boisk. Nie mógł się zupełnie połapać. Rozmiary stacji kompletnie go oszołomiły.

A potem zobaczył ciemnozieloną kapsułę *Sojuza*. Znajdował się pod rosyjską częścią stacji. Wszystkie fragmenty natychmiast złożyły się w całość. Pobiegł wzrokiem ku części amerykańskiej i rozpoznał moduł mieszkalny. W jej górnym końcu znajdował się Węzeł numer 1, do którego przylegała śluza powietrzna.

Wiedział już, dokąd się skierować.

W tym momencie musiał zdać się na los szczęścia. Korzystając wyłącznie z odrzutowego silniczka SAFER, miał przemierzyć pustą przestrzeń bez żadnej liny, bez żadnego zakotwiczenia. Uruchomił silniczek, odepchnął się od *Apogee II* i wystartował w stronę stacji.

Był to jego pierwszy kosmiczny spacer. Niedoświadczony i niezgrabny, nie potrafił ocenić, z jaką szybkością zbliża się do celu. Rąbnął o kadłub modułu mieszkalnego z taką siłą, że o mało od niego nie odpadł. W ostatniej chwili złapał za uchwyt.

Pośpiesz się. Ona umiera.

Łapiąc kurczowo oddech i czując, jak robi mu się niedobrze ze strachu, zaczął wspinać się po kadłubie modułu.

— Houston — wydyszał. — Potrzebuję lekarza... niech będzie w gotowości...

— Przyjąłem.

— Jestem prawie... jestem prawie przy Węźle numer 1...

— Jack, tu mówi lekarz — usłyszał w słuchawkach przejęty głos Todda Cutlera. — Nie miałeś z nami kontaktu przez dwa dni. Musisz wiedzieć kilka rzeczy. Emma wzięła ostatnią dawkę gonadotropiny przed pięćdziesięcioma pięcioma godzinami. Od tego czasu jej wyniki ustawicznie się pogarszały. Amylaza i kinaza kreatynowa gwałtownie podskoczyły. Podczas ostatniej rozmowy skarżyła się na ból głowy i zaburzenia wzroku. To było przed sześcioma godzinami. Nie wiemy, w jakim jest teraz stanie.

— Jestem przy włazie śluzy powietrznej!

— Komputery pokładowe stacji zostały przełączone na tryb spaceru kosmicznego.

Jack otworzył właz i wgramolił się do śluzy załogowej. Zanim zamknął właz za sobą, jego wzrok padł na *Apogee II*. Zaczynała się już oddalać. Jedyna szalupa ratunkowa wracała do domu bez niego. Przekroczył punkt, z którego nie było powrotu.

Zamknął i uszczelnił właz.

— Włączony zawór wyrównania ciśnienia — zameldował.

— Próbuję przygotować cię na najgorsze — odezwał się Todd. — W przypadku gdyby ona...

— Powiedz coś użytecznego!

— Dobrze. Dobrze, oto najnowsze wieści, jakie otrzymaliśmy z USAMRIID. Ranawirus wydaje się działać na ich zwierzęta. Ale jest skuteczny tylko we wczesnym stadium. Jeśli poda się go w ciągu pierwszych trzydziestu sześciu godzin po zakażeniu.

— A jeśli poda się go później?

Cutler nie odpowiedział. Jego milczenie było wystarczająco wymowne.

Ciśnienie w śluzie kabinowej osiągnęło poziom 14 funtów na cal. Jack otworzył środkowy właz i dał nurka do śluzy wyposażeniowej. Pospiesznie zerwał rękawice, wyswobodził się ze skafandra i zdjął kombinezon chłodzący. Z zapinanych na zamek błyskawiczny kieszeni Orlanu-M wyjął opakowania z lekami oraz gotowymi strzykawkami z ranawirusem. Trząsł się teraz ze strachu, nie wiedząc, co zobaczy wewnątrz stacji.

Otworzył wewnętrzny właz.

I spełniły się jego najgorsze obawy.

Emma unosiła się w półmroku węzła, niczym pływak w ciemnym morzu. Tyle że ten pływak tonął. Jej kończyny poruszały się w rytmicznych spazmach. Konwulsje wstrząsały kręgosłupem, głowa latała do przodu i do tyłu, włosy fruwały jak postronki bicza. Była w agonii.

Nie, pomyślał. Nie pozwolę ci umrzeć. Do diabła, Emmo, nie możesz mnie opuścić.

Objął ją w pasie i zaczął ciągnąć w stronę rosyjskiej części stacji. W stronę modułów, w których wciąż było zasilanie i światło. Jej ciało dygotało niczym przewód, przez który płyną potężne ładunki prądu. Była taka mała, taka krucha, lecz przepływająca przez nią siła mogła z łatwością wyrwać ją z jego ramion. Nieważkość była dla niego czymś nowym. Próbując zataszczyć ją do rosyjskiego modułu służbowego, obijał się bezradnie o ściany.

— Mów do mnie, Jack — odezwał się Todd. — Co się dzieje?

— Przeniosłem ją do RSM... kładę na noszach...

— Czy podałeś jej wirusa?

— Najpierw muszę ją przywiązać. Ma drgawki...

Zapiął pasy na piersiach i biodrach Emmy, unieruchamiając jej tułów. Jej głowa waliła o nosze, oczy stanęły w słup. Twardówki były jaskrawoczerwone.

Podaj jej natychmiast wirusa. Nie czekaj z tym ani chwili dłużej.

Staza wisiała na ramie noszy. Oderwał ją i zawiązał na jej dygoczącym ramieniu. Musiał użyć całej siły, żeby odgiąć jej łokieć i odsłonić żyłę. Zębami zdjął korek ze strzykawki, po czym wbił jej igłę w ramię i wcisnął tłoczek.

— Wstrzyknąłem jej! — powiedział. — Całą dawkę!

— Jaka jest reakcja?

— Wciąż ma drgawki.

— W apteczce jest dożylna dilantina.

— Widzę ją. Zakładam kroplówkę!

Staza zdążyła odpłynąć, przypominając mu dobitnie, że w stanie nieważkości wszystko, co nie jest umocowane, szybko ucieka spod ręki. Złapał ją i założył z powrotem na ramię Emmy.

— Podałem jej dilantinę — zameldował po chwili.

— Są jakieś zmiany?

Jack wpatrywał się w żonę. Nie umieraj mi teraz. Błagam cię, Emmo.

Jej kręgosłup powoli wiotczał. Skurcz karku osłabł i głowa przestała walić o nosze. Oczy obróciły się do przodu i widział teraz tęczówki, dwie ciemne plamki na podbiegłych krwią twardówkach. Kiedy ujrzał jej źrenice, jęk wydarł mu się z gardła.

Lewa źrenica była całkowicie rozszerzona. Czarna i martwa.

Spóźnił się. Emma konała.

Wziął jej twarz w dłonie, jakby samą siłą woli mógł ją uleczyć. Zanosząc kolejne błagania, wiedział jednak, że nie uzdrowi jej dotykiem ani modlitwą. Śmierć jest procesem organicznym. Ustają powoli funkcje biochemiczne, zamiera ruch jonów pomiędzy błonami komórkowymi. Fale mózgowe spłaszczają się. Rytmiczne skurcze komórek sercowych przechodzą w drżenie. Pobożne życzenia nie wystarczą, żeby utrzymać człowieka przy życiu.

Ale Emma nie była jeszcze martwa. Jeszcze żyła.

— Todd — mruknął.

— Jestem tutaj.

— Jaka jest przyczyna śmierci? Co się dzieje ze zwierzętami laboratoryjnymi?

— Nie bardzo rozumiem...

— Powiedziałeś, że ranawirus działa, jeśli zostanie dostatecznie wcześnie podany. Co oznacza, że musi zabijać chimerę. Więc dlaczego nie działa, kiedy poda się go później?

— Dochodzi do zbyt rozległego uszkodzenia tkanki. Do wewnętrznego krwotoku.

— Gdzie dokładnie? Co wykazuje sekcja?

— U psów, w siedemdziesięciu pięciu procentach, śmiertelny

krwotok ma miejsce wewnątrz czaszki. Enzymy chimery niszczą naczynia krwionośne na powierzchni kory mózgowej. Naczynia pękają i krwawienie doprowadza do katastrofalnego wzrostu ciśnienia wewnątrzczaszkowego. To jest podobne do poważnego urazu głowy. Dochodzi do wgłobienia mózgu.

— Co się stanie, jeśli powstrzymamy krwawienie i nie dopuścimy do dalszych uszkodzeń mózgu? Gdyby ofiary udało się wyprowadzić jakoś ze stanu krytycznego, mogłyby dożyć chwili, kiedy zacznie działać ranawirus.

— To możliwe.

Jack spojrzał na rozszerzoną lewą źrenicę Emmy i przypomniał sobie nagle leżącą na szpitalnym wózku Debbie. Nie uratował jej. Czekał zbyt długo, żeby podjąć jakieś kroki, i stracił ją przez swój brak zdecydowania.

Ciebie nie stracę, pomyślał.

— Ma rozszerzoną lewą źrenicę, Todd — powiedział. — Potrzebna jest trepanacja.

— Co? Poruszasz się po omacku. Bez rentgena...

— To jej jedyna szansa! Potrzebuję świdra. Powiedz mi, gdzie są przechowywane narzędzia.

— Poczekaj... — Po kilku sekundach Todd odezwał się ponownie: — Nie wiemy dokładnie, gdzie Rosjanie trzymają swoje zestawy. Ale narzędzia NASA są w Węźle numer jeden, w regale magazynowym. Sprawdź napisy na torbach z nomeksu. Jest tam wyszczególniona zawartość.

Jack wypłynął z modułu służbowego i obijając się ponownie o ściany i obudowę włazów, ruszył do węzła numer 1. Ręce drżały mu, kiedy otwierał regał. Wyciągnął trzy torby i dopiero na czwartej zobaczył napis: „Elektryczna wiertarka/wiertła/nasadki". Złapał jeszcze jedną torbę ze śrubokrętami oraz młotkiem i wystartował z powrotem do modułu służbowego. Opuścił Emmę tylko na chwilę, lecz obawa, że zastanie ją martwą, dodawała mu skrzydeł.

Wciąż oddychała. Wciąż żyła.

Przymocował torby do stołu i wyjął wiertarkę. Przeznaczona była do napraw i prac konstrukcyjnych przy budowie stacji, nie do zabiegu neurochirurgicznego. Teraz, gdy trzymał ją w dłoni i uświadomił sobie, co ma zrobić, ogarnęła go panika. Miał operować w niesterylnych warunkach, narzędziem nadającym się do wiercenia stalowych płyt, nie ludzkich kości. Spojrzał na Emmę, leżącą bezwładnie na stole, i pomyślał o tym, co znajdowało się pod sklepieniem jej czaszki. Pomyślał o szarych komórkach, w których zmagazynowane były wspomnienia, marzenia i emocje całego życia — wszystko, co tworzyło jego niepowtarzalną Emmę. Wszystko to teraz umierało.

Wyjął z apteczki nożyczki i maszynkę do golenia, wziął jej włosy w garść i zaczął je ścinać. Twoje piękne włosy. Zawsze kochałem twoje włosy. Zawsze Cię kochałem.

Następnie ogolił miejsce nacięcia na lewej skroni. Włosy, których nie ściął, zgarnął do góry i odsunął na bok, żeby nie zanieczyściły miejsca operacji. Taśmą klejącą przymocował głowę Emmy do stołu. Pracując coraz szybciej, przygotował narzędzia. Ssak. Skalpel. Gazę. Spryskał wiertła środkiem dezynfekującym i wytarł je alkoholem.

Założył sterylne rękawiczki i wziął do ręki skalpel. Dłonie pociły mu się pod lateksem, gdy wykonywał nacięcie. Krew pociekła po skórze, zbierając się w łagodnie puchnący bąbel. Starł go gazą i ciął głębiej, aż ostrze dotknęło kości.

Zrobienie dziury w czaszce oznacza wystawienie mózgu na wrogi świat mikrobiologicznych najeźdźców. Mimo to ciało ludzkie jest odporne; może wytrzymać najbardziej brutalne urazy. Powtarzał to sobie, robiąc karb w kości skroniowej i ustawiając końcówkę wiertła. Starożytni Egipcjanie i Inkowie wykonywali trepanację czaszki przy użyciu najbardziej prymitywnych narzędzi i nikt nie myślał wówczas o zachowaniu sterylności. To było możliwe.

Maksymalnie skoncentrowany, zaczął nawiercać kość. Kilka milimetrów za głęboko i może uszkodzić mózg. W ciągu sekundy zniszczeniu ulegną tysiące drogocennych wspomnień. Może też rozerwać tętnicę oponową środkową, z której tryśnie nie dająca się zatrzymać fontanna krwi. Co pewien czas przerywał, żeby zaczerpnąć powietrza i sprawdzić głębokość otworu. Powoli. Powoli.

Nagle poczuł, jak ustępuje ostatnia warstwa kości i wiertło przechodzi na wylot. Z sercem podchodzącym do gardła delikatnie wyjął je z otworu.

Na zewnątrz natychmiast zaczął się formować bąbel krwi. Odetchnął z ulgą, widząc, że jest ciemnoczerwona — żylna, nie tętnicza. Ciśnienie wywierane na mózg Emmy już teraz powoli się zmniejszało: krew, która zgromadziła się w czaszce, wypływała przez świeży otwór. Odessał bąbel, przyłożył gazę, żeby wchłaniała nadal sączący się strumyk krwi, po czym zaczął wiercić w czaszce kolejne, układające się w krąg dziury. Kiedy kończył ostatnią, miał zdrętwiałe ręce i twarz zlaną potem.

Sięgnął po śrubokręt i młotek z kulistym noskiem.

Niech to się uda. Niech to ją uratuje.

Używając śrubokrętu zamiast dłuta, delikatnie podważył kość. A potem zaciskając zęby, odłupał okrągły fragment czaszki.

Trysnęła krew. Większy otwór pozwolił jej wreszcie uciec na zewnątrz i stopniowo wylewała się z czaszki.

Wylewało się coś jeszcze. Jajeczka. Ich grudka wypadła przez otwór i zawisła drżąc w powietrzu. Jack odessał ją i umieścił w próżniowym słoju. Na przestrzeni dziejów najgroźniejszymi wrogami człowieka były zawsze najmniejsze formy życia. Wirusy. Bakterie. Pasożyty. A teraz wy, pomyślał Jack, patrząc na słój. Ale potrafimy was pokonać.

Krew ledwie się teraz sączyła przez dziurę w czaszce. Po pierwszej gwałtownej strudze ciśnienie wywierane na mózg znacznie się zmniejszyło.

Spojrzał na lewe oko Emmy. Źrenica była wciąż rozszerzona. Ale kiedy w nią zaświecił, miał wrażenie — a może tylko mu się zdawało — że jej skraj lekko zadrżał, jak cofający się ku środkowi krąg czarnej wody.

Będziesz żyła, pomyślał.

Opatrzył ranę gazą i podłączył nową kroplówkę ze sterydami i luminalem, żeby pogłębić śpiączkę i uchronić mózg przed dalszymi uszkodzeniami. Następnie założył elektrody EKG na jej klatkę piersiową i dopiero wtedy zacisnął stazę na własnym ramieniu i wstrzyknął sobie dawkę ranawirusa. Albo zabije ich oboje, albo oboje ocali. Wkrótce się o tym przekona.

Na monitorze EKG serce Emmy pokazywało miarowy rytm zatokowy. Wziął jej rękę w swoją i czekał na jakiś znak.

Gordon Obie wszedł do centrum kontroli stacji i przyjrzał się dyżurującym przy konsolach mężczyznom i kobietom. Na przednim ekranie ISS kreśliła sinusoidę na mapie świata. W tym momencie, na algierskiej pustyni, oglądający przypadkiem nocne niebo wieśniacy mogli podziwiać szybującą po nim dziwną gwiazdę, jasną niczym Wenus. Gwiazdę różniącą się od innych, ponieważ nie stworzyli jej wszechmocni bogowie ani siły natury, lecz krucha ręka człowieka.

A na tej sali, pół świata od algierskiej pustyni, siedzieli jej strażnicy.

Dyrektor lotu, Woody Ellis, pozdrowił Gordona smętnym skinieniem głowy.

— Ani słowa — powiedział. — Nie odzywa się.

— Ile czasu minęło od ostatniej rozmowy?

— Jack odmeldował się przed pięcioma godzinami, żeby się trochę zdrzemnąć. Od prawie trzech dni nie zmrużył oka. Staramy się go nie budzić.

Minęły trzy dni i stan Emmy nie uległ żadnej zmianie. Gordon westchnął i ruszył wzdłuż tylnego rzędu do konsoli lekarza lotu. Todd Cutler, nieogolony i wymizerowany, śledził na ekranie dane biotelemetryczne Emmy. Ciekawe, kiedy on ostatnio spał, pomyślał Gordon. Wszyscy gonili resztkami sił, ale nikt nie chciał przyznać się do klęski.

— Wciąż żyje — powiedział cicho Todd. — Nie podajemy jej już luminalu.

— Ale nie obudziła się ze śpiączki?

— Nie. — Todd osunął się głębiej w fotel i wzdychając pomasował grzbiet nosa. — Nie wiem, co jeszcze można zrobić. Nigdy nie miałem z czymś takim do czynienia. Z zabiegiem neurochirurgicznym w przestrzeni.

To były słowa, które wielu z nich powtarzało od kilku tygodni.

Nigdy nie miałem z czymś takim do czynienia. To coś nowego. Coś, z czym nigdy przedtem się nie spotkaliśmy. Ale czyż nie na tym właśnie polega eksploracja? Że nie sposób przewidzieć wszystkich kryzysów, że każdy nowy problem wymaga nowego podejścia? Że każdy triumf zbudowany jest na klęsce?

A oni mogli jednak odnotować pewne triumfy. *Apogee II* wylądowała bezpiecznie na pustyni w Arizonie i Casper Mulholland negocjował obecnie pierwszy kontrakt firmy z siłami powietrznymi. Po spędzeniu trzech dni na pokładzie ISS Jack był nadal zdrowy — co wskazywało, że ranawirus był zarówno lekiem, jak i środkiem zabezpieczającym przeciwko chimerze. Sam fakt, że Emma jeszcze żyła, też można było uznać za triumf.

Choć może tylko chwilowy.

Gordon z głębokim smutkiem obserwował rytm jej EKG na ekranie. Jak długo serce może bić, kiedy nie działa już mózg? Jak długo ciało może trwać w śpiączce? Obserwowanie powolnego konania tej niegdyś żywej jak iskra kobiety było bardziej bolesne, niż gdyby był świadkiem jej nagłej śmierci.

Nagle wyprostował się ze wzrokiem utkwionym w monitorze.

— Co się z nią dzieje, Todd? — zapytał.

— O co ci chodzi?

— Coś złego dzieje się z jej sercem.

Todd podniósł głowę i spojrzał na linię biegnącą po ekranie.

— Nie — powiedział, sięgając do przycisku łączności. — To nie serce.

Przenikliwy wizg kardiomonitora obudził nagle uśpionego proszkami Jacka. Lata medycznej praktyki, niezliczone spędzone w dyżurce noce nauczyły go budzić się natychmiast z najgłębszego snu i otwierając oczy, dokładnie wiedział, gdzie się znajduje. Wiedział, że coś jest nie w porządku.

Obrócił się tam, skąd dobiegał dźwięk, i przez krótką chwilę poczuł się zdezorientowany tym, co zobaczył. Emma wisiała twarzą w dół pod sufitem. Jedna z elektrod EKG odłączyła się i unosiła w powietrzu jak falujące pod wodą pasmo morskich wodorostów. Obrócił się o sto osiemdziesiąt stopni i wszystko wróciło do normy.

Założył z powrotem elektrodę. Jego własne serce zabiło szybciej, kiedy obserwował monitor, bojąc się tego, co może ujrzeć. Z ulgą zobaczył na ekranie normalny rytm.

A potem — coś jeszcze. Rozchwianie linii. Ruch.

Spojrzał na Emmę. I ujrzał, że ma otwarte oczy.

— ISS nie odpowiada — zakomunikował CAPCOM.

— Próbuj dalej. Musimy się z nim natychmiast skontaktować! — warknął Todd.

Gordon wpatrywał się w dane biotelemetryczne, w ogóle ich nie rozumiejąc i obawiając się najgorszego. EKG skakało w górę i w dół, a potem nagle zrobiło się płaskie. No nie, pomyślał. Straciliśmy ją!

— To tylko przerwane połączenie — uspokoił go Todd. — Odpadła elektroda. Może ma drgawki.

— Nadal nie mamy odpowiedzi z ISS — oznajmił CAPCOM.

— Co się tam, do diabła, dzieje?

— Patrz! — rzucił Gordon.

Obaj mężczyźni zastygli w bezruchu, kiedy rytm zatokowy ponownie pojawił się na ekranie.

— Mam na linii ISS — zawołał CAPCOM. — Jack prosi o natychmiastową konsultację.

Todd pochylił się do przodu w fotelu.

— Kontrola naziemna, zamknijcie łączność. Mów, Jack.

To była prywatna rozmowa: nikt oprócz Todda nie słyszał, co mówi Jack. Na sali zapadła nagła cisza; wszyscy patrzyli na konsolę lekarza dyżurnego. Nawet siedzący tuż obok Gordon nie mógł niczego wywnioskować z wyrazu jego twarzy. Todd siedział pochylony do przodu, trzymając dłonie na słuchawkach, jakby nie chciał uronić ani słowa.

— Poczekaj, Jack — powiedział w końcu. — Jest tutaj mnóstwo ludzi, którzy chcą to usłyszeć. Przekażmy im tę nowinę. — Podniósł w górę kciuki i obrócił się do dyrektora lotu, Woody'ego Ellisa. — Watson obudziła się! Mówi!

To, co zdarzyło się potem, na zawsze wryło się w pamięć Gordona Obiego. Usłyszał głośne krzyki, które przeszły w wiwaty. Poczuł, jak Todd wali go z całej siły w plecy. Liz Gianni wydała z siebie dziki okrzyk. A Woody Ellis osunął się na fotel, tocząc dookoła rozradowanym i pełnym niedowierzania wzrokiem.

Najbardziej jednak zapamiętał własną reakcję. Rozejrzał się po sali i nagle poczuł, że coś drapie go w gardle i obraz przed jego oczyma rozmywa się. Przez wszystkie te lata w NASA nikt nigdy nie widział płaczącego Gordona Obiego. Niech ich wszyscy diabli, jeśli zobaczą go teraz.

Wciąż wiwatowali, kiedy wstał z fotela i niezauważony przez nikogo wyszedł na korytarz.

Pięć miesięcy później
Panama City, Floryda

Zgrzyt zawiasów i brzęk metalu odbił się echem w rozległym hangarze marynarki wojennej, gdy otworzyły się wreszcie drzwi komory wysokociśnieniowej. Jared Profitt patrzył, jak najpierw wychodzą przez nie dwaj wojskowi lekarze, obaj biorąc w progu głęboki oddech. Spędzili ponad miesiąc w tym klaustrofobicznym pomieszczeniu i wydawali się lekko oszołomieni nagle odzyskaną wolnością. Po chwili odwrócili się, żeby pomóc dwóm pozostałym lokatorom komory.

Na zewnątrz wyszli Emma Watson i Jack McCallum. Oboje spojrzeli na Jareda Profitta, który ruszył w ich stronę.

— Witam z powrotem na świecie, doktor Watson — powiedział, wyciągając rękę na powitanie.

Po krótkim wahaniu uścisnęła ją. Była o wiele chudsza niż na fotografii. Bardziej krucha. Cztery miesiące kwarantanny w kosmosie, a potem pięć tygodni w komorze wysokociśnieniowej, odcisnęły na niej swoje piętno. Straciła dużo masy mięśniowej. Osadzone w bladej twarzy, błyszczące ciemne oczy wydawały się większe niż kiedyś.

Włosy, które odrosły na ogolonej skórze czaszki, były srebrzyste — w uderzającym kontraście do brązowego koloru pozostałych.

Profitt spojrzał na dwóch wojskowych lekarzy.

— Możecie zostawić nas samych? — poprosił. Zaczekał, aż ich kroki ucichły w oddali, i dopiero wtedy odwrócił się do Emmy. — Dobrze się pani czuje?

— Nieźle — odparła. — Powiedzieli mi, że choroba ustąpiła.

— Ustąpiły jej objawy — poprawił ją.

Było to ważne rozróżnienie. Chociaż udowodniono, że ranawirus rzeczywiście likwiduje chimerę u zwierząt laboratoryjnych, w przypadku Emmy nie sposób było z całkowitą pewnością postawić długoterminowej diagnozy. Mogli tylko stwierdzić, że nie ma dowodu, by chimera znajdowała się w jej ciele. Od momentu, kiedy wylądowała na pokładzie *Endeavoura*, poddawano ją ciągłym badaniom krwi, prześwietlano i dokonywano biopsji. Mimo że wszystkie wyniki były negatywne, USAMRIID uparło się, by w trakcie dalszych badań pozostawała w komorze wysokociśnieniowej.

Nawet teraz nie była zupełnie wolna. Do końca życia miała pozostać obiektem badań.

Profitt spojrzał na jej męża i zobaczył w jego oczach wrogość. Jack nie odezwał się ani słowem, objął tylko Emmę w talii. Już mi jej nie zabierzecie, mówił jego gest.

— Mam nadzieję, że rozumie pan, doktorze McCallum, iż wszystkie moje decyzje podjęte były z ważnych powodów.

— Rozumiem pańskie powody. Ale to wcale nie znaczy, że zgadzam się z pańskimi decyzjami.

— W takim razie łączy nas choć to jedno: zrozumienie. — Profitt nie podał mu ręki; wyczuwał, że McCallum jej nie uściśnie. — Na zewnątrz czeka na was wielu ludzi. Nie będę was dłużej zatrzymywał — powiedział po prostu i odwrócił się, żeby odejść.

— Niech pan zaczeka! — zawołał Jack. — Co się teraz stanie?

— Możecie odejść. Pod warunkiem, że oboje będziecie wracali na okresowe badania.

— Nie. Chodziło mi o to, co stanie się z ludźmi, którzy

ponoszą za to odpowiedzialność. Którzy wysłali w kosmos chimerę.

— Nie podejmują już decyzji.

— I to wszystko? — Zdenerwowany Jack podniósł głos: — Nie spotka ich żadna kara, żadne konsekwencje?

— Wszystko zostanie załatwione tak jak zwykle. Tak, jak załatwia się to w każdej rządowej agencji, łącznie z NASA. Dyskretne przeniesienie na boczny tor. A potem spokojna emerytura. Nie będzie żadnego dochodzenia, żadnego przecieku. Chimera jest zbyt niebezpieczna, żeby informować o niej świat.

— Zginęli przecież ludzie.

— Winę zwali się na wirusa Marburg, przypadkowo zawleczonego na pokład stacji przez zarażoną małpę.

— Ktoś musi ponieść odpowiedzialność.

— Za co? Za błędną decyzję? — Profitt potrząsnął głową, a potem odwrócił się i spojrzał na zamknięte drzwi hangaru i smugę słonecznego światła, które padało przez szparę. — Nie ma tutaj przestępstwa, za które można by kogoś ukarać. Ci ludzie popełniają po prostu błędy. Nie rozumieją, z czym mają do czynienia. Wiem, że to dla pana frustrujące. Rozumiem, że chce pan na kogoś zwalić winę. Ale w tej sztuce nie ma łajdaków, doktorze McCallum. Są sami... bohaterowie.

Mówiąc to, spojrzał mu prosto w oczy. Dwaj mężczyźni mierzyli się przez chwilę wzrokiem. Profitt nie ujrzał w oczach Jacka zaufania ani ciepła. Ale zobaczył szacunek.

— Czekają na was przyjaciele — powiedział.

Jack skinął głową i razem z Emmą skierowali się ku drzwiom hangaru. Kiedy wychodzili, do środka wpadło więcej światła i Jared Profitt, mrużąc oczy przed blaskiem, zobaczył tylko ich sylwetki — rękę Jacka na ramieniu Emmy i ją samą zwróconą do niego profilem. Na dworze rozległy się radosne wiwaty, a oni ruszyli w ich stronę i zniknęli w oślepiającym świetle dnia.

MORZE

Rozdział dwudziesty ósmy

Spadająca gwiazda zatoczyła łuk na niebie i rozpadła się na jasne okruchy. Emma zaczerpnęła haust powietrza i jej nozdrza wypełnił zapach wiejącego nad zatoką Galveston wiatru. Po powrocie do domu wszystko wydawało jej się nowe i dziwne. Spokojna panorama nieba. Kołysanie się żaglówki pod plecami. Plusk wody uderzającej o kadłub *Sanneke*. Tak długo pozbawiona była najprostszych ziemskich doznań, że sam podmuch bryzy na twarzy stanowił coś, czym chciała się nacieszyć. Przez ostatnie miesiące kwarantanny na stacji patrzyła na Ziemię, tęskniąc za zapachem trawy, smakiem słonego powietrza, ciepłym dotykiem ziemi pod bosą stopą. Kiedy wrócę do domu, jeśli do niego wrócę, myślała, nigdy go już nie opuszczę.

I oto była tutaj, mogła napawać się do woli widokami i woniami ziemi. Mimo to nie przestała obracać tęsknego wzroku ku gwiazdom.

— Chciałabyś jeszcze kiedyś polecieć? — Jack zadał to pytanie tak cicho, że jego słowa niemal uleciały z wiatrem. Leżał obok na pokładzie *Sanneke*, trzymając ją za rękę i również wpatrując się w nocne niebo. — Czy myślisz czasem, że gdyby ci pozwolili, skorzystałabyś z tej szansy?

— Codziennie — mruknęła. — Czy to nie dziwne? Kiedy byliśmy tam, na górze, mówiliśmy tylko o powrocie do domu.

A teraz jesteśmy tutaj i nie możemy przestać myśleć o nowym locie.

Przesunęła palcami po skroni, gdzie krótsze włosy przybrały zaskakujący srebrzysty kolor. Wciąż czuła zawęźloną bliznę w miejscu, w którym skalpel Jacka przeciął skórę i czepiec ścięgnisty. Stałe przypomnienie tego, czego doświadczyła na stacji. Wyryte na jej ciele świadectwo przeżytego horroru. A mimo to, za każdym razem, gdy podnosiła wzrok ku niebu, budziło się w niej stare pragnienie.

— Myślę, że zawsze będziemy marzyć o następnej szansie — powiedziała. — Tak jak ci żeglarze, którzy chcą wrócić na morze. Bez względu na to, jak straszliwy był ostatni rejs i jak gorąco całowali ziemię, kiedy zeszli na ląd. Po pewnym czasie marzenie wraca i znowu chcą wypłynąć.

Sama nie mogła już nigdy polecieć w kosmos. Była niczym uwięziony na wyspie żeglarz, otoczony zewsząd kuszącym, lecz zakazanym morzem. Kosmos był dla niej niedostępny z powodu chimery.

Chociaż lekarze z Centrum Kosmicznego Johnsona i USAMRIID nie wykryli u niej śladów infekcji, nie mieli również stuprocentowej pewności, że chimera została zlikwidowana. Mogła pozostawać w uśpieniu. Nikt w NASA nie miał odwagi przewidywać, co by się stało, gdyby Emma znów poleciała w kosmos.

Dlatego ta możliwość była przed nią zamknięta. Wciąż wchodziła w skład korpusu astronautów, lecz nie mogła mieć nadziei na przydział. Marzenie mieli realizować inni. Na stacji przebywała już następna załoga, kończąca naprawy i odkażanie, które Emma zapoczątkowała z Jackiem. W przyszłym miesiącu na pokładzie *Columbii* miały zostać dostarczone ostatnie części zamienne do zniszczonej głównej kratownicy i baterii słonecznych. ISS nie umrze. Zbyt wiele osób zginęło, by urzeczywistnić projekt stacji orbitalnej; porzucenie jej oznaczałoby, że ich ofiara poszła na darmo.

Kolejna gwiazda przeleciała nad ich głowami, runęła w dół i zgasła. Oboje czekali na następną. Inni oglądający spadające gwiazdy ludzie mogą uważać je za dobry lub zły omen, zstępujące z nieba anioły lub też świetną okazję, żeby pomyśleć jakieś życzenie. Emma widziała w nich to, czym rzeczywiście były: kosmiczne szczątki, zabłąkanych wędrowców z zimnych, ciemnych krańców wszechświata. Fakt, że były tylko okruchami skał i lodu, nie czynił ich wcale mniej cudownymi.

Kiedy z przechyloną do góry głową obserwowała niebo, *Sanneke* uniosła się na fali i przez chwilę miała wrażenie, że gwiazdy pędzą ku niej, że podróżuje w przestrzeni i w czasie. Zamknęła oczy. I nagle, nie wiadomo dlaczego, serce zaczęło jej walić z przerażenia. Poczuła na twarzy lodowaty pocałunek potu.

Jack dotknął jej drżącej ręki.

— Co się stało? Zimno ci?

— Nie, nie jest mi zimno. — Przełknęła z trudem ślinę. — Przyszło mi do głowy coś strasznego.

— Co?

— Jeśli w USAMRIID się nie mylą... jeśli chimera przybyła na Ziemię w asteroidzie, w takim razie stanowi dowód, że gdzie indziej istnieje życie.

— Tak. To stanowi dowód.

— A jeśli to jest inteligentne życie?

— Chimera jest zbyt mała, zbyt prymitywna. Nie jest inteligentna.

— Ale może być inteligentny ten, kto ją tu przysłał — szepnęła.

Jack zastygł w bezruchu.

— Kolonizator — powiedział cicho.

— Rozprzestrzenia się niczym nasiona na wietrze. W każdym miejscu, gdzie ląduje, na każdej planecie, w każdym układzie słonecznym, zaraża rodzime gatunki. Włącza ich DNA do swojego genomu. Nie potrzebuje milionów lat ewolucji, żeby zaadaptować się do nowej siedziby. Może uzyskać wszystkie biologiczne instrumenty przetrwania od żyjących na miejscu gatunków.

A kiedy już się zadomowi, kiedy stanie się dominującym gatunkiem na nowej planecie, co wtedy? Co dzieje się dalej? Nie wiedziała. Odpowiedź musiała być zawarta w częściach

379

genomu chimery, których nie umieli jeszcze zidentyfikować. W sekwencjach DNA, których funkcja pozostała tajemnicą.

Niebo przeciął nowy meteor, przypominając, że niebo wiecznie się zmienia, nigdy nie jest spokojne. A Ziemia jest jedynie samotnym wędrowcem w bezkresnej przestrzeni.

— Musimy być gotowi — powiedziała Emma. — Zanim przybędzie następna chimera.

Jack usiadł i spojrzał na zegarek.

— Robi się zimno — stwierdził. — Wracajmy do domu. Gordon dostanie szału, jeśli nie zdążymy na jutrzejszą konferencję prasową.

— Nie widziałam, żeby kiedykolwiek stracił nad sobą panowanie.

— Nie znasz go tak dobrze jak ja. — Jack zaczął wybierać fał. Grotżagiel podniósł się i załopotał na wietrze. — Jest w tobie zakochany, wiesz?

— Gordie? — Roześmiała się. — Nie potrafię sobie tego wyobrazić.

— A wiesz, czego ja nie potrafię sobie wyobrazić? — zapytał, przyciągając ją do siebie. — Że jakikolwiek mężczyzna może się w tobie nie zakochać.

Wiatr zerwał się nagle, wypełniając żagiel i *Sanneke* skoczyła do przodu, przecinając wody zatoki.

— Zwrot przez sztag — powiedział Jack i poprowadził łódź z wiatrem, obracając dziób na zachód, orientując się nie według gwiazd, lecz świateł wybrzeża.

Świateł domu.

Słownik skrótów

ALSP — Advance Life Support Pack, zestaw medyczny, który umożliwia ratowanie życia również w przypadku ciężkich schorzeń serca.

APU — Auxiliary Power Unit, pomocnicza jednostka zasilająca.

ASCR — Assured Safe Crew Return, tryb działania pokładowych systemów komputerowych używany podczas awaryjnego odcumowania i ewakuacji załogi.

CAPCOM — Capsule Communicator, pracownik sali kontroli lotu komunikujący się z załogą statku kosmicznego.

CRV — Crew Return Vehicle, załogowy statek ratunkowy.

ECLSS — Environmental Control and Life Support System, system podtrzymania życia i kontroli środowiska pokładowego.

EKV — Exoatmospheric Kill Vehicle, pocisk przeznaczony do niszczenia celów przed ich wejściem w atmosferę.

ESA — European Space Agency, Europejska Agencja Kosmiczna.

EVA — Extravehicular Activity, spacer kosmiczny.

FAA — Federal Aviation Agency, Federalna Agencja Lotnicza.

FCR — Flight Control Room, sala kontroli lotu.

ISS — International Space Station, Międzynarodowa Stacja Kosmiczna.

JSC — Johnson Space Center, Centrum Kosmiczne Johnsona (w Houston).

KSC — Kennedy Space Center, Centrum Kosmiczne Kennedy;ego (na przylądku Canaveral).

KU—BAND — pasmo częstotliwości używane w łączności satelitarnej (11—14 GHz).

MECO — Main Engine Cutoff, odłączenie głównego silnika.

MMACS — Maintenance, Mechanical Arm and Crew System Engineer, inżynier obsługi technicznej, ramienia mechanicznego i systemu załogowego.

NASA — National Aeronautics and Space Administration, Krajowa Agencja Aeronautyczna i Kosmiczna.

NASDA — japońska agencja kosmiczna.

NOAA — National Oceanic and Atmospheric Administration, Krajowy Urząd ds. Oceanu i Atmosfery.

NORAD — North American Air Defense Command, północnoamerykańskie dowództwo obrony powietrznej.

NSTS — National Space Transportation System, Krajowy System Transportu Kosmicznego.

ODIN — kontroler lotu stacji kosmicznej odpowiedzialny za pokładowa sieć komputerowa.

OMS — Orbital Maneuvering System, orbitalny system manewrowy.

Orlan-M — rosyjski skafander kosmiczny.

OSO — kontroler lotu stacji kosmicznej odpowiedzialny za systemy mechaniczne i cumownicze.

RCS — Reaction Control System, jeden z systemów napędowych promu używany do manewrów na orbicie.

RPOP — Rendezvous and Proximity Operations Program, komputerowy program operacji zbliżeniowych i cumowniczych.

RSM — Russian Service Module, Rosyjski Moduł Służbowy.

RTLS — Return to Launch Site, procedura awaryjnego powrotu promu do miejsca startu.

SAFER — Simplified Aid For EVA Rescue, silniczek odrzutowy umożliwiający astronaucie powrót do statku kosmicznego w przypadku zerwania przewodów zabezpieczających.

SRB — Solid Rocket Boosters, rakiety stałopaliwowe.

TACAN — Tactical Air Navigation, system taktycznej nawigacji powietrznej

TAEM — Terminal Area Energy Management, zarządzanie energią w ostatniej fazie lotu.

TAL — TransAtlantic Landing, procedura awaryjnego ładowania promu kosmicznego po drugiej stronie Atlantyku.

USA — United Space Alliance, Zjednoczony Sojusz Kosmiczny.

US SPACE COM — US Space Command, Dowództwo Kosmiczne Stanów Zjednoczonych, wydział Zjednoczonego Dowództwa Ministerstwa Obrony, monitoruje wszystkie sztuczne obiekty krążące wokół Ziemi i wspiera wojskowe oraz cywilne operacje w przestrzeni kosmicznej.

Polecamy thrillery Tess Gerritsen

CHIRURG

Niezwykle brutalny zabójca, nazywany przez media „Chirurgiem", zabija młode samotne kobiety, przeprowadzając na nich zabieg wycięcia macicy bez znieczulenia. Policja ustala, że podobna seria morderstw miała miejsce dwa lata wcześniej, a ich sprawca został zastrzelony przez doktor Catherine Cordell, piękną lekarkę zatrudnioną w bostońskim centrum medycznym – jedyną ofiarę, której udało się ujść z życiem. Catherine znowu czuje się zagrożona. Jej jedynym sprzymierzeńcem wydaje się detektyw prowadzący śledztwo. Czy obie sprawy i obu zabójców coś łączy?

SKALPEL

Seria tajemniczych morderstw, dokonywanych ze szczególnym okrucieństwem na parach małżeńskich, paraliżuje Boston. Okoliczności zbrodni wskazują na seryjnego zabójcę kobiet nazwanego przez media „Chirurgiem", który odsiaduje wyrok dożywotniego więzienia. Młoda policjantka Jane Rizzoli, odpowiedzialna za jego schwytanie, podejrzewa, że chodzi o coś więcej niż zwykłe naśladownictwo. Równoległe śledztwo prowadzi agent FBI, Gabriel Dean. Dean niechętnie dzieli się posiadanymi informacjami, choć wydaje się sporo wiedzieć o sprawie. Czy faktycznie tropi tego samego zabójcę? Tymczasem morderca ucieka z więzienia, pozostawiając po sobie trzy trupy. Jane sama staje się celem żądnego zemsty psychopaty...